P9-BTY-528

Выкуп

МОСКВА
2005

УДК 821.111(73)
ББК 84 (7Сое)
С80

Danielle Steel
RANSOM

Перевод с английского В.Н. Матюшиной

Оформление А.А. Кудрявцева

Подписано в печать 03.02.05. Формат 84x108 1/32.
Усл. печ. л. 18,48. Тираж 15 000 экз. Заказ № 3102.

Стил, Д.
С80 Выкуп: [роман] / Даниэла Стил; пер. с англ. В.Н. Матюшиной. — М.: АСТ: АСТ МОСКВА, 2005. — 350, [2] с.

ISBN 5-17-029644-4 (ООО «Издательство АСТ»)
ISBN 5-9713-0008-3 (ООО Издательство «АСТ МОСКВА»)

Убийца, вышедший из тюрьмы с единственным желанием — отомстить..

Человек, некогда совершивший преступление — и пытающийся начать новую жизнь…

Умный и циничный полицейский, все силы отдававший своей работе — и оказавшийся в полном одиночестве…

Вдова бизнесмена, погибшего при весьма загадочных обстоятельствах…

Они еще не знают, что через несколько дней их жизни переплетутся в немыслимую сеть загадок и тайн, любви, верности и предательства.

Но часы судьбы уже бьют!

УДК 821.111(73)
ББК 84 (7Сое)

Хоть ласкова вода,
но точит твердый камень...
Так и любовь
при нежности своей
Мощнее грубой силы.

Герман Гессе

Глава 1

Питер Мэтью Морган стоял у конторки и собирал свои вещи: бумажник с четырьмя сотнями долларов, снятыми с его личного счета, и документы об освобождении, которые ему предстояло взять с собой, чтобы вручить их уполномоченному службы условного досрочного освобождения. На нем была надета выданная ему казенная одежда: джинсы, белая тенниска, грубая хлопчатобумажная рубаха поверх нее, кроссовки и белые носки. Все это не шло ни в какое сравнение с одеждой, которая была на нем, когда он пришел сюда. В калифорнийской тюрьме Пеликан-Бей он пробыл четыре года и три месяца, то есть минимальный период от срока, к которому его приговорили. Однако за первое правонарушение это был весьма внушительный срок тюремного заключения. Его схватили, когда при нем было чрезмерно большое количество кокаина, а это преследовалось в уголовном порядке. Его судили судом присяжных и приговорили к тюремному заключению с отбыванием срока в калифорнийской тюрьме Пеликан-Бей.

Поначалу он продавал наркотики только друзьям. Это позволяло ему удовлетворять незаметно развившуюся у него привычку, а также все его финансовые потребности, а одно время даже потребности его семьи. Перед тем как его схватили, он за шесть месяцев сделал около миллиона долларов, но даже этих весьма значительных сумм не хватило, чтобы заткнуть брешь, сквозь которую утекали деньги: наркотики, ненадежные инвестиции, краткосрочные сделки с ценными бумагами, совершаемые без надлежащего покрытия, огромные риски, не охваченные страхованием. Некоторое время он работал биржевым маклером, но попался на махинациях с ценными бумагами. Однако в тот раз ущерб сочли недостаточно серьезным для судебного преследования, и его не арестовали.

Жил он явно не по средствам, и это приобрело масштабы, граничащие с безумием. Он общался с самыми неподходящими людьми и так пристрастился к наркотикам, что его дилеру, для того чтобы хоть как-то взыскать с него долг, пришлось самому заняться сбытом. Открылись также случаи подделки чеков и незаконного присвоения денег, но ему снова повезло. Поскольку его все равно арестовали за торговлю кокаином, его тогдашний работодатель решил не выдвигать против него обвинений. Это не имело смысла. Сколько бы денег он ни присвоил, их уже не было. Судя по всему, деньги это были немалые, но от них давно ничего не осталось и он не смог бы возместить присвоенные суммы. И работодатель пожалел его. Питер умел быть обаятельным и знал, как понравиться людям.

Питер Морган олицетворял собой образ славного парня, который сбился с пути. В какой-то момент он свернул с правильной дороги, выбрав кривые, окольные пути, и упустил таким образом все открывавшиеся перед ним блестящие возможности. Но больше, чем Питера, его друзья и коллеги по работе жалели его жену и детишек, ставших жертвами его сумасбродных прожектов и ошибочных расчетов. Однако каждый, кто его знал, считал, что в глубине души Питер Морган был славным парнем. Трудно было сказать, когда и что именно в его жизни пошло наперекосяк. И откровенно говоря, это коснулось многого, причем уже давно.

Отец Питера, который умер, когда мальчонке было три года, происходил из известной семьи, относящейся к сливкам нью-йоркского общества. Состояние семьи сокращалось из года в год, а его мать умудрилась промотать даже то, что оставил отец, задолго до того, как Питер вырос. Вскоре после смерти отца она снова вышла замуж за одного молодого представителя высшего общества. Он был наследником известной банкирской семьи и очень заботился о Питере, а также его сестре и брате, воспитывал их, окружал любовью, посылал учиться в лучшие частные школы, как и двоих единоутробных братьев Питера, родившихся от этого брака. Семья производила впечатление крепкой и, конечно, хорошо обеспеченной, хотя его мать постепенно пристрастившись к алкоголю, попала в конце концов в больницу, где и умерла, оставив Питера и его родных брата и сестру практически сиротами. Его отчим, который так и не усыновил их официально, через год после смерти матери Питера женился вновь. Его новая жена считала, что у мужа нет никаких причин обременять себя — ни в финансовом, ни в других отношениях — заботами о троих детях, которые даже не были его родными. Она была готова заботиться о его собственных ребятишках, хотя даже их предпочла отправить в школу-интернат. Но она не желала иметь никакого дела с тремя детьми, появившимися у него в семье вместе с матерью Питера. После этого отчим Питера ограничил свои обязанности перед ними оплатой школы-интерната, а потом колледжа и весьма скромным пособием на карманные расходы, объяснив при этом с некоторой застенчивостью, что больше не сможет предоставлять им ни приюта в своем доме, ни дополнительных финансовых средств.

После этого Питер проводил каникулы либо в школе, либо в доме своих друзей, если удавалось очаровать их настолько, что они приглашали его к себе на каникулы. А очаровывать он умел. После смерти матери Питер научился изворачиваться и всеми правдами и неправдами добывать себе средства к жизни. Это было все, что он умел, и это умение его не подводило. В те годы его окружали любовью и баловали чем-нибудь вкусненьким только родители его друзей.

Когда он жил у товарищей во время каникул, там частенько что-нибудь происходило: пропадали деньги, загадочным образом исчезали теннисные ракетки, пропажа которых обнаруживалась после его отъезда. Одежда, которую он брал «поносить», не возвращалась. Однажды бесследно исчезли золотые часы, и в результате была уволена рыдавшая горничная. Как обнаружилось позднее, Питер с ней спал. В то время ему было шестнадцать лет, и на деньги, вырученные от продажи часов, украсть которые для него он уговорил горничную, он прожил целых шесть месяцев. Питер постоянно был озабочен одним: как раздобыть достаточно денег для удовлетворения своих потребностей. И старался вовсю. Он был таким добрым, вежливым и таким приятным в общении, что никогда не попадал под подозрение, если случалось что-нибудь неприятное. Никому и в голову не приходило заподозрить такого мальчика, как он, в каком-нибудь неблаговидном поступке.

Однажды школьный психолог высказал предположение, что у Питера наблюдаются социопатические тенденции, но в этом усомнился даже директор школы. Психолог разумно предположил, что под внешним обаянием у него скрывается, по-видимому, неспособность отдавать себе отчет в своих поступках, то есть что у него меньше совести, чем следовало бы иметь. Но поскольку его обаяние делало его невероятно привлекательным, трудно было понять, каким на самом деле являлся Питер под этой внешней оболочкой. Благодаря обаянию, сообразительности и приятной внешности ему удавалось держаться на плаву, хотя в его жизни не раз возникали сложные ситуации. Ему было не на кого надеяться, кроме самого себя, и это его в глубине души сильно задевало. Смерть его родителей, отдаление от него отчима, почти совсем переставшего давать ему деньги на карманные расходы, тот факт, что он больше не виделся со своими родными братом и сестрой с тех пор, как их отослали учиться в разные школы-интернаты на Восточном побережье, — все это оставило в нем свой след. А позднее, когда он уже учился в колледже, его юной, уже израненной душе нанесло удар известие о том, что утонула его восемнадцатилетняя сестра. Он редко говорил о своих переживаниях и казался уравновешенным, благожелательным и оптимистичным парнем, который мог очаровать и частенько очаровывал почти любого. Жизнь у него была совсем не легкой, хотя, глядя на него, об этом было трудно догадаться. Страдания, через которые ему пришлось пройти, не оставили на нем видимых отметин. Шрамы находились глубже и были надежно спрятаны.

Женщины слетались к нему как мухи на мед. Мужчины считали его компанейским парнем. Позднее друзья вспоминали, что в колледже он много пил, однако никогда не утрачивал контроль над собой. По крайней мере этого не было заметно.

Питер Морган всегда следил за собой. И всегда имел какой-нибудь план. Его отчим сдержал обещание и помог ему получить право на стипендию для обучения в Гарвардской школе бизнеса, которую он успешно закончил. Теперь, не считая тонкого ума, привлекательной внешности и некоторых ценных связей, которые он завел, обучаясь в престижных школах, у него в руках оказалось все необходимое для дальнейшего продвижения. Казалось, можно было с абсолютной уверенностью сказать, что он пойдет далеко. Никто не сомневался в том, что Питер Морган добьется успеха. Он был настоящим финансовым гением — или по крайней мере так казалось, — и у него было великое множество идей.

После окончания школы бизнеса он получил работу на Уолл-стрит в одной брокерской фирме, а два года спустя начались неприятности: он нарушил какие-то правила, подделал какие-то счета, «позаимствовал» немного денег. Дело чуть было не обернулось для него плохо, но потом он, как всегда, приземлился, словно кошка на все четыре лапы. Стал работать в инвестиционно-банковской фирме и на короткое время превратился, казалось, в «золотого мальчика» Уолл-стрит. У него было все, что требовалось для того, чтобы добиться успеха в жизни, кроме семьи и совести. У Питера всегда был наготове замысел как можно скорее выйти на финишную прямую. Еще в детстве он понял, что жизнь может рухнуть в любой момент и что он должен сам позаботиться о себе. Какие-то удачи если и случаются, то крайне редко. Их надо делать своими руками.

В двадцать девять лет он женился на Джанет, потрясающе красивой молодой девушке, только что начавшей появляться в свете, которая была дочерью главы той самой фирмы, в которой он работал. Два года спустя у них уже росли две очаровательные дочурки. Все было великолепно: он любил жену и обожал своих дочерей. Наконец-то его жизнь лежала перед ним, словно длинная гладкая дорога. Но тут по какой-то совершенно непостижимой причине вдруг все изменилось. Он только и говорил о том, как сделать много денег, был одержим этой идеей и хотел осуществить ее во что бы то ни стало. Некоторые считали, что он просто забавляется, потому что для него и так не составляет никакого труда иметь деньги. Он играл по-крупному, стал жаден, и жизнь мало-помалу ускользала из-под его контроля. В конце концов его старая привычка выбирать самый короткий путь к цели и брать то, что ему нужно, победила. Он принялся «срезать углы», заключать сомнительные сделки — правда, не в таких масштабах, чтобы за это можно было уволить, но его тесть и с этим не хотел мириться. Питер словно несся по скоростному треку, в конце которого его поджидала беда.

У Питера состоялось несколько серьезных разговоров с тестем во время прогулок по территории поместья родителей его жены в Коннектикуте, и отцу Джанет показалось, что ему удалось убедить Питера в том, что без труда не вытащишь и рыбку из пруда и что успеха можно добиться только ценой собственных усилий. Он предупредил зятя, что сомнительные сделки, которые тот заключал, и источники, которыми пользовался, когда-нибудь напомнят о себе. Возможно, даже очень скоро. Он прочел ему целую лекцию о том, как важно честно вести дела, и был уверен, что Питер примет его слова во внимание. По правде говоря, Питер ему нравился. Однако добился тесть лишь одного: Питер еще острее ощутил желание как можно скорее разбогатеть.

В тридцать один год Питер «ради баловства» приобщился к наркотикам. «Никакого вреда от них нет, — утверждал он, — все их принимают, и от этого все вокруг становится более забавным и увлекательным». Джанет это тревожило не на шутку. К тридцати двум годам Питер Морган оказался в большой беде, утратив контроль над своим пагубным пристрастием, хотя и не желал признаться в этом. Он начал запускать руку в деньги, принадлежащие жене, пока его тесть не перекрыл ему путь к этому источнику. Год спустя его попросили уйти из фирмы, а его жена, опустошенная и травмированная всем, что пришлось пережить по вине Питера, переехала к своим родителям. Он никогда не обижал ее, но был постоянно «под кайфом» и больше не мог управлять собой. Именно тогда ее отец обнаружил, что Питер влез в долги, что он «незаметно» воровал деньги у фирмы, но, учитывая их отношения с ним и то, что они с Джанет могли оказаться в неудобном положении, отец оплатил его долги. Питер согласился предоставить Джанет полную опеку над дочерьми, которым к тому времени было два и три года. Потом он утратил свое право на посещение дочерей после истории с большим количеством кокаина, припрятанным на яхте у берегов Ист-Хэмптона, в которой были замешаны он и три женщины. Дети в то время находились у него. Нянюшка позвонила Джанет по мобильному телефону, и Джанет пригрозила, что пожалуется на него береговой охране. Он высадил нянюшку и девочек с яхты, и Джанет больше не позволила ему видеться с дочерьми. Но к тому времени у него возникли другие проблемы. Он занял огромные суммы, чтобы удовлетворить свою тягу к наркотикам, и потерял деньги, которые вложил в очень рискованную операцию на рынке сырьевых товаров. После этого, какие бы поручительства он ни предоставлял и как бы умен и образован ни был, получить работу он не мог. И подобно своей матери, перед тем как она умерла, он покатился по наклонной плоскости. Он не только остался без денег, он стал наркоманом.

Через два года после того, как его оставила Джанет, он попытался получить работу в одной известной фирме, занимающейся спекулятивным капиталом в Сан-Франциско, и получил от ворот поворот. Поскольку Питер все равно находился в Сан-Франциско, он занялся вместо этого сбытом кокаина. Когда его арестовали, обнаружив при нем большое количество наркотика, который он намеревался продать, ему было тридцать пять лет и его преследовала целая толпа кредиторов за давно просроченные долги. Продав этот кокаин, он мог бы сделать целое состояние, но его долги на момент ареста в пять раз превышали эту огромную сумму. Более того, у него были ужасающие долги некоторым очень опасным людям. Как говорили некоторые знавшие его люди, услышав эту историю, у него было все, а он умудрился променять это на билет к праотцам. Когда его арестовали, он был должен целое состояние, его могли убить дилеры, продававшие ему кокаин, а также люди, оставшиеся в тени, которые их финансировали. Он не расплатился ни с кем. У него не было денег. Чаще всего в подобных случаях, когда такие люди попадали в тюрьму, их долги если даже не прощались, то списывались. В самых страшных случаях их убивали за долги в тюрьме. Или, если повезет, их прощали. Питер надеялся, что его простят.

Когда Питер Морган попал в тюрьму, он не видел дочерей уже два года и едва ли мог надеяться, что когда-нибудь увидит их снова. Пока шло судебное заседание, он сидел с каменным лицом, а когда ему предоставили слово, говорил

разумно и был полон раскаяния. Его адвокат пытался добиться для него условного освобождения. Но судья был человеком опытным. Ему и раньше встречались, хотя и не часто, люди, подобные Питеру, но ни у одного из них не было такого количества упущенных возможностей. Он видел Питера насквозь, и то, что он видел, вызывало в нем тревогу Казалось, внешность Питера не соответствует его поступкам. Заученные фразы о раскаянии судью не обманули. Питер говорил без запинки, но неискренне. И когда присяжные заседатели признали его виновным, судья приговорил его к семи годам тюремного заключения и направил его в Кресент-Сити, в тюрьму Пеликан-Бей максимально строгого режима, в которой содержалось 3300 самых опасных преступников во всей пенитенциарной системе Калифорнии. Она была расположена в трехстах семидесяти милях к северу от Сан-Франциско и в одиннадцати милях от границы штата Орегон. Питеру приговор показался необоснованно суровым, как будто речь шла не о нем.

На день своего освобождения Питер отсидел в тюрьме четыре года и три месяца. Он избавился от наркотической зависимости, не совался в чужие дела, работал в конторе надзирателя главным образом с компьютерами и не имел ни единого дисциплинарного взыскания или замечания за все четыре года. А надзиратель, у которого он работал, был абсолютно убежден в его искреннем раскаянии. Каждому, кто его знал, было ясно, что Питер не имеет намерения снова попасть в беду. Он получил хороший урок. Членам совета по условно-досрочному освобождению он также сказал, что его единственное желание — снова увидеть своих дочерей и быть им таким отцом, каким они стали бы со временем гордиться. Его слова звучали так, будто последние шесть или семь лет его жизни были досадной помаркой на его чистой, как стеклышко, жизни, которую он в дальнейшем намерен поддерживать в идеальной чистоте. Казалось, он сам верил в это. И ему поверили все.

Его освободили при первой законной возможности. В течение года он должен был оставаться в северной Калифорнии и находиться под наблюдением уполномоченного службы условного освобождения в Сан-Франциско. Он предполагал жить в общежитии, пока не найдет работу, и сказал членам совета, что он человек негордый и готов взяться за любое дело, пусть даже это будет физический труд, лишь бы все было честно. Но никто всерьез и не сомневался в том, что Питер Морган найдет работу. Правда, он совершил ряд колоссальных ошибок, но даже после четырех лет пребывания в Пеликан-Бей он производил впечатление умного, славного парня, каким и был на самом деле. Его доброжелатели, в том числе и тюремный надзиратель, надеялись, что, если ему чуть-чуть повезет, он найдет для себя правильную нишу и будет вести достойную жизнь. У него было все, что для этого требовалось. Теперь ему нужен был только шанс. И все они надеялись, что, выйдя на свободу, он его получит. Питер всегда нравился людям, и они желали ему добра. Тюремный надзиратель лично вышел попрощаться с ним и пожал ему руку. Как-никак Питер проработал исключительно на него целых четыре года.

— Не теряй с нами связь, — сказал надзиратель с доброй улыбкой.

За последние два года он приглашал Питера к себе домой на Рождество, чтобы он провел праздник вместе с его женой и четырьмя сыновьями-тинейджерами, и Питер проявил себя с наилучшей стороны. Умный, добродушный, забавный, он очень понравился всем четверым мальчишкам. Он умел расположить к себе людей — как молодых, так и старых. Он даже уговорил одного из них подать заявление на предоставление стипендии для обучения в Гарварде. И этой весной мальчик был принят. Надзиратель чувствовал себя как бы в долгу перед Питером, а Питер искренне привязался к надзирателю и его семейству и был благодарен им за проявленную доброту.

— Весь следующий год я буду жить в Сан-Франциско, — сказал Питер. — Я лишь надеюсь, что мне вскоре разрешат съездить на восток, чтобы навестить моих девочек.

У него даже не было их фотографий за последние четыре года, и он не видел их уже пять лет. Изабель и Хизер было теперь соответственно восемь и девять лет, хотя в его воспоминаниях они все еще оставались совсем малышками. Джанет давно запретила ему поддерживать с ними контакт, причем ее родители одобрили это решение. Отчим Питера, когда-то оплачивавший его обучение, давно умер. Его родной брат исчез много лет назад. У Питера Моргана не осталось никого и ничего. У него было четыреста долларов в бумажнике, был уполномоченный службы условного освобождения в Сан-Франциско, была койка в общежитии в районе Миссии, населенном преимущественно испанцами, которое размещалось в некогда красивом, а теперь сильно обветшалом здании. С той частью здания, где проживал Питер, время обошлось особенно беспощадно. Имеющихся денег ему хватит ненадолго, а он за четыре года даже не имел возможности даже прилично подстричься. Единственное, что у него осталось в этом мире, — это горстка знакомых в Кремниевой долине, работающих в областях высоких технологий и спекулятивного капитала, да еще нескольких наркодилеров, с которыми он был некогда связан и от которых твердо решил держаться подальше.

У него практически не было никаких перспектив. Он собирался позвонить некоторым людям, когда будет в городе, но понимал, что ему, вполне возможно, придется работать мойщиком посуды или истопником, хотя это было маловероятно, потому что он как-никак был выпускником Гарвардской школы бизнеса. На худой конец он может поискать когонибудь из старых школьных друзей, которые, возможно, не знали, что он угодил в тюрьму. Однако он не обольщался мыслью о том, что все это будет легко и просто. Ему было тридцать девять лет, и как бы он это ни объяснял, а последние четыре года — пробел в его резюме. Ему предстояло преодолеть трудный участок жизненного пути, но он был здоров, крепок, свободен от наркотической зависимости, умен и все еще невероятно хорош собой. Должно же в конце концов случиться с ним что-нибудь хорошее. В этом он, как и его тюремный надзиратель, был уверен.

— Позвони нам, — снова сказал надзиратель. Он впервые так сильно привязался к осужденному, который на него работал. Но ведь и люди в Пеликан-Бей, с которыми ему приходилось иметь дело, не шли ни в какое сравнение с Питером Морганом.

Тюрьма Пеликан-Бей была предназначена для содержания самых отъявленных преступников, которых раньше отправляли в Сан-Квентин. Большинство заключенных содержались в одиночных камерах. Сама тюрьма отличалась высокой степенью механизации и компьютеризации, что позволяло содержать здесь самых опасных преступников в стране. Тюремный надзиратель сразу же заприметил Питера и понял, что ему здесь не место. Только из-за огромного количества наркотиков, обнаруженных при нем, и больших сумм денег, связанных с этим, он оказался здесь. Если бы не столь серьезные обвинения, его вполне могли бы направить в какое-нибудь пенитенциарное заведение с облегченным режимом содержания. Он не помышлял о побеге, не хулиганил и никогда не участвовал ни в одной разборке за все время своего пребывания в тюрьме. Он был на редкость вежлив и корректен. Те немногие, с кем он общался за эти годы, относились к нему с уважением. Его близкие отношения с тюремным надзирателем делали его священным и неприкосновенным, и его не трогали. Он не был замечен ни в каких связях с бандами, группировками, известными своей жестокостью, или с какими-нибудь несогласными. Он не совал нос в чужие дела. И судя по всему, четыре года пребывания в Пеликан-Бей не оставили на нем видимых отметин. В тюрьме он много читал, особенно литературы по правовым и финансовым вопросам, проводил уйму времени в библиотеке и неустанно работал на тюремного надзирателя.

Надзиратель лично написал ему блестящую характеристику для совета по условно-досрочному освобождению. В его понимании это был типичный случай, когда молодой человек сбивается с дороги, и он считал, что теперь ему нужно лишь предоставить возможность выйти на правильный путь. Надзиратель был уверен в том, что ему это удастся сделать. Он надеялся, что в недалеком будущем получит добрые вести о Питере и от самого Питера. В тридцать девять лет у Питера впереди была еще целая жизнь, а в багаже он имел блестящее образование. Можно было надеяться, что ошибки прошлого послужат ему ценным уроком.

Питер и надзиратель еще обменивались рукопожатиями, когда из подъехавшего фургончика выскочили репортер и фотограф местной газеты и направились к конторке, где Питер только что получил свой бумажник. В этот момент там стоял другой заключенный, подписывавший документы об освобождении. Они обменялись с Питером взглядами и кивнули друг другу. Питер его знал — его все знали. Время от времени они встречались в спортивном зале или в коридоре, а за последние два года он частенько наведывался в контору надзирателя. Он многие годы безуспешно добивался помилования и был известен как чрезвычайно смекалистый неофициальный юрист, услугами которого пользовалась вся тюрьма. Его звали Карлтон Уотерс. Ему был сорок один год, из которых двадцать четыре он отсидел в тюрьме за убийство. Он практически вырос в тюрьме.

Карлтон Уотерс был осужден за убийство соседа и его жены и неудавшуюся попытку убийства двоих их детишек. В то время ему было семнадцать лет, а соучастником этого преступления был двадцатишестилетний, отсидевший в тюрьме парень, который стал его другом. Они вторглись в жилище своих жертв и украли двести долларов. Партнер Уотерса по преступлению был давно казнен, а сам Уотерс продолжал утверждать, что не убивал, а всего лишь присутствовал при этом. Он ни разу не отклонился от своих показаний и всегда утверждал, что невиновен и что вошел с приятелем в дом жертв, не имея понятия о том, что у того на уме Все произошло очень быстро и неожиданно, а дети были слишком малы, чтобы подтвердить или опровергнуть его слова. Так что можно было не опасаться, что они смогут их опознать, а поэтому их всего лишь зверски избили, но оставили в живых. Оба преступника были пьяны, а Уотерс пытался доказать, что во время убийства он отключился и ничего не помнит.

Присяжные заседатели не поверили этой истории, и его, несмотря на возраст, судили как взрослого, признали виновным, и он утратил право на подачу прошения о помиловании. Большую часть своей жизни он провел в тюрьме — сначала в Сан-Квентине, потом в Пеликан-Бей. Находясь в заключении, он даже умудрился закончить колледж и был близок к окончанию юридической школы. Он написал несколько статей о пенитенциарной и правовой системах и за долгие годы установил хорошие отношения с прессой. Уотерс, упорно заявлявший о своей невиновности, стал своего рода знаменитостью. Он был редактором тюремной газеты и знал практически все о каждом из заключенных. К нему приходили за советом, и все население тюрьмы относилось к нему с большим уважением. В отличие от Моргана он не обладал аристократически привлекательной внешностью. Это был сильный, крепко сбитый мужчина с накачанными мускулами. Не считая нескольких случаев, в первые дни пребывания в тюрьме, когда он был еще молод и горяч, за последние два десятилетия он считался образцовым заключенным. Несмотря на устрашающую внешность, его репутация в тюрьме заслуживала если даже не золотой, то бронзовой медали. Именно Уотерс сообщил газетчикам о своем освобождении и был рад, что они приехали.

Уотерс и Морган никогда не были приятелями, но всегда уважали друг друга, а несколько раз даже разговаривали, касаясь правовых вопросов, когда Уотерс пришел зачем-то к надзирателю и Питер с ним заговорил. Питер прочел несколько его статей в тюремной газете и в местной прессе и не мог не восхититься этим человеком независимо от того, виновен он или невиновен. Он обладал тонким умом, и ему пришлось здорово потрудиться, чтобы чего-нибудь достичь, несмотря на то что он рос в тюрьме

Выходя за тюремные ворота, Питер почувствовал такое облегчение, что у него перехватило дыхание. Оглянувшись через плечо, он увидел, как Карл Уотерс пожимает руку надзирателя, а фотограф из местной газеты запечатлевает этот момент. Питер знал, что он отправляется в Модесто. Его семья все еще жила там.

— Спасибо тебе, Господи, — сказал Питер, остановившись на мгновение и закрыв глаза. Потом он открыл их и, прищурившись, посмотрел на солнце. Он провел по глазам рукой, чтобы никто не заметил выступившие слезы, потом кивнул часовому и направился к автобусной остановке. Он знал, она находится в десяти минутах ходьбы. Жестом остановив автобус, он сел в него. Карлтон Уотерс позировал для последнего снимка у ворот тюрьмы. В своем интервью он еще раз сказал о своей невиновности. Виновен он или не виновен, но его история была интересной, и за последние двадцать четыре года он стал в тюрьме уважаемым человеком. Он несколько лет говорил о том, что планирует написать книгу. Два человека, которых он предположительно убил двадцать четыре года назад, и дети, которые в результате остались сиротами, были практически забыты. Они были вытеснены из памяти его статьями и к месту сказанными словами. Когда Уотерс заканчивал интервью, Питер Морган входил в здание автобусного вокзала и покупал билет до Сан-Франциско Наконец-то он был на свободе.

Глава 2

Тед Ли любил работать во вторую смену Он давно работал с четырех до полуночи, и это превратилось у него в старую добрую привычку Его это устраивало. Он был инспектором сыскной полиции Сан-Франциско и занимался ограблениями, разбойными нападениями и прочей многообразной преступной деятельностью. Изнасилованиями занимался специальный отдел, убийствами — убойный отдел. В самом начале он пару лет проработал в убойном отделе, но там ему не понравилось. На его взгляд, там была слишком мрачная атмосфера, а люди, делающие карьеру на убийствах, всегда казались ему странными.

Они могли часами разглядывать фотографии убитых. Так ведь и свихнуться недолго. Надо быть очень закаленным человеком, чтобы не дрогнув смотреть на все это. То, чем занимался Тед, было более обыденным, но Теду казалось гораздо более интересным. Каждый день приносил что-то новенькое. Ему нравилось ломать голову, устанавливая связь между преступниками и их жертвами. Он пришел работать в полицию восемнадцатилетним парнем и работал там уже двадцать девять лет. Сыском он занимался почти двадцать лет и был на хорошем счету. Некоторое время он трудился в отделе, занимавшемся случаями подделки кредитных карточек, но там ему показалось скучно. Преступления общего характера — это была его стихия. Это ему было по душе, как и работа во вторую смену.

Он родился и вырос в Сан-Франциско, в самом центре Китайского квартала. Его родители и обе его бабушки приехали из Пекина еще до его рождения. В его семье соблюдались древние традиции. Отец всю жизнь работал в ресторане, мать была портнихой. Как и он, оба его брата прямо со школьной скамьи пошли служить в полицию. Один стал патрульным в районе злачных мест и ни о чем другом слышать не желал, другой пошел в конную полицию, обогнал по званию того и другого, и в связи с этим они частенько подшучивали над Тедом, для которого быть детективом было важнее всего.

Жена Теда была американкой китайского происхождения во втором колене. Ее родители были выходцами из Гонконга. Они владели рестораном, где работал отец Теда, пока не удалился на покой. Там Тед с ней и встретился. Они полюбили друг друга в четырнадцать лет, и он никогда не ходил на свидание с другой женщиной. Он даже не вполне отчетливо понимал, что это такое. Он не был страстно влюблен в нее, но с ней ему было комфортно. А теперь они стали скорее добрыми друзьями, чем любовниками. Шерли Ли была хорошей женщиной. Она работала медсестрой в отделении интенсивной терапии городской больницы Сан-Франциско и видела гораздо больше жертв жестоких преступлений, чем он. И оба они больше виделись со своими коллегами по работе, чем друг с другом. Они к этому привыкли. В свой выходной день он играл в гольф или сопровождал свою матушку в походе по магазинам. Шерли любила играть в карты, ходила за покупками с подружками или отправлялась в парикмахерскую. Выходные дни у них редко совпадали, но их это больше не беспокоило. Теперь, когда дети выросли, у них почти не осталось обязательств друг перед другом. Они поженились в девятнадцать лет, то есть состояли в браке двадцать восемь лет, а теперь каждый из них жил своей жизнью.

Их старший сын в прошлом году окончил колледж и переехал в Нью-Йорк. Двое других мальчиков все еще учились в колледжах при Калифорнийском университете: один в Сан-Диего, другой в Лос-Анджелесе. Ни один из троих сыновей не изъявил желания идти работать в полицию, но Тед их не винил. Для него это был правильный выбор, но для них ему хотелось чего-то большего, хотя своей работой он был доволен. Выйдя в отставку, он будет получать полную пенсию.

Он не мог представить себя пенсионером, хотя на будущий год у него будет тридцать лет стажа, а многие его друзья вышли в отставку гораздо раньше. Он не понимал, что будет делать после отставки. В сорок семь лет не хотелось и думать о том, чтобы начать новую карьеру. Ему до сих пор нравилась его старая. За долгие годы много людей прошло перед глазами Теда: некоторые уходили в отставку, другие вообще оставляли полицию, некоторых убивали, другие получали травмы. За последние десять лет он работал с одним и тем же напарником, а до этого у него несколько лет была в напарницах женщина. Проработав четыре года, она уехала с мужем в Чикаго и стала служить в тамошней полиции. Он каждый год получал от нее на Рождество поздравительные открытки. Несмотря на то что у него сначала были сомнения относительно того, сработаются ли они, он должен был признаться, что в конце концов ему понравилось с ней работать.

Его напарник, с которым он трудился до этого, Рик Холмквист, ушел из полиции и стал работать в ФБР. Они попрежнему раз в неделю встречались с ним за ленчем, и Рик поддразнивал Теда относительно его дел. Рик всегда внушал Теду, что то, чем он занимается в ФБР, важнее. Но возможно, это ему всего-навсего казалось. Тед был в этом не уверен. Судя по тому, что он видел, Полицейский департамент Сан-Франциско раскрыл больше преступлений и посадил за решетку больше преступников. А ФБР занималось преимущественно сбором информации и наблюдением, а потом к работе подключались другие учреждения и доводили дело до конца. К работе Рика частенько подключались сотрудники отделов, занимающихся алкоголем, табачными изделиями и оружием, а также ЦРУ, министерства юстиции, прокуратуры США и судебных органов. В дела, которые вел в Полицейском департаменте Тед, никто не вмешивался, за исключением тех случаев, когда подозреваемый пересекал границы штата или совершал правонарушение, относящееся к компетенции федералов. Тогда, разумеется, сразу же вмешивалось ФБР

Время от времени им с Риком приходилось работать по одному делу, и Теду это всегда нравилось. В течение одиннадцати лет с тех пор, как Рик ушел из Полицейского департамента Сан-Франциско, они оставались близкими друзьями и по-прежнему с большим уважением относились друг к другу. Пять лет назад Рик Холмквист развелся, но брак Теда и Шерли сохранялся незыблемо. Кем бы они ни стали друг для друга и во что бы с годами ни превратились их отношения, их обоих это устраивало. На данный момент Рик был влюблен в молодую сотрудницу ФБР и поговаривал о женитьбе. Тед любил поддразнивать его в связи с этим, а Рик любил притворяться крутым парнем, хотя Тед знал, что на самом деле он добрый и нежный.

Тед любил работать во вторую смену прежде всего потому, что, приходя домой, всегда находил там островок покоя. В доме было тихо. Шерли спала. Она работала в дневную смену и по утрам уходила из дома до того, как он просыпался. В прежние времена, когда мальчики были маленькие, это было очень удобно. Она забрасывала детей в школу по дороге на работу, пока Тед еще спал. Он забирал их из школы, в свободные дни, когда мог, занимался с ними спортом или по крайней мере присутствовал на играх, в которых они участвовали. В его рабочие дни Шерли приходила домой, как только он уходил на работу, так что мальчики никогда не оставались без присмотра. А когда он возвращался домой, все спали. Это означало, что он проводил довольно мало времени с ней и с детьми, пока они росли, и такой распорядок приносил некоторую выгоду, так как им не приходилось платить приходящей нянюшке или оставлять детей на продленку. Они справлялись со всем сами. Естественно, из-за этого они еще меньше времени проводили вместе. Лет десять — пятнадцать назад бывали моменты, когда она с горечью упрекала его в том, что они почти не видятся, из-за этого частенько ссорились, но в конце концов смирились с режимом его работы. Какое-то время он пробовал работать по ночам, но потом вновь вернулся к работе во вторую смену Это его устраивало.

В ту ночь, когда Тед пришел домой, Шерли крепко спала и в доме было тихо. Комнаты мальчиков теперь опустели. Несколько лет назад он купил небольшой домик в районе Сансет и любил в свои свободные дни бродить по пляжу, наблюдая за тем, как клубится туман. Это действовало на него успокаивающе и приводило в хорошее настроение. В департаменте плелись какие-то интриги, и это иногда действовало на него угнетающе, хотя вообще-то он был добродушным и покладистым малым. Возможно, именно поэтому он продолжал жить с Шерли. Из них двоих она была «горячей головушкой». Она затевала ссоры, сердилась на него и приходила в ярость, она считала, что их брак и отношения должны были стать чем-то большим, чем оказались. Тед был сильным, спокойным и надежным, и в конце концов она решила довольствоваться этим и перестала требовать от него большего. Но он знал, что, когда она перестала ссориться с ним и жаловаться на судьбу, их совместная жизнь словно бы потускнела, утратив яркие краски. Страсть уступила место привычке, и с этим они смирились. Зная, что в жизни все строится на компромиссах, Тед не жаловался. Она была хорошей женщиной, у них были чудесные дети и уютный дом, он любил свою работу, и его коллеги были хорошими людьми. Чего еще можно требовать? И он не требовал. Именно это ее всегда раздражало в нем. Он был доволен тем, что давала ему жизнь, и не претендовал на большее.

Шерли хотела гораздо большего, чем то, что требовал от жизни Тед. По правде говоря, он и не требовал ничего. Он всегда был доволен той жизнью, какая была. Всю свою энергию он тратил на работу и на их мальчиков. В течение двадцати восьми лет. Так долго страсть не могла сохраниться. И не сохранилась. Он не сомневался в том, что любит жену. И предполагал, что Шерли любит его. Просто она не выставляла напоказ свои чувства и редко говорила об этом. Но он принимал ее такой, какой она была, как принимал и все остальное в жизни — хорошее и плохое, неутешительное и успокаивающее. Он любил чувствовать себя защищенным, приходя ночью домой, пусть даже жена его крепко спала. Они месяцами, может быть, даже годами не беседовали друг с другом, но он был уверен, что, если бы случилось что-нибудь плохое, она бы поддержала его, как и он поддержал бы ее. Этого для него было достаточно. Пламенная страсть и радостное возбуждение, которые переживал Рик Холмквист со своей новой подружкой, были не для Теда. Ему не нужно было волнений в жизни. Он хотел иметь то, что имел: работу, которую любит, женщину, которую хорошо знает, троих детишек, по которым сходит с ума, и покой.

Сидя за кухонным столом, он выпил чашку чаю, наслаждаясь тишиной своего мирного дома. Почитал газету, просмотрел почту, ненадолго включил телевизор. В половине третьего он скользнул в постель рядом с женой и задумался, лежа в темноте. Она даже не пошевелилась. Вернее, она немного отодвинулась и пробормотала во сне что-то нечленораздельное. И он, повернувшись к ней спиной, начал засыпать, думая о деле, которым занимался. У него был подозреваемый, который почти наверняка доставлял героин из Мексики, и он собирался утром позвонить об этом Рику Холмквисту. Напомнив себе, что, проснувшись, он первым делом должен позвонить Рику, Тед тихо вздохнул и погрузился в сон.

Глава 3

Фернанда Барнс, сидя за кухонным столом, тупо смотрела на стопку счетов. Ей казалось, что она смотрит на нее в течение четырех месяцев, прошедших с тех пор, как через две недели после Рождества погиб ее муж. Но она хорошо понимала, что стопка счетов только казалась той же самой, а на самом деле росла с каждым днем. С каждой почтой к ней добавлялись новые счета. С тех пор как погиб Аллан, плохие новости и ужасающая информация шли нескончаемым потоком. Последним было известие о том, что страховая компания отказывается выплатить деньги по его полису страхования жизни. Она и ее адвокат ожидали этого. Аллан погиб при сомнительных обстоятельствах в Мексике, куда он уехал на рыбалку. Поздно ночью, когда его компаньоны по рыбалке спали в гостинице, он вышел в море на зафрахтованном судне. Члены экипажа в то время находились на берегу, в местном баре, а он, выйдя в море, судя по всему, упал за борт. Тело его нашли только через пять дней. Приняв во внимание его финансовые обстоятельства на момент гибели, а также написанное в отчаянии письмо, которое он оставил для жены, страховая компания заподозрила, что это было самоубийство. Фернанда тоже это подозревала. Письмо было передано в страховую компанию полицией.

Фернанда никому, кроме их адвоката, Джека Уотермана, об этом не говорила, но, когда ей позвонили, она сразу же подумала о самоубийстве. До этого Аллан в течение шести месяцев пребывал в состоянии глубокого потрясения и паники и без конца твердил ей, что он заставит ситуацию измениться, но из его письма было видно, что в конце концов он и сам перестал в это верить. На долю Аллана Барнса выпал слепой счастливый случай, нечто вроде выигрышного лотерейного билета: ему невероятно посчастливилось продать одной крупной компании еще не окрепшую, «неоперившуюся» компанию за двести миллионов долларов.

Фернанде нравилась жизнь, которую они вели до этого. Она устраивала ее во всех отношениях. У них был небольшой уютный домик в Пало-Альто, неподалеку от территории Стэнфордского университета, где они и познакомились. Они поженились в университетской церкви на следующий день после окончания. И вот тринадцать лет спустя ему вдруг крупно повезло. Об этом она никогда не мечтала, никогда не надеялась на такое, ей это было не нужно, и она не хотела этого Она даже не сразу поняла, что произошло. Он вдруг стал покупать яхты, самолеты, апартаменты в Нью-Йорке, чтобы проводить там деловые совещания, дом в Лондоне, который, как оказалось, ему всегда хотелось иметь. А также домик на Гавайях и дом в городе, который был так велик, что она, увидев его, расплакалась. Тем более что он купил его, не посоветовавшись с ней. Она не хотела переезжать во дворец. Она обожала уютный домик в Пало-Альто, где они жили с тех пор, как родился их сын Уилл.

Несмотря на протесты Фернанды, четыре года назад они переехали в город. Уиллу к тому времени было двенадцать лет, Эшли — восемь, а Сэму едва исполнилось два года. Аллан настаивал, чтобы она наняла нянюшку, что позволило бы ей ездить вместе с ним, но Фернанда этого тоже не хотела. Она любила сама заботиться о своих детях. Она так и не сделала карьеру и была счастлива, что Аллан всегда зарабатывал достаточно, чтобы содержать семью. Если иногда возникали трудности, она, затянув потуже поясок, наводила экономию в хозяйстве, и они выходили из трудного положения. Она любила сидеть дома с детьми. Уилл родился у них ровно через девять месяцев после бракосочетания, и во время беременности она трудилась неполный рабочий день в книжном магазине, но с тех пор больше никогда не работала. В колледже она специализировалась по истории искусств. Специальность была довольно бесполезной, если она не собиралась получить степень магистра или даже доктора и стать преподавателем или работником музея. Других талантов, которые могли бы иметь спрос на рынке занятости, у нее не было. Она умела лишь быть женой и матерью, но умела это действительно хорошо. Их дети росли счастливыми, здоровыми и разумными. Даже когда Эшли было двенадцать, а Уиллу — шестнадцать, что считается проблематичным возрастом, у нее не было ни единой проблемы с детьми. Они тоже не хотели переезжать в город. Все их друзья жили в Пало-Альто.

Дом, который выбрал для них Аллан, был громадным. Его построил один известный финансист, занимающийся операциями со спекулятивным капиталом, и продал его, когда удалился от дел и переехал в Европу. Фернанде дом казался дворцом. Она выросла в пригороде Чикаго. Отец ее был врачом, а мать — школьной учительницей. Они всегда жили в достатке, и в отличие от Аллана она ждала от будущего простых и понятных вещей. Ей хотелось выйти замуж за человека, который ее любит, и иметь чудесных детишек. Она много читала о воспитании детей и передала своим детям страсть к искусству. Она поощряла их самостоятельность и стремление воплощать в жизнь свои мечты. Аллану она всегда внушала то же самое. Просто она не ожидала, что он в своих мечтах зайдет так далеко.

Когда он сказал ей, что продал компанию за двести миллионов долларов, она чуть не лишилась сознания и подумала, что он шутит. Возможно, если бы ему очень крупно повезло, он мог бы продать компанию за один, два, или пять, или даже — по самым фантастическим предположениям — за десять миллионов долларов, но не за две сотни миллионов! Она хотела лишь иметь достаточно денег, чтобы дети закончили колледж и безбедно жили до конца своих дней. Может быть, было бы достаточно, если б Аллан смог удалиться от дел, и они смогли бы провести год в Европе, и она получила бы возможность поводить его по музеям. Ей хотелось бы провести месяц-другой во Флоренции. Но непредвиденная сумма, которая словно с неба свалилась, превзошла всякие мечты. А Аллан словно с цепи сорвался.

Он не только купил дома и апартаменты, яхту и самолет, но и сделал ряд чрезвычайно рискованных инвестиций в области высоких технологий. При этом он каждый раз заверял Фернанду, что для беспокойства нет причин, потому что он знает, что делает. Он скользил по гребню волны и чувствовал себя непобедимым. Он был на тысячу процентов уверен в правильности своих оценок ситуации, хотя у нее в то время такой уверенности не было. Они начали ссориться по этому поводу. Он смеялся над ее страхами. Идя на большой риск в ожидании высоких прибылей, он вкладывал деньги в другие компании, которые еще не проявили себя, «не оперились», торопясь сделать это, пока спрос на рынке продолжал расти. И в течение почти трех лет все, к чему он прикасался, превращалось в золото. Казалось, что бы он ни делал, как бы ни рисковал, он не может потерять деньги. И он их не терял.

На бумаге за первые год или два их громадный, только что нажитый капитал фактически увеличился вдвое. Особенно крупные вложения он делал в две компании, в которых был полностью уверен, хотя другие предупреждали его, что это слишком рискованно. Но он не слушал никого. Его уверенность в непогрешимости своих оценок достигла невероятных размеров, и, когда она занималась обустройством их нового дома, он упрекал ее в излишней осторожности и пессимизме. К тому времени даже она стала привыкать к их новому богатству и начала тратить денег больше, чем, по ее мнению, следовало бы. Но Аллан без конца убеждал ее, что надо радоваться жизни и ни о чем не беспокоиться. Она сама себя поразила, приобретя на аукционе «Кристиз» в Нью-Йорке два великолепных полотна импрессионистов и буквально дрожала, вешая их в своей гостиной. Она и помыслить не могла о том, что когда-нибудь станет владелицей этих или подобных им картин. Аллан поздравил ее с разумным решением. Сам он летал высоко, наслаждался этим и хотел, чтобы она тоже получала от этого удовольствие.

Однако даже тогда, когда их финансовое положение достигло небывалых высот, Фернанда не допускала экстравагантности и не забывала о скромном начале их совместной жизни.

Семья Аллана жила в южной Калифорнии и была богаче, чем ее семья. Отец его был бизнесменом, а мать, в юности работавшая моделью, стала домохозяйкой. У них были дорогие машины, хороший дом и членство в загородном клубе. Когда Фернанда впервые приехала к ним, все это произвело на нее должное впечатление, хотя его родители показались ей людьми, несколько склонными к показному роскошеству. Его мать, несмотря на теплый вечер, была в меховом манто, и Фернанде вдруг пришло в голову, что у ее матери, хотя та жила на Среднем Западе, отличавшемся морозными зимами, мехового манто не было, да она и не стремилась его иметь.

Демонстрация богатства была более важна для Аллана, чем для нее, особенно теперь, когда на них обрушился неожиданный успех. Он сожалел лишь о том, что его родители не дожили до его звездного часа. Они были бы в восторге. А Фернанда порадовалась тому, что ее родители тоже не дожили до этого часа и не смогли увидеть всего, что происходило. Десять лет назад они погибли в дорожной аварии. Что-то подсказывало ей, что ее родители были бы шокированы тем, как Аллан тратит деньги. Ее это по-прежнему тревожило, несмотря на то, что сама купила две картины. Она надеялась, что это по крайней мере было правильным вложением капитала. И картины эти ей действительно нравились. Однако многие приобретения Аллана делались напоказ. И он без конца напоминал ей, что может себе это позволить.

Волна успеха нарастала в течение почти трех лет, и Аллан продолжал вкладывать капитал в другие спекулятивные проекты, приобретая крупные пакеты акций ненадежных компаний. Он полностью полагался на собственную интуицию, иногда вопреки всем доводам разума. Его друзья и коллеги называли его Бешеным Ковбоем и нередко подтрунивали над ним. Фернанда частенько чувствовала себя виноватой в том, что не всегда поддерживала его. В детстве ему не хватало уверенности в себе, и отец бранил его за мягкотелость, а теперь вдруг самоуверенность Аллана возросла настолько, что Фернанде казалось, будто он постоянно пляшет на краю пропасти и абсолютно ничего не боится. Но ее любовь к нему пересилила все ее опасения, и она в конце концов ограничилась тем, что стала ободрять его, наблюдая со стороны. Разумеется, ей не на что было жаловаться. За три года их собственный капитал увеличился почти втрое и составлял полмиллиарда долларов. Это было нечто немыслимое.

Они с Алланом всегда были счастливы вместе, даже до того, как у них появились деньги. Он был легким в общении, славным парнем, который обожал свою жену и детишек. Они оба радовались каждый раз, когда у них рождался ребенок, и оба искренне любили своих детей. Он особенно гордился Уиллом, которого природа наделила атлетическим сложением. А когда он впервые увидел, как Эшли в возрасте пяти лет исполняет сольный балетный номер, у него по щекам покатились слезы. Он был великолепным мужем и отцом и был уверен, что его способность превратить скромное капиталовложение в огромную финансовую удачу даст их детям возможности, о которых ни один из них не мог и мечтать. Он начал поговаривать о том, чтобы на год перебраться в Лондон, с тем чтобы дети могли учиться в школе в Европе. А Фернанду соблазняла мысль о том, что можно было бы целыми днями бродить по Британскому музею и галерее Тейт. В результате она даже не стала возражать, когда он приобрел за двадцать миллионов долларов дом на Белгрейв-сквер. В новейшей истории это была самая высокая цена, уплаченная там за дом. Но дом был великолепен.

Ни дети, ни она не возражали, когда по окончании занятий в школе они отправились на месяц в Лондон. В Лондоне им очень понравилось. Остаток лета они провели на своей яхте на юге Франции, пригласив присоединиться к ним своих друзей из Кремниевой долины. К тому времени Аллан стал легендарной личностью, но появились и другие, которые делали почти такие же огромные деньги, как он. Но как это бывает в игорных домах Лас-Вегаса, некоторые забирают выигранные деньги и исчезают, тогда как другие бросают их на стол и продолжают игру. Аллан без конца заключал сделки, связанные с огромными капиталовложениями. Она уже не имела отчетливого представления о том, что он делает, но почти перестала беспокоиться об этом, ограничившись управлением хозяйством в их домах и заботой о детях. Может быть, так и должно быть у богатых людей? Ей потребовалось три года, чтобы поверить, что его мечта об успехе реализовалась.

Мыльный пузырь лопнул наконец через три года после первоначальной нежданной удачи. Случился скандал, затронувший одну из его компаний — ту самую, в которую он вкладывал огромные средства в качестве пассивного партнера с неограниченной ответственностью. Фактически никто официально не знал, делал ли он капиталовложения, и если делал, то в каком объеме, но он потерял более ста миллионов долларов. Каким-то чудом в тот момент это даже не пробило заметной бреши в их капитале. Фернанда прочла в газетах о крахе компании, вспомнила, как Аллан что-то говорил о ней, и попросила его рассказать поподробнее. Он сказал, чтобы она не беспокоилась. По его словам, сто миллионов долларов ничего для них не значили. Еще немного — и он станет миллиардером. Он не сказал ей, что делал займы под обесценивающиеся акции, а когда компании оказались на грани краха, он не сумел вовремя продать их, чтобы покрыть долг.

Следующий удар был сильнее, чем первый, и в денежном выражении почти вдвое превышал его. А после третьего удара, когда спрос на рынке упал, даже Аллан начал беспокоиться. Вдруг оказалось, что акции, под которые он делал займы, совершенно обесценились и у него ничего не осталось, кроме долгов. То, что последовало за этим, было похоже на крушение мира. За какие-то шесть месяцев почти все, что нажил Аллан, обратилось в дым, и акции стоимостью в двести долларов стали стоить гроши. Для Барнсов это была настоящая катастрофа.

С горьким сожалением он продал яхту и самолет, заверяя Фернанду и самого себя, что, когда положение на рынке стабилизируется, он снова купит их в течение года, причем они будут еще лучше, чем прежние, но этого, разумеется, не случилось. Он не просто потерял то, что они имели, но и сделанные им инвестиции обращались в пыль, оставляя колоссальные долги. К концу года его долг был почти так же огромен, как и неожиданно свалившееся на него богатство. Как и тогда, когда ему выпала неожиданная удача с его первой компанией, Фернанда не понимала полностью последствий того, что происходит, потому что он практически ничего ей не объяснял. Он находился в постоянном напряжении, постоянно висел на телефоне, ездил из одного конца света в другой, а когда приезжал домой, кричал на нее. Он совсем потерял голову, и не без причины.

В прошлом году накануне Рождества она знала лишь, что сумма его долга составляет несколько сотен миллионов, а большая часть его ценных бумаг обесценилась полностью. Осознавая это, она не имела понятия, что он намерен предпринять, чтобы исправить положение, и в какой отчаянной ситуации они рискуют оказаться. К счастью, многие инвестиции он производил от имени анонимных товариществ и акционерных компаний — «почтовых ящиков», созданных без указания его имени. Благодаря этому деловое сообщество, в котором он занимался бизнесом, пока не поняло, в каком катастрофическом положении он оказался, и он не хотел, чтобы об этом кто-нибудь узнал. Он скрывал это не только из гордости, но и потому, что не хотел, чтобы люди опасались вступать с ним в деловые отношения. Ему стало казаться, что от него за версту пахнет поражением, точно так же как в былые времена он источал аромат победы. Вокруг него образовалась атмосфера страха, и Фернанда ломала голову, не зная, как оказать ему моральную поддержку. Перед тем как он сразу после Рождества уехал в Мексику, она умоляла его продать дом в Лондоне, апартаменты в Нью-Йорке и домик на Гавайях. Он поехал туда с группой предпринимателей, чтобы заключить сделку, которая, если все пройдет гладко, позволит им компенсировать почти все их убытки. Перед его отъездом она предложила ему продать дом в городе и снова переехать в Пало-Альто, а он сказал в ответ, чтобы она не строила из себя дурочку. Он заверил ее, что все очень скоро вновь станет на свои места и чтобы она ни о чем не беспокоилась. Но сделка в Мексике так и не состоялась.

Он находился там уже два дня, когда в финансовом мире неожиданно разразилась еще одна катастрофа. В течение недели рухнули, словно крытые соломой хижины, три большие компании, унеся с собой две из самых крупных инвестиций Аллана. Одним словом, они были разорены. Он позвонил ей ночью из своего гостиничного номера и разговаривал каким-то хриплым голосом. Он сказал ей, что переговоры длились несколько часов. Но это была ложь. У него не осталось ничего, о чем бы можно было вести переговоры и заключать сделки. Фернанда слушала его, а он начал плакать, и она принялась утешать его, говоря, что для нее это не имеет значения и что она все равно любит его. Это его не утешило. Для Аллана это было подобно восхождению на вершину Эвереста и падению с нее, после чего необходимо все начинать сначала. Несколько недель назад ему исполнилось сорок, а успех, который в течение четырех лет означал для него все, неожиданно покинул его. Он — по крайней мере в собственных глазах — оказался полным неудачником. И что бы ни говорила Фернанда, это его не утешало. Она сказала, что для нее это не имеет значения, что она будет счастлива даже в хижине, если они будут вместе и рядом будут их дети. А он на другом конце провода рыдал и говорил, что ему не хочется жить, что он станет посмешищем для всего мира и что единственные реальные деньги, которые он оставит после себя, — это его полис страхования жизни. Она напомнила ему, что у них еще имеются дома, которые можно продать и выручить за них в общей сложности около ста миллионов долларов.

— Ты имеешь хоть малейшее понятие о сумме нашего долга? — вопрошал он срывающимся голосом, о чем она, естественно, понятия не имела, потому что он никогда ей об этом не говорил. — Речь идет о сотнях миллионов! Если мы продадим все, чем владеем, то все равно будем по уши в долгах в течение последующих двадцати лет. Я не уверен, что вообще смогу когда-нибудь выбраться из этой ямы. Мы слишком глубоко увязли, малышка. Все кончено. Да, да, все кончено.

Она не могла видеть, как слезы катятся по его щекам, но слышала их в его голосе. Не разбираясь в технологии всех этих безумных капиталовложений, она понимала одно: постоянно занимая средства, чтобы покупать все больше и больше, он потерял все. Фактически он потерял больше, чем все. Он влез в несметные долги.

— Не говори, что все кончено, — твердо сказала она. — Ты можешь объявить о банкротстве. Я пойду работать. Мы все продадим. Мне наплевать на все это. Я согласна стоять на углу улицы, продавая карандаши, лишь бы мы были вместе. — Она, как могла, старалась приободрить его, но он был в таком состоянии, что даже не слушал ее.

Беспокоясь за него, она в ту ночь позвонила ему снова, чтобы поддержать его. Ей не понравилось то, что он сказал о своем полисе страхования жизни: ее гораздо больше тревожило его состояние, чем их финансовые проблемы. Она знала, что мужчины иногда совершают безумные поступки из-за потерянных денег или неудавшихся деловых операций. Страдает их «эго», а это им бывает трудно пережить. Когда он наконец взял трубку, она почувствовала, что он выпил. И, судя по всему, выпил много. У него заплетался язык, и он без конца повторял ей, что жизнь кончена. Она так расстроилась, что решила утром лететь в Мексику, чтобы быть рядом с ним, пока не закончатся переговоры, но утром, пока она еще не успела ничего предпринять, ей позвонил один из мужчин, находившихся там вместе с ним. Он говорил сбивчиво и был страшно расстроен. Он сказал, что, после того как все легли спать, Аллан один вышел в море на яхте, которую они зафрахтовали. Команда была отпущена на берег, и он управлялся с яхтой один. Все считают, что где-то под утро он, наверное, упал за борт. После того как капитан заявил о пропаже яхты, ее обнаружила местная береговая охрана. Аллана нигде не нашли. Предприняли тщательный поиск, но он не дал никаких результатов.

Хуже всего было то, что, когда она в тот же день прилетела в Мексику, в полиции ей передали письмо, которое он оставил для нее. У себя они сохранили его копию для отчета. В письме говорилось, что положение безнадежно, что ему никогда из него не выбраться, что для него все кончено и что он предпочитает смерть позору, который его ожидает, когда весь мир узнает, каким он был дураком и как запутал все дела. Это отчаянное откровение убедило даже ее в том, что он совершил или хотел совершить самоубийство. Или, возможно, он просто был пьян и упал за борт. Что произошло на самом деле, сказать с полной уверенностью было трудно. Но скорее всего он покончил жизнь самоубийством.

Полиция была обязана передать письмо страховой компании и сделала это. На основании его слов страховку выплатить отказались, и адвокат Фернанды сказал, что едва ли удастся заставить их сделать это. Слишком уж изобличающими были улики.

Когда наконец обнаружили тело Аллана, можно было сказать лишь одно: смерть наступила от того, что он утонул. Не было никаких следов насилия, и он не застрелился. Он либо прыгнул в воду, либо упал за борт, но все пришли к разумному заключению, что по крайней мере в тот момент он хотел умереть, учитывая все, что он сказал ей непосредственно перед этим и что написал в письме, которое оставил.

Когда нашли тело, Фернанда находилась в Мексике. Его выбросило на ближайший берег после непродолжительного шторма. Она с трудом выдержала ужасную процедуру опознания, утешаясь, что этого не видят дети. Несмотря на их протесты, она оставила детей в Калифорнии и приехала в Мексику одна. Неделю спустя после бесконечной канцелярской волокиты Фернанда возвратилась вдовой с останками Аллана в гробу, перевозившемся в грузовом отсеке самолета.

Похороны превратились в сплошную массу мук и страданий. Газеты писали, что он погиб в результате несчастного случая, происшедшего в Мексике во время прогулки на яхте, — все договорились трактовать его гибель таким образом. Никто из людей, с которыми он вел дела, понятия не имел, насколько отчаянным было его положение, а полиция сохранила содержание его письма в тайне от прессы. И никто, кроме нее и его адвоката, не имел отчетливого представления о том, насколько велика сумма долга, оставшегося в результате его рискованных финансовых операций.

Он был не просто разорен. Его долг достигал таких размеров, что ей потребуются долгие годы, чтобы расхлебать кашу, которую он заварил. За четыре месяца после его гибели она продала всю их собственность, кроме городского дома, продаже которого пока препятствовали некоторые условия договора о его приобретении. Но как только это будет улажено, ей придется расстаться и с ним. К счастью, все прочее их имущество он оформил на ее имя в качестве подарка, так что она смогла продать его. Ей еще предстояло уплатить налоги на наследство, а два полотна импрессионистов должны были отправиться на аукцион в Нью-Йорк в июне.

Она продавала или рассчитывала продать все, что не было намертво прибито гвоздями. Джек Уотерман, их адвокат, заверил ее, что если она ликвидирует все, включая дом, то, возможно, оставшись без гроша, покроет все расходы. Большинство долгов Аллана было связано с акционерными компаниями, и Джек намеревался объявить об их неплатежеспособности, но пока никто не имел понятия о том, насколько глубоко рухнул мир Аллана, а она из уважения к его памяти старалась сделать так, чтобы и в дальнейшем об этом никто не догадался. Даже дети пока не знали, что их ожидает. И она четыре месяца спустя после его гибели, сидя однажды солнечным майским днем у себя на кухне, пыталась наконец сама разобраться во всем.

Через двадцать минут она должна была забрать Эшли и Сэма из школы, как это делала, словно заведенная, изо дня в день. Уилл обычно сам приезжал из средней школы на своей «БМВ», которую отец подарил ему полгода назад на его шестнадцатый день рождения. По правде говоря, денег у Фернанды осталось еще достаточно, чтобы прокормить детей, и ей не терпелось поскорее продать дом, чтобы расплатиться еще немного с долгами и, возможно, чуть-чуть отложить на черный день. Она понимала, что ей придется в ближайшее время начать искать работу, возможно, в каком-нибудь музее. Вся их жизнь пошла кувырком, и она не представляла, как рассказать обо всем детям. Они знали, что страховая компания отказалась выплатить страховку и что у них будут некоторые затруднения, пока не закончатся все формальности с завещанной отцом недвижимостью. Но никто из троих детей даже не догадывался о том, что задолго до своей гибели их отец потерял все свое состояние и что страховая компания не выплачивает страховку по той причине, что считает, будто он покончил жизнь самоубийством. Всем сказали, что это был несчастный случай. И люди, которые были там вместе с ним, не зная о его письме и о его обстоятельствах, не подвергали это сомнению.

Каждую ночь она лежала, снова и снова прокручивая в голове их последний разговор. Она знала, что будет всю жизнь упрекать себя в том, что не поехала в Мексику сразу же. Это было бесконечное переплетение чувства вины и самобичевания, дополнявшееся постоянным ужасом перед наплывом счетов и оставленными безграничными долгами, которые нечем было оплачивать. Последние четыре месяца она жила в неописуемом страхе.

То, что произошло с ней, поставило ее в полную изоляцию, и единственным человеком, который знал, через что ей приходится пройти, был их адвокат Джек Уотерман. Он сочувствовал ей, помогал и всячески поддерживал ее. В то утро они договорились, что в августе она выставит дом на продажу. В этом доме семья прожила четыре с половиной года, и дети успели его полюбить, но делать было нечего. Она понимала, что придется обратиться за финансовой помощью, чтобы они могли продолжить учиться в своих школах, но пока не могла сделать даже этого. Она все еще пыталась сохранить в тайне масштабы их финансового краха и делала это как ради Аллана, так и для того, чтобы избежать повальной паники. Пока люди, которым они должны деньги, будут думать, что у них есть средства, они дадут ей некоторую отсрочку выплаты. Она сваливала вину за задержку погашения долга на бюрократические проволочки с оценкой завещанной недвижимости и налоги на наследство, а сама просто тянула время. И никто об этом не знал.

В газетах промелькнули сообщения о том, что прекратили существование некоторые компании, в которые он вкладывал капитал. Но к счастью, никто не связал одно событие с другим, чтобы получить полную картину краха. В большинстве случаев это объяснялось тем, что широкой общественности не было известно, что он являлся главным инвестором. Фернанда день и ночь жила в страхе разоблачения, стараясь справиться со своим горем, потеряв единственного мужчину, которого она когда-либо любила, и помочь детям пережить их горькую утрату. Она была настолько ошеломлена и напугана, что с трудом понимала, что с ней происходит.

На прошлой неделе она побывала у своего доктора, потому что несколько месяцев страдала бессонницей, и он предложил ей пройти курс лечения, но она не захотела. Фернанда хотела попробовать справиться с недугом, не принимая никаких лекарств. Изо дня в день она заставляла себя двигаться хотя бы ради детей. Ей предстояло расхлебать всю эту кашу и в конце концов найти возможность поддержать их Но временами, особенно по ночам, у нее случались приступы паники.

Фернанда взглянула на настенные часы, висевшие в ее огромной элегантной, отделанной белым мрамором кухне, где она сидела, и увидела, что через пять минут должна ехать за детьми в школу, а следовательно, надо поторапливаться Скрепив резинкой новую стопку счетов, она бросила их в ящик, где хранились и все прочие. Она где-то слышала, что люди сердятся на умерших, которых они любили, но она пока до этого не дошла. Она могла лишь плакать и сожалеть, что Аллан позволил вскружить себе голову успеху, который в конечном счете уничтожил его и разрушил их жизнь. Но она на него не сердилась, а лишь печалилась по этому поводу и пребывала в постоянном страхе.

Она торопливо вышла из дома — миниатюрная стройная женщина в джинсах, белой тенниске и сандалиях, с сумочкой и ключами от машины в руке. У нее были длинные прямые белокурые волосы, которые она собирала в косицу, и, если приглядываться, она выглядела точь-в-точь как ее дочь. Эшли было двенадцать лет, но она быстро росла и уже была одного роста с матерью.

Когда Фернанда выходила, по ступенькам поднимался Уилл, но она по рассеянности захлопнула за собой дверь. Уилл, высокий, темноволосый мальчик, был почти точной копией своего отца. У него были большие синие глаза, и он отличался атлетическим телосложением. Последнее время он выглядел скорее как мужчина, чем мальчик, и делал все возможное, чтобы помочь своей матери. Она все время либо плакала, либо была расстроена, и он очень тревожился за нее, хотя старался этого не показывать. Она на мгновение задержалась на ступенях и, приподнявшись на цыпочки поцеловала его Ему было всего шестнадцать лет, а выглядел он как восемнадцатилетний или двадцатилетний юноша.

— С тобой все в порядке, мама? — задал он бессмысленный вопрос. С ней было не все в порядке уже четыре месяца. В ее глазах поселился страх, и он ничего не мог с этим поделать. Она взглянула на него и кивнула.

— Да, — сказала она и отвела взгляд в сторону. — Я еду за Эш и Сэмом. А тебе, когда приду домой, приготовлю сандвич, — пообещала она.

— Это я могу сделать сам, — улыбнулся он. — У меня сегодня игра. — Он играл в лакросс и бейсбол, и она любила присутствовать на играх, в которых он участвовал, и на тренировках и всегда старалась не пропускать их. Но последнее время она пребывала в таком смятении, что он не был уверен, что она видит то, что происходит, хотя и присутствует на игре.

— Хочешь, я съезжу за ними? — предложил он. Теперь он был мужчиной в доме. Он, как и все они, пережил шок и теперь изо всех сил старался соответствовать своей новой роли. Ему все еще было трудно поверить, что отца больше нет и он никогда не вернется. Это была огромная встряска для них всех. Его мать, казалось, стала другим человеком, и он даже беспокоился, когда она садилась за руль. На дороге она представляла собой угрозу безопасности.

— Я справлюсь, — заверила она его, не убедив этим ни его, ни себя, и направилась к своему фургончику.

Открыв дверцу, она помахала рукой и села в машину. Мгновение спустя она выехала со стоянки. Он смотрел ей вслед, заметив, что она повернула направо, не обратив внимания на указатель «стоп» на углу. Потом, понурив голову, словно на его плечах лежал непосильный груз, он отпер своим ключом входную дверь и вошел в тихий пустой дом. Своей дурацкой поездкой на рыбалку в Мексику его отец навсегда изменил их жизнь. Он вечно куда-то уезжал, делал то, что казалось ему очень важным. За последние несколько лет он почти никогда не бывал дома. Он делал деньги. За три года он ни разу не присутствовал ни на одной игре, в которой участвовал Уилл. Пусть Фернанда не сердилась на него за то, что он сделал с ними, умерев, зато Уилл сердился. Теперь всякий раз, когда он смотрел на мать и видел, в каком она состоянии, он ненавидел отца за то, что тот сделал с ней и с ними всеми. Он бросил их. Уилл ненавидел его за это, а ведь пока даже не знал всего, что произошло.

Глава 4

Сойдя с автобуса в Сан-Франциско, в южной части района Маркет, который был ему незнаком, Питер Морган долго стоял, оглядываясь вокруг. Когда он жил здесь, вся его деятельность сосредотачивалась в более фешенебельных районах. У него был дом на Пасифик-Хейтс, квартира в Ноб-Хилле, которую он использовал для операций с наркотиками, а также деловые контакты в Кремниевой долине. Ему никогда не приходилось обитать в бедных районах с дешевым жильем. Но сейчас, одетый в казенную одежду, выданную в тюрьме, он отлично вписывался в окружающую обстановку.

Он немного прошелся по Маркет-стрит, пытаясь привыкнуть к тому, что вокруг снуют люди, и чувствовал себя каким-то беззащитным. Он знал, что это скоро пройдет. Но после четырех с половиной лет пребывания в Пеликан-Бей он ощущал себя на улицах словно яйцо без скорлупы. Он зашел в ресторанчик, купил гамбургер и чашку кофе и не спеша смаковал еду и ощущение свободы. Ему показалось, что ничего более вкусного он никогда в жизни не пробовал. Потом он немного постоял снаружи, просто наблюдая за людьми. Мимо проходили женщины, дети и мужчины, которые. судя по всему. знали, куда и зачем идут. Видел он и бездомных. ютящихся возле подъездов домов, и пьяных, бредущих куда-то нетвердой походкой. Стояла теплая погода, и он решил пройтись по улице просто так, без какой-либо определенной цели. Он знал, что, как только переступит порог общежития для условно освобожденных из заключения, ему придется снова подчиняться правилам. Поэтому, прежде чем явиться туда, ему хотелось почувствовать вкус свободы. Два часа спустя, спросив у кого-то дорогу, он сел в автобус и отправился в район Миссии, где находилось общежитие.

Общежитие располагалось на Шестнадцатой улице. Выйдя из автобуса, он быстро нашел его и остановился перед входом, окидывая взглядом свое новое пристанище. Дом не шел ни в какое сравнение с местами, где ему приходилось жить до того, как он попал в тюрьму. Он невольно вспомнил о Джанет и об их маленьких дочерях. Интересно, где они теперь? Все годы с тех пор, как он видел их в последний раз, он очень скучал по своим дочерям. В тюрьме он прочел в каком-то журнале, что Джанет снова вышла замуж. Родительских прав его лишили несколько лет назад. Ее новый муж, наверное, удочерил их. Ему давно нет места ни в ее жизни, ни в жизни его детей. Усилием воли он выбросил из головы мысли об этом и поднялся по ступеням лестницы в ветхое здание, дверь которого была открыта для лиц, условно освобожденных из заключения.

В общежитии воняло кошками, мочой и подгоревшей пищей, а крашеные стены облезли. Для человека, получившего степень бакалавра в Гарварде, оказаться в таком месте было все равно что попасть в ад, но ведь и Пеликан-Бей не назовешь раем, тем не менее он выжил, пробыв там более четырех лет. Он знал, что выживет и здесь. Он был из тех, кто выживает.

За конторкой сидел высокий тощий беззубый темнокожий, на обеих руках которого Питер заметил следы от инъекций. На нем была рубаха с короткими рукавами, но это его, казалось, не смущало. Несмотря на темную кожу, на щеках у него была татуировка в виде слезинок, а это говорило о том, что он побывал в тюрьме. Он взглянул на Питера и улыбнулся. Вид у него был дружелюбный. По несколько растерянному выражению глаз Питера он сразу узнал в нем человека, только что освободившегося из тюрьмы.

— Могу я чем-нибудь помочь, приятель? — спросил он.

Несмотря на явно аристократическую внешность Питера, по взгляду, одежде и стрижке он понял, что Питер тоже побывал в тюрьме. Было в его походке, в настороженном взгляде, которым он окинул человека за конторкой, нечто такое, что говорило обо всем без слов. Они сразу же узнали друг в друге людей, побывавших в неволе. Теперь у Питера было больше общего с человеком за конторкой, чем с кем-нибудь из людей, принадлежащих к его бывшему миру. Сейчас ведь и он принадлежал к другому миру.

Питер кивнул и протянул ему документы, в которых говорилось, что ему надлежит прибыть в это общежитие. Человек за конторкой кивнул, взял ключ из ящика стола и встал.

— Я покажу вам вашу комнату, — любезно сказал он.

— Спасибо, — коротко поблагодарил Питер.

Все его защитные механизмы снова пришли в действие, как это было в течение четырех лет. Он понимал, что здесь он едва ли находится в значительно большей безопасности, чем в Пеликан-Бей. Народ здесь приблизительно тот же самый. И многие из них снова сядут в тюрьму. Он не хотел снова попадать в тюрьму, не хотел нарушать условий освобождения из-за какой-нибудь ссоры или вынужденной самозащиты в драке.

Они поднялись на два марша по лестнице и прошли по вонючему коридору. Это было старое викторианское здание, которое давным-давно подлежало сносу, но его приспособили под общежитие. Обитателями здесь были только мужчины. Старший по общежитию подошел к двери в конце коридора и постучал. Не получив ответа, он отпер ключом замок и распахнул дверь. Питер шагнул в комнату. Помещение было не больше чулана. На полу лежал покрытый пятнами старый палас В комнате находились две койки типа нар, два комода, видавшие виды стол и стул. Единственное окно выходило на стену другого дома, который тоже нуждался в ремонте. Картина удручающая. Камеры в Пеликан-Бей были вполне современными, хорошо освещенными и чистыми. По крайней мере его камера была такой. Здесь же помещение выглядело как ночлежка. Но Питер лишь кивнул головой

— Ванная находится направо по коридору В этой комнате живет еще один парень. Думаю, он сейчас на работе, — объяснил сопровождающий.

— Спасибо.

Питер заметил, что на верхней койке не было постельного белья, и понял, что белье предполагается иметь свое или спать на голом матраце, как это делали другие. Пожитки его соседа были разбросаны по всему полу. В комнате был полный кавардак. Он постоял у окна, переполняемый чувствами, о существовании которых забыл за последние годы: отчаянием, печалью, страхом. Он не имел понятия, куда теперь идти. Ему нужна работа. Ему нужны деньги. Ему необходимо поддерживать себя в чистоте. Чтобы выпутаться из этих проблем, проще всего было бы снова заняться сбытом наркотиков. Перспектива работать в «Макдоналдсе» или мыть где-нибудь посуду его не вдохновляла. Как только старший по общежитию ушел, он взобрался на верхнюю койку и лежал там, уставясь в потолок. Некоторое время спустя, заставив себя не думать обо всем, что ему предстояло сделать, Питер заснул.

Почти в тот же момент, когда Питер Морган входил в свою комнату в общежитии для освобожденных из заключения в Сан-Франциско, Карлтон Уотерс вошел в такое же общежитие в Модесто. Его соседом по комнате, которую ему предоставили, оказался человек по имени Малькольм Старк, с которым они вместе отсидели двенадцать лет в Сан-Квентине. Они были старыми приятелями, и Уотерс, увидев его, улыбнулся. В свое время он дал Старку отличную юридическую консультацию, что в конечном счете помогло ему освободиться.

— Ты что здесь делаешь? — обрадовался Уотерс. Он не показывал виду, но после двадцати четырех лет, проведенных в тюрьме, пребывал в шоке от того, что находится на свободе. В таком состоянии увидеть старого приятеля было большим облегчением.

— Я освободился только в прошлом месяце. Я отсидел еще пять лет в Соледад и вышел в прошлом году. Потом шесть месяцев назад меня упрятали за хранение оружия. Но срок дали пустяковый. Теперь меня только что выпустили снова. Здесь в принципе неплохо. Думаю, что двоих из тех, кто живет здесь, ты знаешь.

— А за что ты получил пять лет? — спросил Уотерс, окидывая его взглядом. Старк носил длинные волосы, лицо у него было потрепанное, украшенное множеством шрамов. Видимо, в детстве он частенько дрался.

— Меня повязали в Сан-Диего. Я перевозил наркотики через границу. На этот раз никто не пострадал.

Уотерс кивнул. Ему нравился этот парень, хотя он считал, что только дурак может попасться снова. А заниматься тем, чем он, — последнее дело. Это означало, что его нанимали для переброски наркотиков через границу, а он оказался таким болваном, что позволил себя арестовать. Хотя рано или поздно все они попадались. Ну, если не все, то большинство.

Когда Уотерс встретил его впервые, его посадили в тюрьму за сбыт наркотиков. Ничего другого Старк делать не умел. Теперь ему было сорок шесть лет, и он торговал наркотиками с пятнадцатилетнего возраста, а употреблял их с двенадцати лет. Но когда он попал в тюрьму в первый раз, его обвиняли также в сопричастности к убийству. Среди торговцев наркотиками кто-то кого-то обманул, в результате кого-то убили.

— Кто еще здесь? — спросил Уотерс. Для них это было нечто вроде членства в клубе. Братство людей, отсидевших в тюрьме.

— Здесь Джим Фри и еще несколько парней, которых ты знаешь.

Насколько помнил Карлтон Уотерс, Джим Фри отбывал срок в Пеликан-Бей за покушение на убийство и похищение. Какой-то мужик заплатил ему, чтобы он убил его жену, а он провалил дело. В результате и он, и муж получили по десять лет. Пребывание в Пеликан-Бей, а до этого — в Сан-Квентине считалось в уголовном мире чем-то вроде окончания высшего учебного заведения. В некоторых случаях это приравнивалось к гарвардской ученой степени, которую имел Питер Морган.

— Что ты теперь собираешься делать, Карл? — спросил Старк, словно обсуждая проведение летнего отпуска или какую-нибудь деловую операцию, которую два предпринимателя решили осуществить совместными усилиями.

— Есть у меня кое-какие мысли. Мне нужно доложиться своему уполномоченному по условному освобождению, и еще я хочу повидаться кое с кем насчет работы. — У Уотерса в этой местности жила семья, и планы свидания он вынашивал долгие годы.

— Я работаю на ферме, укладываю в ящики томаты, — сказал Старк. — Работа сменная, и оплата приличная. Я хочу водить грузовик, но мне сказали, что нужно три месяца поработать укладчиком, чтобы они могли ко мне присмотреться. Если хочешь поработать, то им нужна рабочая сила, — любезно предложил Старк, стараясь помочь приятелю.

— Я хочу посмотреть, не найдется ли конторской работы. Слабенький я стал, — улыбнулся Уотерс.

Слабеньким он отнюдь не выглядел, а был в отличной форме, просто физический труд ему претил. Он хотел попробовать получить какую-нибудь работу получше. Если немного повезет, то вполне возможно, что это ему удастся.

Снабженец, для которого он работал в течение последних двух лет, дал ему блестящую рекомендацию, к тому же в тюрьме он вполне прилично овладел компьютером. А написав те статьи, он мог худо-бедно считаться писателем. Он все еще не отказался от мысли написать книгу о своей жизни в тюрьме.

Два приятеля посидели, поболтали немного, потом вышли из общежития, чтобы перекусить. Входя и выходя, они должны были расписываться и обязаны были возвращаться к девяти часам вечера. Отправляясь с Малькольмом в кафетерий, Карлтон Уотерс испытал очень странное ощущение от того, что снова идет по улице, направляясь поужинать. Он не делал этого в течение двадцати четырех лет, с тех пор как ему было семнадцать. Больше половины своей жизни он провел в тюрьме, а ведь он даже не нажимал на спусковой крючок. По крайней мере так он сказал судье, и заседателям так и не удалось доказать обратное. Теперь это осталось позади. В тюрьме он научился многому такому, чему никогда не научился бы, не попади туда. Вопрос заключался в том, как применить полученные знания. Этого он пока не знал.

Фернанда заехала в школу за Эшли и Сэмом, потом завезла Эшли на занятия в балетную студию и вернулась домой с Сэмом. Как обычно, Уилла она застала на кухне. Дома он все время ел, хотя по нему этого не скажешь. Он был гибкий и сильный и уже более шести футов ростом. Аллан был ростом шесть футов два дюйма, и она думала, что если Уилл будет продолжать расти такими же темпами, то скоро догонит отца ростом.

— Во сколько начинается твоя игра? — спросила Фернанда, наливая Сэму стакан молока и ставя перед ним тарелку с печеньем; потом добавила яблоко.

Уилл ел сандвич, который, казалось, был готов взорваться от обильного содержимого: мяса индейки, помидоров и сыра. Все это было щедро приправлено майонезом. Мальчик явно не страдал отсутствием аппетита.

— Не раньше семи, — сказал Уилл. — Ты пойдешь?

Он взглянул на нее, делая вид, что ему это безразлично но она-то знала, что это не так. И всегда ходила на игры с его участием. Даже теперь, когда на нее обрушилось столько проблем. Она любила быть всегда рядом с ним, к тому же в этом заключалась ее работа. Или, вернее, заключалась до последнего времени. Скоро ей придется делать что-нибудь еще. Но пока она была по-прежнему мамой, занятой полный рабочий день, и обожала свою работу. Теперь, когда не было Аллана, она стала еще больше дорожить каждой минутой проведенной с детьми.

— Неужели ты думаешь, что я пропущу? — улыбнулась она, стараясь не думать о новой стопке счетов. Казалось, их становилось с каждым днем все больше и больше и они увеличивались в стоимостном выражении. Она не имела понятия о том, сколько Аллан тратил, и о том, как она теперь будет это оплачивать. Придется как можно скорее продать дом, сколько бы за него ни дали. Стараясь прогнать эти мысли, она спросила Уилла:

— С кем вы играете?

— С командой из Марина. Они слабаки. Мы должны выиграть. — Он улыбнулся. Она улыбнулась в ответ, заметив при этом, что Сэм съел печенье, а яблоко оставил

— Съешь яблоко, Сэм, — сказала она, даже не повернув головы.

— Я не люблю яблоки, — пожаловался он. Это был очаровательный шестилетний малыш с ярко-рыжими волосами, веснушками и карими глазами.

— Тогда съешь персик. Ты должен есть фрукты, а не только печенье, — сказала она.

Даже в разгар катастрофы жизнь продолжалась. Спортивные игры, балет, легкая закуска чтобы подкрепиться после школы. Все это шло своим чередом. Она делала все ради них, но и ради себя тоже. Только дети помогали ей пройти через все это.

— Уилл не ест фруктов, — сварливо заметил Сэм

Дети у нее были разной окраски — так сказать полный набор: Эшли была белокурой, как она, Уилл — черноволосым, как отец, а у Сэма волосы были ярко-рыжие — неизвестно, чьи гены следовало за это благодарить. Насколько она знала, рыжих в роду ни с той, ни с другой стороны не было С огромными карими глазами и щедрой россыпью веснушек малыш выглядел как мальчик с рекламы или персонаж мультфильма.

— Уилл, судя по всему, ест все, что имеется в холодильнике. У него просто места для фруктов не остается.

Протянув Сэму персик и мандарин, она взглянула на наручные часики. Было начало пятого, а у Уилла игра начинается в семь — значит, ужин она накроет в шесть. В пять она должна заехать за Эшли в балетную студию. Жизнь Фернанды состояла из множества мелких фрагментов. Так было всегда, но теперь, когда больше некому было помочь ей, это было особенно заметно. Вскоре после гибели Аллана она уволила экономку и приходящую нянюшку, которая помогала ей управляться с Сэмом. Она урезала все свои расходы и делала все, включая работу по дому, сама. Но детям, кажется, это нравилось. Они любили, когда мама всегда была с ними, хотя она знала, что они тоскуют по отцу.

Они сидели за кухонным столом, и Сэм жаловался на какого-то четвероклассника, который задирал его в школе. Уилл сказал, что ему на этой неделе надо сделать задание по физике, и спросил, не найдется ли у нее мотка медной проволоки. Потом Уилл дал совет младшему брату относительно того, как обращаться с теми, кто тебя задирает. Он уже учился в средней школе, а двое младших — еще в начальной. Уилл по-прежнему учился хорошо, у Эшли оценки стали хуже, а учительница первоклассника Сэма говорила, что он частенько плачет.

Дети до сих пор пребывали в шоке. Как и сама Фернанда. Ей все время хотелось плакать. Дети даже начали привыкать к этому. Когда бы Уилл или Эшли ни вошли в ее комнату, она всегда плакала. Она старалась не показывать слез при Сэме, но он последние четыре месяца спал в ее кровати и иногда тоже слышал, как она плачет. Она плакала даже во сне. Эшли на днях пожаловалась Уиллу, что их мать больше никогда не смеется, даже почти не улыбается. И вообще стала похожа на зомби.

— Она придет в норму, дай время, — сказал Уилл. Он очень повзрослел за последнее время и пытался занять в доме опустевшее место отца.

Им всем требовалось время, чтобы прийти в себя, и Уилл пытался быть мужчиной в доме. Даже больше, чем следовало, как считала Фернанда. Летом он собирался поехать в спортивный лагерь, и она была за него рада. Эшли предполагала отдохнуть на озере Тахо, где жили родители одной из ее подружек, а Сэм должен был остаться в городе вместе с Фернандой и ходить в дневной лагерь. Она была рада тому, что дети пристроены. Это даст ей возможность подумать и сделать то, что они наметили с адвокатом. Она надеялась, что дом удастся продать сразу же, как только будет объявлено о продаже. Конечно, для детей это будет тоже большим потрясением. Она пока понятия не имела, где они будут жить после продажи дома. Но она знала, что рано или поздно все узнают о том, что к моменту гибели Аллан был полностью разорен и имел огромные долги. Пока ей удавалось защитить его память, сохраняя это в тайне, но правда должна была выйти наружу. Такую тайну нельзя хранить вечно, хотя она была уверена, что пока об этом никто не знает. Некролог был составлен великолепно, и в нем до небес превозносились его достоинства. Она знала цену этим дифирамбам, но и знала, что Аллан, будь он жив, был бы этим доволен.

Около пяти часов, уезжая за Эшли, она попросила Уилла присмотреть за Сэмом. Потом поехала в балетную студию Сан-Франциско, где три раза в неделю занималась Эшли. Больше она не сможет себе позволить и этого. Когда все закончится, дети смогут лишь ходить в школу, иметь крышу над головой и пищу От остального придется отказаться если только она не найдет себе какую-нибудь высокооплачиваемую работу, что было маловероятно. Но это теперь не имело большого значения. Главное, что они были живы и вместе Это было важнее всего.

Фернанда без конца спрашивала себя, почему Аллан этого не понимал. Почему он предпочел умереть, но не признать свои ошибки, или невезение, или просчеты, или все это вместе? Он был одержим какой-то деловой лихорадкой, которая привела его на край пропасти и падению в нее, от чего пострадали они все. Фернанда и дети предпочли бы иметь его, а не все эти деньги. В конечном счете ничего хорошего из этого не вышло. Остались воспоминания о каких-то приятных эпизодах, какие-то забавные игрушки, а также масса домов и апартаментов, которые были им не нужны. Покупка яхты и самолета всегда казалась ей бессмысленной экстравагантностью. Дети потеряли отца, а она потеряла мужа — не слишком ли это высокая цена за три года жизни в баснословной роскоши? Она хотела бы, чтобы он вообще не разбогател и они не уезжали бы из Пало-Альто. Именно об этом она думала, останавливая машину на Франклин-стрит, напротив балетной студии. В этот момент из здания выпорхнула Эшли с балетными туфельками в руке.

Даже в свои двенадцать лет Эшли с длинными прямыми белокурыми, как у Фернанды, волосами выглядела очень эффектно. У нее были тонкие черты лица, и фигурка обещала стать весьма привлекательной. Она медленно, но верно превращалась из ребенка в девушку, и Фернанде хотелось. чтобы этот процесс протекал как можно медленнее. Серьезное выражение глаз делало ее старше своего возраста. За последние четыре месяца все они повзрослели. Фернанда, например, которой летом должно было исполниться сорок лет, чувствовала себя столетней.

— Как занятия? — спросила она, обращаясь к Эшли которая уселась на переднее сиденье.

Машины, скопившиеся позади них на Франклин-стрит принялись нетерпеливо сигналить. Как только Эшли пристегнулась ремнем безопасности, машина тронулась с места и они направились домой.

— Все в порядке, — ответила Эшли.

Обычно она относилась к занятиям с энтузиазмом, но сейчас выглядела усталой и вялой. Теперь всем им приходилось многое делать через силу. Самой Фернанде иногда казалось, что она в течение нескольких месяцев плывет против течения. Наверное, и Эшли испытывала то же самое. Как и все остальные, она тосковала по отцу.

— У Уилла сегодня игра. Не хочешь пойти? — спросила Фернанда, лавируя по Франклин-стрит в потоке машин, обычном для часа пик.

Эшли покачала головой.

— Мне надо готовить домашнее задание. — Она по крайней мере старалась, хотя, судя по отметкам, это не всегда получалось. Фернанда не отчитывала ее за это. Она и сама бы сейчас не смогла получать приличных оценок.

— Мне надо, чтобы ты присмотрела за Сэмом, пока я буду отсутствовать. Договорились?

Эшли кивнула.

Раньше Фернанда никогда не оставляла их одних, но теперь это было невозможно. Не к кому обратиться за помощью. Быстро нажитое богатство изолировало их от всех. Еще больше отдалила неожиданно наступившая бедность. Люди, с которыми они дружили долгие годы, стали чувствовать себя неловко с появлением этих бешеных денег. Их новый стиль жизни заставил друзей отвернуться от них. А гибель Аллана и проблемы, которые он ей оставил, отдалили ее от них еще больше. Она не хотела, чтобы кто-нибудь знал, в каком ужасном положении они оказались. Она редко отвечала на звонки. Ей не хотелось ни с кем говорить. Кроме детей. И адвоката. У нее были все классические симптомы депрессии. Да и кто, оказавшись на ее месте, смог бы избежать этого? Она неожиданно овдовела в тридцать девять лет и вскоре должна была потерять все, даже дом. Единственное, что у нее осталось, — это дети.

Приехав домой, она приготовила ужин и в шесть часов накрыла стол. На ужин были гамбургеры и салат. Она также поставила на стол блюдо с картофельными чипсами. Их, конечно, не назовешь полезной для здоровья пищей, но чипсы они по крайней мере ели. Не потрудившись даже положить себе гамбургер, она съела листочек салата, остальное выбросила в мусорное ведро. Она, как и Эшли, редко испытывала чувство голода. За последние месяцы Эшли выросла и похудела, от чего неожиданно стала выглядеть еще старше.

Когда без четверти семь Фернанда и Уилл отправились в Пресидио, Эшли наверху готовила уроки, а Сэм смотрел телевизор. Уилл был в бейсбольном обмундировании и почти не разговаривал. Как только они приехали, она прошла на зрительские места, где сидели другие родители. Никто с ней не заговорил, да и она не пыталась ни с кем разговаривать. Люди не знали, что ей сказать. Ее горе заставляло каждого испытывать неловкость. Похоже, люди боялись, что горе может оказаться заразным. Женщины, у которых были мужья и нормальная, благополучная жизнь, боялись приближаться к ней. Впервые за семнадцать лет она вдруг стала одинокой. Она молча наблюдала за игрой, чувствуя себя изгоем.

Команда Уилла выиграла со счетом шесть — ноль. Когда они ехали домой, вид у него был очень довольный. Он любил побеждать и терпеть не мог проигрывать.

— Может быть, остановимся и купим пиццу? — предложила она. Он немного помедлил, потом кивнул. Она дала ему денег. Он выскочил из машины и купил большую пиццу со всякой всячиной, потом уселся на переднее сиденье, пристроив ее на коленях, и улыбнулся матери.

— Спасибо, мама... спасибо, что пришла на игру...

Он хотел добавить что-то еще, но не знал, как это сказать. Он хотел сказать, как ценит то, что она всегда присутствует на играх. Интересно, почему отец никогда не бывал на играх? Не бывал с тех пор, как он был маленьким? Он даже ни разу не видел, как сын играет в лакросс. Аллан брал его с собой, когда ходил со своими партнерами по бизнесу на ежегодный чемпионат по бейсболу или на розыгрыш Кубка кубков. Но это было другое. Он не ходил на игры, в которых участвовал Уилл. А она ходила. И когда они ехали домой, она взглянула на него, и он ей улыбнулся. Это был один из тех драгоценных моментов, которые случаются время от времени в отношениях матери с детьми и запоминаются навсегда.

Подъехав к дому, она вышла из машины и на мгновение остановилась, залюбовавшись небом над заливом, которое окрасилось в розовые и сиреневые тона. Впервые за несколько месяцев она почувствовала, что, возможно, справится со всем, что обрушилось на нее в жизни, и что все они в конце концов выживут. Может быть, все в жизни еще наладится, подумала она, запирая машину, и следом за Уиллом поднялась по ступеням к входной двери. Он, конечно, сразу же отправился на кухню, и она, чему-то улыбнувшись, тихо закрыла за собой дверь.

Глава 5

Через два дня после освобождения Карлтон Уотерс точно по расписанию отметился у своего уполномоченного по условному освобождению. Как оказалось, Малькольм Старк был прикреплен к тому же уполномоченному, и они отправились отмечаться вместе. Уотерсу было приказано отмечаться каждую неделю, как и Старку На этот раз Старк был твердо намерен не возвращаться в тюрьму После освобождения он вел вполне добропорядочную жизнь. На томатной ферме он зарабатывал достаточно, чтобы оставаться на плаву, иметь возможность перекусить в местном кафе и заплатить за несколько кружек пива. Уотерс подал заявление, предложив свои услуги в качестве конторского служащего на ферме, где работал Старк. Ему обещали дать ответ в понедельник.

Мужчины договорились провести вместе уик-энд, хотя Карл сказал, что хотел бы в воскресенье навестить кое-кого из своих родственников. Их предупредили, что не разрешается выезжать за пределы этого района без особого разрешения, но Уотерс сказал Старку, что до его родственников надо проехать всего несколько остановок на автобусе. Он не виделся с ними с тех пор, как был мальчишкой. В субботу вечером они поужинали в ближайшем ресторанчике, потом посидели в баре, посмотрели бейсбол по телевизору и ровно в девять вернулись в общежитие. Ни тот ни другой не хотели проблем. Они отсидели свое. Уотерс сказал, что надеется получить работу, относительно которой подавал заявление, а если не получит, то ему придется искать что-нибудь другое. Но он об этом не беспокоился. К десяти часам оба мужчины заснули на своих койках, а когда на следующее утро в семь часов Старк проснулся, Карл уже ушел, оставив ему записку, в которой говорилось, что он едет к родственникам и что они увидятся вечером. Позднее Старк заметил, что Карл, уходя, отметился в журнале в шесть тридцать утра. Старк провел день в общежитии, смотрел матч по телевизору, болтал с соседями. Он не думал о том, куда ушел Карл. Сказал, что поехал к родственникам — значит, так оно и есть. И если Старка спрашивали, где Карл, он так и говорил.

После полудня Малькольм Старк общался с Джимом Фри. Они прогулялись до ближайшего автомата и купили на обед бутерброды. Фри был тем самым человеком, которого один мужик нанял, чтобы убить жену, и который не сумел выполнить эту работу как следует, в результате чего оба оказались в тюрьме. Но они обычно не рассказывали друг другу о своем криминальном прошлом. В тюрьме иногда это случалось, но на воле они были твердо намерены оставить прошлое в прошлом. Однако по внешнему виду Фри сразу можно было догадаться, что он побывал в тюрьме. На предплечьях у него были наколки, а физиономию украшали татуировки в виде традиционных тюремных слез. Казалось, он никого и ничего не боялся и мог сам позаботиться о себе. Именно это он демонстрировал своим внешним видом.

Двое приятелей ели бутерброды, болтали о бейсболе, о любимых игроках, прикидывали шансы команд, припоминали исторические моменты в бейсболе, которые им хотелось бы увидеть собственными глазами. Такой разговор мог происходить между двумя мужчинами где угодно, и Старк усмехнулся, когда Фри сказал, что недавно познакомился с одной девчонкой. Он встретил ее на заправочной станции, где работал. Она была официанткой в кафе, расположенном рядом с заправкой. Он сказал, что таких хорошеньких девчонок он еще не видывал и что она очень похожа на Мадонну. Старк даже расхохотался. В тюрьме ему уже приходилось слышать подобные описания, и он всякий раз сомневался, что у говорившего все в порядке со зрением. Оригинал обычно сильно отличался от описания. Но если Джиму Фри так кажется, то он не будет с ним спорить. Любой мужчина имеет право на мечты и заблуждение.

— Она знает, что ты был в тюрьме? — с любопытством спросил Малькольм Старк.

— Да, я ей сказал. Ее брат еще мальчишкой сидел за угон автомобиля. Ее это, кажется, ничуть не встревожило.

Казалось, огромный пласт человеческого сообщества измерял течение времени отсидками в тюрьме и сроками заключения, и это их ничуть не смущало. Это было нечто вроде клуба или тайного общества. И члены этого общества умели находить друг друга.

— Ты еще не назначил ей свидания?

У Старка на томатной ферме тоже была женщина, на которую он положил глаз, но он пока не осмеливался подойти к ней. Умение назначать свидания у него несколько заржавело.

— Я думаю пригласить ее куда-нибудь на следующей неделе, — смущаясь, сказал Фри.

Отбывая срок, все они мечтали о любовных утехах и настоящих подвигах в сексуальном плане. Но как только выходили из тюрьмы, все оказывалось не так легко и просто, как мечталось. В реальном мире они во многих отношениях оказывались новичками. Причем труднее всего почему-то было отыскать женщин. В общежитии для условно освобожденных мужчины, кроме женатых, большей частью держались вместе. Но даже женатым требовалось некоторое время, чтобы заново привыкнуть к женам. Они так свыкались с миром мужчин, в котором не было женщин, что во многих отношениях им было проще оставаться в чисто мужском обществе, как священникам или тем, кто слишком долго прослужил в армии. Женщины вносили сумятицу в устоявшийся порядок.

В тот вечер, когда вернулся Карлтон Уотерс, Старк и Фри сидели на лестнице перед входом в общежитие и дышали воздухом. Уотерс казался отдохнувшим и довольным, как будто провел приятный день. Голубая хлопчатобумажная рубаха была распахнута, под ней виднелась белая футболка, а ковбойские сапожки на его ногах были покрыты пылью. В этот чудесный весенний вечер он только что прошел полмили пешком с автобусной остановки по пыльной дороге. Он улыбался и был явно в хорошем настроении.

— Как поживают твои родственники? — вежливо осведомился Старк.

Забавно, какое значение в свободном мире приобретали хорошие манеры. Предполагалось, что ты должен из вежливости задавать вопросы. В тюрьме было разумнее всего не соваться со своими советами и не задавать никаких вопросов. В таких местах, как Пеликан-Бей, люди могли оскорбиться, если их о чем-то спрашивали.

— Наверное, хорошо. Должно быть, что-то случилось. Я на двух автобусах добрался до их фермы, а они, черт бы их побрал, куда-то уехали. Я им сообщил, что приеду, но они, видно, позабыли. Я побродил вокруг, посидел на крыльце их дома, потом прошелся пешком до города, а по дороге остановился, чтобы что-нибудь перекусить. Потом сел в автобус и вернулся сюда.

Судя по всему, это его не слишком расстроило. Приятно было просто так ехать в автобусе, который куда-то шел, приятно было и пройтись пешком под яркими лучами солнца. Ни того ни другого он не имел возможности делать с тех пор, как был мальчишкой. Усаживаясь на ступеньку лестницы рядом с ними, он и выглядел как мальчишка. Он казался более счастливым, чем накануне. Свобода шла ему на пользу. Он смотрелся так, будто с его плеч сняли тяжелый груз, и Малькольм Старк, глядя на него, улыбнулся. При этом стало видно, что во рту у него сохранились только передние зубы, а задние отсутствуют.

— Если бы я знал тебя не так хорошо, как знаю, то мог бы подумать, что ты вешаешь мне лапшу на уши насчет твоих родственников, а сам провел день с женщиной, — поддразнил его Старк. У Уотерса действительно был такой удовлетворенный, такой отсутствующий вид, какой бывает у людей после хорошего секса.

В ответ на слова Старка Карлтон Уотерс громко рассмеялся, швырнул камешек через дорогу, но ничего не сказал. В девять часов они встали, потянулись и вернулись в помещение. Они знали свой комендантский час, расписались в журнале и разошлись по комнатам. Карлтон и Старк немного поболтали, сидя на койках, а Джим Фри отправился в свою комнату. Они привыкли проводить ночь взаперти и не возражали ни против правил общежития, ни против комендантского часа.

На следующее утро Старку нужно было вставать в шесть часов на работу, и к десяти часам оба приятеля, как все обитатели общежития, заснули. Глядя на этих мирно спящих людей, никто бы не мог заподозрить, насколько они опасны или были опасными и какой ущерб причинили миру, прежде чем оказались здесь. Оставалось лишь надеяться, что они получили хороший урок.

Глава 6

Фернанда, как всегда, проводила воскресенье с детьми. У Эшли была репетиция балетного этюда, который она готовила для концерта, намеченного на июнь, затем Фернанда завезла ее к подруге, с которой они собирались сходить в кино, а потом поужинать с друзьями. Фернанда исполняла роль шофера Эшли вместе с Сэмом, который сидел рядом с ней на переднем сиденье. В субботу она приглашала его приятеля поиграть с ним, и они вместе ездили на очередную игру с участием Уилла, пока Эшли была на репетиции. Дети не оставляли ее без работы, и ей это нравилось. В этом было ее спасение.

В воскресенье Фернанде нужно было заполнить кое-какие документы, и она делала это, пока Эшли спала, Сэм смотрел видео, а Уилл работал над заданием по физике, прислушиваясь краем уха к спортивному репортажу с матча, который передавали по телевизору, включенному на самую малую громкость в его комнате. Матч был скучный, «Гиганты» проигрывали, и он перестал следить за игрой.

Фернанда безуспешно пыталась сосредоточить внимание на налоговых документах, которые адвокат велел ей заполнить. Она бы с удовольствием вместо этого прогулялась по пляжу с детьми. За ленчем она предложила прогуляться, но ни у кого не было настроения. А ей самой просто хотелось сбежать от этих налоговых документов. Она только что сделала перерыв и отправилась в кухню, чтобы выпить чашечку чаю, как неожиданно где-то совсем рядом с их домом раздался громкий взрыв. Потом наступила тишина. В комнату вбежал Сэм и испуганно посмотрел на нее.

— Что это было? — встревоженно спросил он.

— Не знаю. Но грохнуло очень сильно, — ответила Фернанда. Вдалеке уже слышались звуки сирен полицейских машин.

— Мощно рвануло, — сказал Уилл, вбегая в комнату.

По лестнице спустилась Эшли. Все они стояли в замешательстве, не зная, что и подумать. Сирены звучали совсем рядом и быстро приближались. Мимо окон промелькнули три полицейские машины с проблесковыми огнями на крышах.

— Как ты думаешь, что это было, мама? — снова спросил Сэм, возбужденно тараща глаза.

Звук был такой сильный, как будто в доме кого-то из соседей взорвалась бомба, хотя Фернанде это казалось маловероятным.

— Может быть, это взорвался газ? — высказала она предположение.

Все они подошли к окну, наблюдая, как мимо проезжают машины с «мигалками». Потом они открыли входную дверь и выглянули наружу. В конце улицы уже собралось около десятка полицейских машин и подъезжали новые, в том числе три пожарные. Фернанда с детьми дошла до поворота и увидела в конце квартала охваченную огнем машину и пожарных, направивших на нее шланги. Из домов по обе стороны улицы выходили люди и переговаривались между собой. Некоторые из любопытства подходили поближе к горящей машине, но полицейские жестами приказывали им отойти. Потом подкатила машина с шефом полиции, но горящую машину к тому времени потушили и смотреть больше было не на что.

– Похоже, взорвался бензиновый бак, и машина загорелась, — предположила Фернанда.

Ажиотаж уже прошел, но полицейские и пожарные были повсюду, а из машины вышел шеф полиции.

— Может, это сработало взрывное устройство? — сказал Уилл.

Они постояли еще немного, потом вернулись в дом. Сэм заупрямился: ему хотелось рассмотреть поближе пожарные машины. Однако полицейские никому не позволяли приближаться к месту происшествия. Вокруг уже было множество полиции, подъехали еще машины. Казалось, что сгоревшая машина не заслуживает такого внимания. Правда, взрыв был действительно впечатляющим. Фернанда так и подпрыгнула, когда он раздался.

— Не думаю, что это было взрывное устройство, — заметила Фернанда, когда они вернулись в дом. — Взрыв бензинового бака мог бы тоже наделать много шума. Возможно, огонь не сразу заметили.

— Но почему загорелась машина? — с озадаченным видом спросила Эшли. Ей это казалось неправдоподобным, но голос у нее все равно звучал испуганно.

– Бывает. Возможно, кто-то уронил непогашенную сигарету и не заметил этого. Или что-нибудь в этом роде. Может быть, это акт вандализма. — Что тоже было маловероятно. Особенно в этом квартале. Но Фернанда исчерпала все возможные объяснения.

— Я все-таки думаю, что в машину подложили взрывное устройство, — заявил Уилл, радуясь, что его отвлекли от домашнего задания. То, что он делал, ему не нравилось, и он цеплялся за любой предлог, позволяющий отвлечься, тем более если таким предлогом был взрыв машины.

— Ты слишком увлекаешься компьютерными играми, — с отвращением сказала Эшли. — Машины взрывают только в кино или телефильмах.

Потом каждый из них вернулся к прерванным делам Фernanда продолжила заполнять бумаги, оставленные Джеком Уотерманом, а Уилл, выходя из комнаты, заявил, что не сможет закончить свое домашнее задание без мотка медной проволоки, и Фернанда пообещала разыскать ее в понедельник. Эшли стала вместе с Сэмом смотреть видео

Полицейские пробыли на месте происшествия еще около двух часов, а потом уехали. Пожарные машины отбыли еще раньше. Вокруг снова стало тихо и спокойно Фернанда накормила детей и складывала посуду в посудомоечную машину, когда в дверь позвонили. Она чуть помедлила у входной двери, посмотрела в дверной глазок и увидела двух мужчин, разговаривавших друг с другом. Мужчин этих она раньше не видела. Она спросила через дверь, кто они такие. Они назвались офицерами полиции, но оба были в гражданской одежде, и она уже решила не открывать дверь, когда один из них поднес к дверному глазку свой полицейский значок. Она опасливо открыла дверь и взглянула на них. Оба выглядели вполне респектабельно и извинились за беспокойство.

— Что случилось? — в замешательстве спросила она. Сначала ей и в голову не пришло, что их визит имеет какое-то отношение к сгоревшей машине и взрыву. На мгновение это напомнило ей мучительные дни после гибели Аллана, когда приходилось иметь дело с представителями властей Мексики.

— Не уделите ли нам минутку для разговора? — спросили они. Один из них был азиат, другой — белый, каждому было около сорока лет. Оба были в гражданской одежде: спортивных куртках, сорочках и галстуках. Они представились детективом Ли и детективом Стоуном и показали ей свои удостоверения. В них не было решительно ничего настораживающего. Детектив с азиатской внешностью посмотрел на нее и улыбнулся.

— Мы не хотели напугать вас, мэм. Сегодня во второй половине дня на улице неподалеку от вас случилось одно происшествие. Если вы были дома, то, возможно, слышали взрыв. — Он был любезен, вежлив, и она сразу же успокоилась.

— Да, мы были дома. Похоже, загорелась машина и взорвался бензиновый бак.

— Вполне разумное предположение, — сказал детектив Ли. Он вглядывался в нее, как будто ждал какого-то ответа. Казалось, что-то в ней его озадачивало. Другой детектив молчал, предоставив своему напарнику право вести разговор.

— Не желаете ли пройти в дом? — спросила Фернанда. Было ясно, что быстро уходить они не собираются.

— Вы не возражаете? Мы не займем много вашего времени.

Она провела их на кухню и, отыскав под столом свои сандалии, надела их. Мужчины выглядели так респектабельно, что ей было неловко шлепать босиком в их присутствии.

— Не хотите ли присесть? — предложила она, жестом указывая на кухонный стол, уборку которого почти закончила. Взяв губку, она смахнула с него последние крошки, выбросила их в раковину и уселась за стол вместе с ними.

— Что случилось?

— Мы над этим работаем, и нам нужно задать людям из соседних домов кое-какие вопросы. Находился ли кто-нибудь, кроме вас, в доме, когда вы услышали взрыв?

Она заметила, как он окидывает взглядом ее элегантную кухню. Это была великолепная просторная комната со столешницей из белого мрамора, оборудованная по последнему слову техники и освещенная большой белой люстрой венецианского стекла. Она полностью соответствовала великолепию остальных помещений.

Дом был большой, величественный, что красноречиво говорило об успехе, достигнутом Алланом в то время, когда он его приобретал. Но хозяйка почему-то не вписывалась в общую картину процветания, подумал детектив Ли, окидывая взглядом ее джинсы, футболку и белокурые волосы, кое-как схваченные на затылке резинкой. Если не приглядываться, она выглядела как девчонка. Судя по всему, она сама готовила обед, что казалось ему и вовсе удивительным. Он ожидал, что в таком доме этим занимается повар, а не эта миловидная босая женщина в джинсах.

— Со мной были мои дети, — сказала она.

— Кто-нибудь еще? — спросил он, ожидая, что, кроме повара, в таком доме должны быть служанки, а также экономка. Возможно, приходящая няня или даже дворецкий. Странно, что она одна справляется со всем. Может быть, слуг отпустили на воскресенье?

— Ваш муж был дома? — спросил он.

Она помедлила, потом отвела взгляд в сторону. Ей было трудно говорить на эту тему. Рана все еще не заживала и болела.

— Нет. Я вдова. — У нее даже голос перехватило. Она терпеть не могла произносить это слово.

— Простите. Кто-нибудь из вас выходил из дома перед взрывом? — спросил он.

Голос его звучал очень доброжелательно, и, неизвестно почему, он даже ей понравился. Пока разговор вел один детектив Ли. Другой детектив — инспектор Стоун — не произнес ни слова. Но она заметила, что он тоже окинул внимательным взглядом ее кухню. Казалось, они все замечали и ее тоже изучали, как и все остальное.

— Нет. Мы выходили наружу после взрыва, а не до него. Почему вы об этом спрашиваете? Разве случилось что-нибудь еще? Неужели кто-нибудь поджег машину? Может быть, машина загорелась не случайно, а ее умышленно подожгли?

— Пока мы этого не знаем, — любезно улыбнувшись, сказал детектив Ли. — Может быть, вы выглядывали наружу и видели кого-нибудь на улице? Кого-нибудь подозрительного или что-нибудь необычное?

— Нет. Я работала за письменным столом, моя дочь, я думаю, спала, один из сыновей смотрел видео, а другой делал домашнее задание для школы

— Вы не возражаете, если мы с ними поговорим?

— Нет, пожалуйста. Я уверена, что мальчики будут от этого в восторге. Я схожу за ними. — Она пошла из кухни, потом, словно вспомнив что-то, остановилась на пороге и спросила: — Не хотите ли что-нибудь выпить? — Она перевела взгляд с одного на другого, но они покачали головами и, улыбнувшись ей, поблагодарили. Они были с ней чрезвычайно вежливы. — Я вернусь через минутку, — сказала Фернанда и побежала вверх по лестнице в комнаты детей. Она сказала им, что внизу полицейские, которые хотят задать им кое-какие вопросы. Эшли не проявила энтузиазма. Она разговаривала по телефону и не хотела, чтобы ее прерывали. Зато у Сэма загорелись глазенки.

— Они нас арестуют? — испуганно, но с надеждой в голосе спросил он.

Уилл оторвался от компьютерной игры и удивленно приподнял бровь:

— Значит, я был прав? Это все-таки сработало взрывное устройство?

— Нет, не думаю. Они сказали, что пока не знают, что это было, но хотят спросить, не видел ли кто-нибудь из вас кого-нибудь подозрительного. Арестовывать нас они не собираются, Сэм. Они не думают, что это сделал ты.

Сэм на мгновение расстроился. Уилл встал и последовал за матерью. А Эшли заупрямилась:

— Почему я должна спускаться вниз? Я спала. Скажите им это сами. А я разговариваю с Марси.

Они обсуждали серьезные проблемы, касающиеся, например, одного восьмиклассника из школы, который в последнее время проявлял явный интерес к Эшли. Для нее это было значительно важнее и интереснее, чем какая-то полиция.

— Скажи Марси, что ты ей перезвонишь. А о том, что ты спала, будь добра сказать полицейским сама, — ответила Фернанда и, возглавляя процессию детей, стала спускаться по лестнице.

Когда они вошли в кухню, оба детектива встали и заулыбались. Уж очень приятную группу они составляли: миловидная мама в окружении очаровательных детей. Теду Ли неожиданно стало жаль ее. По ответу Фернанды на его вопрос о муже он понял, что она, очевидно, овдовела недавно. В течение почти тридцати лет задавая вопросы и наблюдая за людьми, когда они на них отвечали, он инстинктивно чувствовал такие вещи. Ей было больно, когда она отвечала ему, но теперь, в окружении детей, она чувствовала себя увереннее. Он обратил внимание на маленького рыжеволосого постреленка, который разглядывал его с явным интересом.

— Моя мама сказала, что вы не собираетесь нас арестовывать, — сказал он тоненьким голоском, и все присутствующие в комнате рассмеялись. Тед улыбнулся ему:

— Правильно, сынок. Не хочешь ли помочь нам в расследовании? Мы назначили бы тебя помощником, а когда вырастешь, сможешь стать детективом.

— Мне только шесть лет, — сказал Сэм извиняющимся тоном, как будто, будь он старше, с удовольствием бы стал им помогать.

— Ничего, скоро подрастешь. Как тебя зовут? — Детектив Ли умел обращаться с детьми, и Сэм сразу же перестал смущаться.

— Сэм.

— Меня зовут детектив Ли, а это мой напарник, детектив Стоун.

— Это было взрывное устройство? — прервал разговор Уилл, а Эшли окинула его осуждающим взглядом, убежденная, что он задает глупый вопрос. Ей хотелось одного: поскорее вернуться к себе в комнату и продолжить разговор по телефону.

— Возможно, — честно признался Тед Ли. — Вполне возможно, но мы пока не уверены. Эксперты еще не дали своего заключения. Они очень тщательно изучают остатки машины. Мало ли что они могут там обнаружить. — Он не сказал детям, но к этому времени уже было окончательно установлено, что это было взрывное устройство. Пока решили не разглашать этого, чтобы не пугать жителей. Теперь им нужно было установить одно: кто это сделал? — Скажите-ка мне: кто-нибудь из вас до взрыва выходил из дома или смотрел в окно?

— Я, — быстро сказал Сэм.

— Ты? — Фернанда удивленно взглянула на сынишку. — Ты выходил из дома?

Это было более чем маловероятно, и она, как и его брат и сестра, взглянули на него с недоверием. Эшли решила, что он лжет, чтобы покрасоваться перед полицейскими.

— Я смотрел из окна. Фильм стал скучным.

— И что ты видел? — с интересом спросил Тед. Парнишка был умненький. Он напомнил ему одного из сыновей, когда тот был маленьким. Тот же открытый взгляд и забавная манера говорить. Все, кто с ним общался, сразу же влюблялись в него. — Что ты видел, Сэм? — спросил Тед, садясь на кухонный стул, чтобы не возвышаться над малышом. Он был высокого роста, а как только сел, Сэм сразу же смог посмотреть ему прямо в глаза.

— Они целовались, — заявил Сэм с видимым отвращением.

— Под твоим окном?

— Нет. В видеофильме. Поэтому мне стало скучно. Целоваться глупо.

Даже у Уилла его слова вызвали улыбку. Эшли хихикнула, а Фернанда печально подумала, придется ли снова увидеть поцелуи в реальной жизни. Не в ее жизни. Может быть, хотя бы в его жизни. Усилием воли она прогнала эту мысль. А Тед стал спрашивать дальше.

— Что ты увидел из окна?

Миссис Фарбер выгуливала своего пса. Он всегда пытается укусить меня.

— Это неучтиво с его стороны. А кого-нибудь еще ты видел?

— Мистера Купера с сумкой для гольфа. Он каждое воскресенье играет в гольф. И еще по улице шел мужчина, но я его не знаю.

— Как он выглядел? — словно бы без особого интереса спросил Тед.

Сэм, нахмурив лоб, задумался.

— Не помню. Я просто помню, что видел его.

— Было в нем что-нибудь странное или страшное? Хоть что-нибудь о нем ты помнишь?

Сэм покачал головой.

— Я просто знаю, что видел его, но не обратил внимания. Я смотрел на мистера Купера. Он толкнул миссис Фарбер сумкой, и ее пес начал лаять. Я хотел посмотреть, укусит ли он его.

— Ну и как? Укусил? — с интересом спросил Тед.

— Нет. Миссис Фарбер натянула поводок и прикрикнула на него.

— Она прикрикнула на мистера Купера? — улыбнувшись, спросил Тед, и Сэм улыбнулся в ответ. Тед ему понравился, и отвечать на его вопросы было одно удовольствие.

— Нет, — терпеливо объяснил Сэм, — она прикрикнула на пса, чтобы он не укусил мистера Купера. А потом я снова стал смотреть фильм. И тут грохнул взрыв.

— Это все, что ты видел?

Сэм снова задумался, потом кивнул.

— Кажется, я видел еще и леди. Ее я тоже не знаю. Она бежала.

— В какую сторону она бежала?

Сэм указал направление, противоположное тому, где взорвалась машина.

— Как она выглядела?

— Ничего особенного. Немного похожа на Эшли.

— Она была вместе с человеком, которого ты не знаешь?

— Нет. Он шел в другую сторону, и она на него налетела. Пес миссис Фарбер и на нее тоже залаял, но леди пробежала мимо них. Больше я ничего не видел, — сказал Сэм, обводя всех несколько сконфуженным взглядом. Он боялся, что его обвинят в том, что он выхваляется. Иногда такое бывало.

— Очень хорошо, Сэм, — похвалил его Тед, потом посмотрел на его брата и сестру:

— А вы что скажете, молодые люди? Вы что-нибудь видели?

— Я спала, — сказала Эшли, но больше не проявляла враждебности к происходящему. Тед ей тоже понравился. И вопросы он задавал интересные.

— Я делал домашнее задание по физике, — повторил Уилл, — и не отрывался, пока не прогремел взрыв. У меня был включен телевизор — играли «Гиганты», но взрыв был такой громкий, что я его все равно услышал.

— Могу себе представить, — кивнув, сказал Тед и снова поднялся со стула. — Если кто-нибудь из вас вспомнит о чем-нибудь еще, обязательно позвоните нам. Ваша мама знает наш номер.

Все они распрощались, потом Фернанда что-то вспомнила и спросила:

— Чья это была машина? Она принадлежала кому-нибудь из соседей или ее просто кто-то припарковал на этой улице? — Сама она не могла разглядеть машину, когда там работала такая уйма пожарных. Да и машина, объятая пламенем, была неузнаваемой.

— Это машина одного из ваших соседей, судьи Макинтайра. Наверное, вы его знаете. Его не было в городе, но миссис Макинтайр была здесь. Она только что собиралась куда-то поехать. К счастью, в момент взрыва она все еще находилась в доме. Ее это происшествие очень напугало.

— Меня тоже, — честно признался Сэм.

— Все мы были напуганы, — сказала Фернанда.

— Грохнуло так, словно взорвали целый квартал, — добавил Уилл. Могу поспорить, что это было взрывное устройство, — повторил он.

— Мы вам потом скажем, — пообещал Тед, хотя Фернанда сомневалась, что он сдержит обещание.

— Вы полагаете, что если это было взрывное устройство, то оно предназначалось для судьи Макинтайра? — поинтересовалась Фернанда.

— Может быть, и нет. Возможно, это просто чья-то случайная безумная выходка, — сказал Тед, но на этот раз Фернанда ему не поверила.

На месте происшествия собралось слишком много полицейских машин, даже машина шефа полиции подъехала слишком быстро. Она подумала, что Уилл, очевидно, прав. Они явно кого-то искали и тщательно проверяли всех. Слишком много суеты для случайного пожара.

Детектив Ли поблагодарил их всех, потом, попрощавшись, они с напарником ушли, и Фернанда закрыла за ними дверь.

— Это было интересно, — сказала она Сэму, который, ответив на все их вопросы, почувствовал себя очень важным.

Они еще поговорили об этом, пока поднимались по лестнице, потом разошлись по своим комнатам, и Фернанда отправилась в кухню, чтобы закончить уборку.

— Смышленый парнишка, — сказал Тед Ли Джеффу Стоуну, когда они подходили к следующему дому, где тоже никто ничего не видел. Они проверяли все дома в квартале, в том числе и дома Фарберов и Куперов, о которых упоминал Сэм. Никто ничего не видел или, во всяком случае, не помнил. Три часа спустя, когда они вернулись в офис и Тед налил себе чашку кофе, он все еще вспоминал об очаровательном рыжеволосом малыше. Когда он добавлял в кофе сливки, Джефф Стоун неожиданно сказал:

— На этой неделе мы получили распечатку на Карлтона Уотерса. Помнишь такого? Это парень в возрасте семнадцати лет, убивший двоих. Его судили как взрослого. Он тысячу раз подавал прошения, пытаясь добиться помилования. Но так и не добился. На этой неделе он освободился из заключения. Кажется, получил условное освобождение с припиской в Модесто. Не судья ли Макинтайр выносил приговор по этому делу? Помню, я где-то об этом читал. Судья сказал, что ни минуты не сомневался в виновности Уотерса. Уотерс утверждал, что нажал на спусковой крючок и выстрелил его сообщник, а он просто стоял рядом — невинный, словно новорожденный младенец. Его напарник умер через несколько лет в Сан-Квентине в результате смертоносной инъекции. Кажется, Уотерс в это время находился в Пеликан-Бей.

— Что ты хочешь сказать? — спросил Тед, отхлебнув глоток горячего кофе. — Что это сделал Уотерс? Если так, то это очень глупо с его стороны. Пытаться взорвать судью через двадцать четыре года после вынесения приговора и пару дней спустя после освобождения из тюрьмы? Не может быть, чтобы он стал таким идиотом. Он был весьма неглуп. Я читал парочку его статей. Он не дурак. Он понимает, что за такие художества отправился бы назад в Пеликан-Бей пожизненно и что оказался бы первым в списке подозреваемых. Должно быть, это сделал кто-то другой или это было просто случайностью. До того как судья Макинтайр ушел в отставку, он отправил в тюрьму немало людей. Уотерс был не единственным, кого он приговорил к тюремному заключению.

— Мне просто показалось, что это интересное совпадение. И только. Но возможно, стоит все-таки проверить. Не хочешь завтра прокатиться в Модесто?

— Само собой. Почему бы и нет? Если тебе кажется, что в этом что-то есть. Мне, например, не кажется. Но я не возражаю прокатиться по сельской местности. Мы можем выехать утром, тогда будем там к семи часам. Может, к тому времени еще что-нибудь выяснится.

Но ни в одном доме они не получили никакой полезной информации. Никто не видел никого и ничего подозрительного.

Правда, они получили от экспертов подтверждение, что это действительно было взрывное устройство. Мощное. Если бы судья и его жена оказались в машине, они бы серьезно пострадали. Судя по всему, оно сработало преждевременно. Устройство было с таймером, и жена судьи не попала к праотцам, опоздав всего на пять минут. Когда по номеру, который дала его жена, позвонили судье, он сказал, что убежден в том, что пытались убить его. Однако Джефф, как и Тед, считал, что Карлтона Уотерса можно подозревать с большой натяжкой. Он приложил слишком много усилий, чтобы получить свободу, и, пробыв на свободе всего несколько дней, не стал бы так рисковать.

— Этот парень слишком умен и не пойдет на такое, — сказал по телефону судья. — Я прочел несколько написанных им статей. Он все еще утверждает, что невиновен, но он не такой болван, чтобы пытаться взорвать меня в первую же неделю после освобождения.

Судья ушел в отставку пять лет назад и мог назвать не менее десятка других людей, которые имели на него зуб и были в настоящее время на свободе.

Тем не менее Тед и Джефф все равно поехали в Модесто и прибыли в общежитие как раз в тот момент, когда Малькольм Старк, Джим Фри и Карлтон Уотерс возвращались после обеда. Джим Фри уговорил их заглянуть в кафе при заправочной станции, чтобы он мог взглянуть на свою девчонку.

— Добрый вечер, джентльмены, — вежливо поздоровался Тед, и трое мужчин сразу же враждебно насторожились. Копов они могли учуять за милю.

— Что вас сюда привело? — спросил Уотерс, узнав, откуда они явились.

— Небольшое происшествие в нашем округе вчера вечером, — объяснил Тед. — В машине судьи Макинтайра сработало взрывное устройство. Возможно, вы помните это имя? — сказал он, глядя прямо в глаза Уотерсу.

— Еще бы! Лучшей мишени и не придумаешь, — заявил Уотерс. — Я бы с радостью сам сделал такое, да он не стоит того, чтобы из-за него возвращаться в тюрьму. Его убили? — с надеждой в голосе спросил он.

— К счастью, нет. Его не было в городе. Но его жену чуть не убили. Она на пять минут разминулась со смертью.

— Нехорошо, — сказал Уотерс без особых эмоций.

Ли пристально наблюдал за ним и сразу же понял, как хитер этот парень. Он был холоден, как ледник в Антарктиде, но Тед был склонен согласиться с судьей. Уотерс ни за что не стал бы рисковать обретенной свободой и не пошел бы на такую глупость, как взрыв машины судьи, вынесшего приговор. Хотя именно у такого, как он, хватило бы дерзости и самообладания для подобного деяния. И возможность у него была. Он мог бы добраться туда на автобусе, заложить взрывное устройство и вернуться назад в Модесто, успев к комендантскому часу в общежитии, причем не впритык, а даже с некоторым запасом времени.

Однако инстинкт подсказывал Теду: это не тот человек, которого они ищут. Хотя вся эта троица — прожженные мерзавцы. Двоих других он тоже знал. И знал, сколько времени они на свободе. Когда им присылали распечатки, Тед всегда их прочитывал. И помнил их имена. Они были законченными негодяями. Когда Уотерс клялся, что он невиновен, Тед ни на минуту ему не поверил. Сейчас он тоже ему не доверял. Все осужденные утверждали, что их обвинили ложно, что их либо оговорили подружки, либо подставили сообщники, либо оболгали обвинители. Он слишком часто все это слышал. Уотерс был крепким орешком и скользким как угорь Тед особенно не любил таких. У него были все признаки социопата, человека, частично или полностью лишенного совести. При этом он был явно неглупым парнем.

— Кстати, где ты был вчера? — спросил Тед Ли, обращаясь к Уотерсу, который не сводил с него ледяного взгляда.

— Здесь, неподалеку. Я ездил на автобусе навестить своих родственников. Не застав их, я подождал немного на крыльце их дома, потом вернулся сюда и сидел здесь с этими двумя парнями.

Подтвердить первую часть его алиби было некому, так что Тед не стал спрашивать имена свидетелей.

— Может ли кто-нибудь подтвердить твое местонахождение? — спросил Тед, глядя ему прямо в глаза.

— Парочка водителей автобуса. У меня сохранились корешки автобусных билетов. Если хотите, могу показать.

— Посмотрим корешки. — Уотерс явно разозлился, но поднялся в свою комнату и принес корешки билетов.

Билеты были на рейсовый автобус в районе Модесто. Они были явно использованы. Сохранились лишь половинки корешков. Вполне возможно, он оторвал их сам, однако Тед Ли не думал, что он это сделал. Когда Тед возвращал ему корешки билетов, физиономия Уотерса выражала полное равнодушие.

— Ну что ж, ведите себя хорошо, парни. Если потребуетесь, мы еще к вам заглянем.

Условно освобожденные знали, что он имеет полное право допрашивать их или даже, если вздумается, обыскивать.

— Понятно. И будьте осторожны, как бы дверь не ударила вас в задницу, когда будете уходить, — прошипел им вслед Джим Фри.

Тед и Джефф слышали, что он сказал, но не отреагировали. Они сели в машину и уехали, а Уотерс следил за ними с неприкрытой ненавистью в глазах.

— Свиньи, — произнес Малькольм Старк, а Уотерс не сказал ничего. Он повернулся и вошел в здание.

Неужели всякий раз, когда в Сан-Франциско случится какое-нибудь пустяковое происшествие, они будут приезжать и допрашивать его? Они могут делать с ним что угодно, тогда как он, пока считается условно освобожденным, не может против этого возражать. Единственное, чего он не хотел, — так это снова попасть в тюрьму.

— Ну, что ты об этом скажешь? — спросил Тед у своего напарника на обратном пути. — Думаешь, он ни при чем?

У самого Теда были сомнения. Он считал, что возможность причастности Уотерса исключать нельзя. Внутренне он еще подозревал его, хотя разум подсказывал, что взрывное устройство было подложено кем-то другим. Уотерс не мог совершить такую глупость. Хотя сразу было видно, что он опасен и способен на многое. Заложенное взрывное устройство могло служить предупреждением о предстоящих более серьезных акциях, поскольку в данном случае жертвами могли оказаться только судья и его жена, если бы они в момент взрыва находились в машине или стояли рядом с ней.

— По правде говоря, я не считаю, что он чист, — ответил Джефф. — Я думаю, что этот парень — законченный негодяй и черта с два был невиновен в первый раз. Я думаю, что у него хватило бы наглости доехать до города, подложить взрывное устройство в машину Макинтайра и вернуться сюда, даже не опоздав к ленчу. Полагаю, он на такое способен. Но он слишком умен, чтобы сделать это. Так что на сей раз это едва ли его рук дело. Но доверять я бы ему не стал. Думаю, он недолго погуляет на свободе. Мы еще о нем услышим.

Тед с ним согласился. Им обоим слишком часто приходилось наблюдать, как парни вроде него снова возвращались в тюрьму.

— Может быть, нам стоит распечатать его архивную фотографию, чтобы показать жителям домов на той улице? Может быть, мальчонка Барнсов вспомнит его, если увидит снимок? Всякое бывает.

— Это, пожалуй, не помешает, — кивнул Джефф и подумал о трех мужчинах, которых они только что видели: похититель, убийца и сбытчик наркотиков. Отвратительные типы и отъявленные негодяи. — Как только приедем, я распечатаю снимки. Мы возьмем их с собой во вторник и посмотрим, не вспомнит ли кто-нибудь, что видел его на улице.

— Боюсь, что никто не вспомнит, — сказал Тед, когда они выехали на скоростную автостраду.

В Модесто было жарко, и поездка не дала никаких результатов, но он был все-таки рад, что они туда съездили. Он никогда прежде не видел Карлтона Уотерса и был доволен, что увидел его наконец во плоти. От его вида у Теда мурашки по спине пробежали, и он был абсолютно уверен, что они еще увидят его снова. Это был тот еще тип. Тюрьма его ни капельки не исправила, хотя он провел за решеткой двадцать четыре года. Тед был уверен, что Уотерс стал даже более опасным, чем тогда, когда попал в тюрьму. Почти две трети своей жизни он обучался в гладиаторской школе. Тед лишь надеялся, что этот Уотерс не успеет еще кого-нибудь убить, прежде чем возвратится в тюрьму.

Некоторое время детективы ехали в молчании, потом снова заговорили о взрыве автомобиля. Джефф собирался составить с помощью компьютерной базы данных список всех лиц, которым судья Макинтайр выносил приговоры за последние двадцать лет своего пребывания на судейской должности, и посмотреть, кто еще освободился из заключения. Возможно, это сделал кто-нибудь другой, кто пробыл на свободе дольше, чем Карл. Они знали наверняка лишь одно: это не было случайной акцией. Это был «подарочек», предназначенный исключительно для судьи или в крайнем случае для его жены. Это была неутешительная мысль, но Тед полагал, что они в конечном счете вычислят, кто это сделал. Пока же Карлтона Уотерса нельзя было полностью исключить из списка подозреваемых. У него не было подтвержденного свидетелями алиби, но и улик против него тоже не было, причем они с Джеффом оба сомневались, что улики появятся. Если даже это сделал Уотерс, то им, возможно, никогда не удастся предъявить ему обвинение, потому что он слишком хитер. Но даже если это так, Тед, увидев его, был намерен не спускать с него глаз. Он чувствовал, что рано или поздно Карлтон Уотерс снова появится в поле его зрения. Это было почти неизбежно. Ему приходилось сталкиваться с подобными типами.

Глава 7

Звонок в дверь раздался в пять часов вечера во вторник, когда Фернанда была на кухне и читала письмо от Джека Уотермана, где перечислялись вещи, которые она должна была продать, и предположительные суммы, которые можно было за них выручить. Его оценка была консервативной, но они оба надеялись, что если она продаст все, включая драгоценности, которые дарил ей Аллан — а их было много, — то ей, возможно, удастся начать новую жизнь с нуля, а не значительно ниже нуля, чего она боялась больше всего. В лучшем случае ей придется начинать на пустом месте, и она не имела понятия, на какие средства будет жить следующие несколько лет, не говоря уже об обучении детей в колледже, когда до этого дойдет дело. Пока она могла лишь утешать себя тем, что в конце концов ей что-нибудь придет в голову Сейчас она могла лишь жить одним днем, плыть по течению и стараться не пойти ко дну.

Уилл был наверху в своей комнате и готовил — или делал вид, что готовит, — домашнее задание. Сэм играл в своей комнате, а Эшли была на репетиции, которая заканчивалась в семь. Фернанда решила устроить для всех поздний ужин, что оставляло ей больше времени, чтобы, сидя в кухне, предаться размышлениям, и вздрогнула, услышав звонок. Она никого не ждала и, направившись к входной двери, меньше всего думала о взрыве машины, случившемся два дня назад. Посмотрев в дверной глазок, она увидела Теда, который на этот раз пришел один. Он был при галстуке, в белой сорочке и блейзере. Как и в первый раз, он выглядел чрезвычайно респектабельно.

Она открыла дверь, окинув его удивленным взглядом и еще раз отметив про себя, что он очень высок ростом. Он нерешительно стоял на пороге, держа в руках коричневый конверт, пока она не пригласила его войти. Он заметил ее напряженный взгляд. Она казалась очень усталой, словно непосильное бремя забот лежало на ее плечах. Интересно, что ее угнетает, подумал он. Но когда вошел, она улыбнулась и, сделав над собой усилие, постаралась быть любезной.

— Здравствуйте, детектив Ли. Как ваши дела? — спросила она с усталой улыбкой.

— Все в порядке. Извините, что беспокою вас. Я хотел показать вам одну фотографию.

Как и в воскресенье, он огляделся вокруг. Дом, конечно, производил впечатление своим великолепием. Здесь было такое количество явно бесценных предметов, что он был похож на музей. В такой роскошной обстановке она выглядела так, словно мыла лестницу в вечернем платье, волоча за собой меховое манто. Но она была совсем не такой. Она понравилась Теду. Это была нормальная женщина, причем женщина нежная, хотя и очень печальная. Ее горе лежало на ней, как печать, и он сразу же правильно понял, что она очень привязана к детям и старается их защитить. Тед хорошо разбирался в людях и в отношении этой женщины тоже доверял своей интуиции.

— Нашли человека, взорвавшего машину судьи Макинтайра? — спросила она, пригласив его в гостиную, и жестом предложила ему присесть на обитое бархатом мягкое и удобное кресло. Бархат, шелка и парча, украшавшие гостиную, были выдержаны в бежевых тонах, а портьеры выглядели так, словно они предназначались для дворца. Это было не так уж далеко от истины. Они с Алланом купили портьеры в Венеции, где те украшали одно из палаццо, и привезли домой.

— Пока не нашли. Мы проверяем кое-какие версии. Я хотел бы показать вам одну фотографию. Может быть, вы узнаете изображенного на ней человека. А если Сэм дома, то я хотел бы показать фотографию и ему. — Ему не давал покоя мужчина, которого Сэм, по его словам, видел, но не запомнил. Все оказалось бы слишком просто, если бы Сэм вдруг опознал на фото Карлтона Уотерса. Случались и более странные вещи, хотя Тед ничего подобного сейчас не ожидал. На такое везение он обычно не рассчитывал. Отыскание подозреваемых, как правило, занимало много времени, но иногда могло и посчастливиться. Он надеялся, что на сей раз это будет именно такой счастливый случай.

Тед вынул из конверта сильно увеличенное фото и протянул его Фернанде. Она пристально вгляделась в лицо, потом покачала головой и вернула ему фотографию.

— Не думаю, что я когда-либо видела его, — тихо сказала она. — Есть в его лице что-то знакомое, но, возможно, это просто кажется. Где я могла его видеть? — Она нахмурила лоб, напрягая память и пытаясь вспомнить.

— Возможно, вы видели его фотографию в газетах. Он только что освободился из тюрьмы. Дело было громкое. В возрасте семнадцати лет он был приговорен вместе со своим дружком к тюремному заключению за убийство. В течение двадцати четырех лет он утверждал, что невиновен и что спусковой крючок нажал другой парень.

— Ужасный случай. Кто бы ни нажал на спусковой крючок. Вы думаете, он был невиновен? — спросила она. На фотографии он показался ей способным на убийство.

— Я так не думаю, — честно признался Тед. — Он неглупый парень. Кто знает, может быть, к этому времени он поверил собственной истории. Я слышал, что такое бывало раньше. В тюрьмах полно людей, которые утверждают, что невиновны и оказались за решеткой исключительно из-за некомпетентности судей или продажности адвокатов. Но там очень немного мужчин, да и женщин, которые признаются в содеянном.

— Кого он убил? — спросила она и вздрогнула. Страшно было даже подумать об этом.

— Своих соседей. Супружескую пару. Их детишек тоже чуть не убили, но потом не стали утруждать себя и оставили их в живых, потому что дети был слишком малы, чтобы опознать их. Их родителей они убили за две сотни долларов и какую-то мелочь, которые нашлись в их бумажниках. Такое случается сплошь да рядом. Насилие без заранее обдуманного плана. Стоимость человеческой жизни низведена до нескольких долларов, дозы наркотика или пистолета. Именно поэтому я больше не работаю в убойном отделе. На меня это действует угнетающе. Начинают возникать вопросы о роде человеческом, на которые не хочешь услышать ответа. Те, которые совершают подобные преступления, — настоящие выродки. Нормальным людям трудно понять их психологию.

Она кивнула, подумав, что то, чем он занимается, не многим лучше.

Заниматься взрывами машин — дело тоже не слишком приятное, тем более что судья и его жена вполне могли быть убиты. Но это все-таки менее жестоко, чем преступление, совершенное Карлтоном Уотерсом, о котором она только что услышала. Даже при взгляде на его фотографию у нее кровь застыла в жилах. Его физиономия вселяла ужас. Если бы она когда-нибудь видела его, то узнала бы. Но она никогда прежде не видела Карлтона Уотерса.

— Вы полагаете, вам удастся найти человека, взорвавшего машину? — спросила она. Ей стало интересно, какой процент преступлений они раскрывают и сколько усилий затрачивают на раскрытие каждого. Этот детектив, кажется, очень ревностно относится к своей работе. У него было приятное лицо, добрые глаза и манеры интеллигентного, воспитанного человека. Инспектора полиции она представляла себе другим. Значительно жестче, чем культурный и добрый Тед Ли.

— Мы, возможно, найдем преступника, — честно признался Тед. — По крайней мере попытаемся. Но если это действительно была случайная акция, сделать это будет труднее, потому что в таких поступках не бывает логики и совершившим такой поступок может оказаться кто угодно. Удивительные вещи обнаруживаются иногда, если копнуть несколько глубже. Учитывая тот факт, что владелец машины — судья, я полагаю, что у преступника был мотив. Месть. Человек, которого он отправил в тюрьму и который считает приговор слишком суровым, жаждет свести с ним счеты. Если речь идет о подобном человеке, то найти его нам будет проще. Поэтому я и подумал об Уотерсе, вернее сказать — сначала это пришло в голову моему напарнику. Уотерс только на прошлой неделе освободился из тюрьмы. Приговор ему выносил судья Макинтайр. Двадцать четыре года — слишком большой срок, чтобы вынашивать злобу, и очень глупо взрывать машину судьи, едва успев выйти из тюрьмы. Уотерс для этого слишком разумен, но, может быть, в тюрьме он чувствует себя более комфортно. Если это кто-нибудь вроде него, то в конце концов мы об этом узнаем. Кто бы это ни сделал, он заговорит, или мы получим звонок от какого-нибудь информатора. Ключи к решению наших задач мы получаем большей частью от анонимных или платных информаторов, — рассказывал Тед.

Об этом слое человеческого общества Фернанда ничего не знала, да и не хотела знать. Однако хотя было страшно, она с любопытством слушала то, что он рассказывает. А он продолжал:

— Многие из этих людей так или иначе связаны друг с другом. И не очень-то умеют хранить секреты. Их так и подмывает рассказать об этом, к счастью для нас. А тем временем мы должны проверить любую полученную информацию и все наши догадки и подозрения. Уотерс — всего лишь догадка, основанная на интуиции, причем догадка слишком очевидная, но и она заслуживает проверки. Вы не будете возражать, если я покажу фотографию Сэму?

— Ничуть.

Теперь ей самой было любопытно, не узнает ли его Сэм, хотя она опасалась подвергнуть его риску мести со стороны преступника в том случае, если Сэм его опознает.

— Что, если Сэм его узнает? Будет ли сохранена в тайне личность Сэма? — спросила она.

— Разумеется. Мы не собираемся подвергнуть риску шестилетнего ребенка, — спокойно сказал он. — И взрослого человека тоже. Мы делаем все возможное, чтобы защитить наши источники информации.

Она с облегчением кивнула, и он следом за ней стал подниматься по лестнице в комнату Сэма. Над головой ослепительно сияла великолепная огромная люстра, которую Фернанда в свое время купила в Вене и отправила в Сан-Франциско морем в разобранном виде.

Постучав в дверь, она открыла ее. Сэм играл на полу Увидев позади матери Теда, он улыбнулся.

— Привет, — сказал малыш, — вы пришли, чтобы арестовать меня?

Судя по всему, появление Теда его ничуть не встревожило. Похоже, он был даже рад видеть его. В воскресенье, когда Тед расспрашивал его о том, что он видел, и позволил рассказать всякие подробности, Сэм почувствовал себя очень важным человеком. И хотя он видел Теда всего второй раз в жизни, понял, что это человек понимающий и дружелюбный и что он любит детей. Сэм чувствовал такие вещи.

— Нет, я не собираюсь тебя арестовывать. Но я принес тебе кое-что, — сказал Тед, запуская руку в карман пиджака Он не сказал Фернанде, что собирается сделать мальчику подарок Разговаривая с ней, он забыл сказать об этом Он протянул что-то Сэму, и мальчик, взглянув на подарок, замер от восторга. Это была блестящая латунная звезда, как две капли воды похожая на серебряную, которую Тед носил в своем бумажнике. — Теперь ты помощник инспектора полиции, Сэм. Это значит, что ты всегда должен говорить правду а если заметишь поблизости каких-нибудь подозрительных людей, ты должен сообщить об этом нам.

На звезде под обозначением полицейского департамента Сан-Франциско стояла цифра «1». Такие звезды получали в подарок друзья полиции. На мордашке Сэма был написан такой восторг, словно его новый друг подарил ему бриллиант Фернанда улыбнулась, увидев это, потом поблагодарила Теда. Как мило, что он это сделал. И Сэм так обрадовался.

Фернанда похвалила звезду, улыбнулась сыну, и они все вместе прошли в его комнату. Как и все остальное в доме, комната была великолепно декорирована и обставлена. Она была выдержана в синем цвете с добавлением красного и желтого для контраста. Там было все, что только может пожелать мальчик, включая телевизор с большим экраном, чтобы смотреть видеофильмы, стереопроигрыватель, настенные полки со множеством игр, разнообразных игрушек и книг. Посередине комнаты лежала целая куча кубиков «Лего» и стояла машина с дистанционным управлением, которой он занимался, когда они вошли. Возле окна стояла банкетка, сидя на которой, как догадался Тед, мальчик смотрел на улицу в воскресенье и заметил взрослого мужчину, внешность которого не запомнил в подробностях. Тед подал ему фотографию Карлтона Уотерса и спросил, не видел ли его Сэм когда-нибудь.

Сэм встал и долго, как и его мать, смотрел на фотографию. Было в глазах Уотерса что-то жуткое, что внушало страх даже на фотографии. После вчерашнего визита к нему в Модесто Тед увидел, что глаза Уотерса на самом деле еще холоднее, чем на фотографии. Тед ничего не говорил, чтобы не отвлекать мальчика, а просто стоял рядом и наблюдал. Сэм еще раз тщательно покопался в воспоминаниях, потом покачал головой.

— Страшный, — сказал он, возвращая Теду фотографию
— Слишком страшный, чтобы сказать, что ты его видел? — осторожно спросил Тед, наблюдая за глазами мальчика. — Не забывай, ты теперь мой помощник. Ты должен рассказать нам все, что помнишь. Если ты его видел, Сэм, то он никогда не узнает, что ты рассказал нам об этом. — Теду хотелось придать мальчику уверенности в своей безопасности. Но Сэм снова покачал головой.

— Мне кажется, что у того человека были светлые волосы, как у этого, но выглядел он по-другому.

— Почему ты это говоришь? Ты вспомнил что-нибудь еще о том, как выглядел тот человек на улице?

Иногда воспоминания приходят позднее. Такое случается и со взрослыми людьми.

— Нет, — честно признался Сэм. — Но когда я смотрю на фотографию, то знаю, что не помню, что видел его Это плохой человек? — с любопытством спросил Сэм, который отнюдь не выглядел испуганным.

Он чувствовал себя в безопасности дома и понимал, что, когда рядом находятся его новый друг из полиции и его мама, ничего страшного с ним не может случиться. Но с ним никогда не случалось ничего страшного, если не считать гибели отца. И ему не приходило в голову, что кто-нибудь может захотеть причинить ему зло.

— Это очень плохой человек, — ответил на его вопрос Тед.

— Он кого-нибудь убил? — Сэма это очень заинтересовало. Для него это была просто волнующая история, никак не связанная с реальностью. Этим и объяснялось полное отсутствие чувства опасности.

– Он вместе со своим сообщником убил двоих людей, — сказал Тед.

Фернанда сразу же встревожилась. Ей не хотелось чтобы Тед рассказывал Сэму о том, что пострадали еще и двое детей Она боялась, что сыну будут снова сниться кошмары, как это случалось после гибели отца Он боялся, что она тоже умрет или что умрет он сам. В его возрасте это часто бывает, тем более после того, как он недавно потерял отца. Тед инстинктивно понимал это. У него самого были дети, и он совсем не имел намерения запугивать Сэма.

— За это его посадили в тюрьму на большой срок, — продолжил Тед, понимая, что важно сказать мальчику о том, что преступник понес наказание, что это был не просто случайный убийца, шляющийся по улицам, который не понес никакого наказания за свое поведение.

— Но сейчас он на свободе? — с интересом спросил Сэм.

Должно быть, его выпустили, если Тед думает, что он разгуливал по их улице в воскресенье, и если он спрашивает, не видел ли его Сэм.

— Он был освобожден из тюрьмы на прошлой неделе, но в тюрьме он просидел двадцать четыре года, так что, я полагаю, это послужило для него уроком, — сказал Тед, продолжая внушать мальчику уверенность в своей безопасности. С ребенком в этом возрасте нужно быть особенно осторожным, и Тед старался как мог. Он всегда умел обращаться с детьми и любил их. Фернанда это видела и догадывалась, что у него, наверное, тоже есть дети. На левой руке он носил обручальное кольцо, поэтому она знала, что он женат.

— Тогда почему вам кажется, что это он взорвал машину? — весьма разумно поинтересовался Сэм. — Еще один хороший вопрос. Сэм — умный мальчик и размышляет очень логично.

— Если кто-нибудь оказывается там, где его меньше всего ожидают встретить, это трудно предсказать заранее. Теперь, когда ты стал помощником, тебе надо это знать, Сэм. Приходится проверять каждую версию, какой бы маловероятной она ни казалась. Иногда может повезти, и ты вдруг таким образом находишь человека, которого искал.

— Думаете, он это сделал? Я имею в виду машину? — Сэма совершенно заворожил этот процесс.

— Нет. Не думаю. Но все равно хорошо, что я пришел сюда и проверил. Что, если бы на фотографии оказался человек, которого ты видел, а я не потрудился бы показать фотографию тебе? Ему бы все могло сойти с рук, а мы не хотим, чтобы такое случилось, не так ли?

Сэм покачал головой, и взрослые улыбнулись друг другу. Потом Тед снова положил фотографию в конверт. Он не думал, что Уотерс повел бы себя так глупо, но ведь всякое бывает. По крайней мере теперь он дополнительно узнал от Сэма, что подозреваемый был блондином. Маленький кусочек головоломки под названием «Взрыв автомобиля» встал на свое место.

— Кстати, мне нравится твоя комната, — как равный равному, сказал мальчику Тед. — Здесь у тебя столько интересного.

— У вас есть дети? — спросил Сэм, глядя на него снизу вверх. Он все еще держал в руках звезду, как будто драгоценнее ее у него ничего не было. Фернанда была тронута тем, что Тед придумал такой подарок для Сэма.

— Есть, — с улыбкой ответил Тед, по-отцовски взъерошив ему волосенки. — Теперь они уже большие. Двое учатся в колледже, а один работает в Нью-Йорке.

— Он тоже полицейский?

— Нет, он биржевой маклер. Никто из моих сыновей не пожелал стать копом, — сказал он.

Сначала Тед был разочарован, но потом решил, что, возможно, это даже к лучшему. Работа эта была утомительной, зачастую опасной. Тед всегда любил свое дело и был доволен тем, что работает в полиции. Но для Шерли всегда было важно, чтобы дети получили хорошее образование. Один из его сыновей, который сейчас учился в колледже, хотел после окончания пойти в юридическую школу, а другой учился на подготовительном медицинском факультете и собирался выучиться на врача. Тед ими гордился.

— Кем ты хочешь стать, когда вырастешь? — с интересом спросил Тед, хотя Сэм был еще слишком мал, чтобы решать такие вопросы. Он подозревал, что мальчику не хватает отца, и подумал, что ему будет приятно несколько минут поговорить с мужчиной. Он не знал, в каких обстоятельствах оказа лась Фернанда после смерти мужа, но когда он к ним заходил, у него не было ощущения, что в доме есть мужчина, кроме старшего сына. И она всякий раз выглядела настороженной и уязвимой, как это бывает с женщинами, которым приходится в одиночку справляться со множеством сложных проблем.

— Я хочу быть бейсболистом, — заявил Сэм. — Или, может быть, копом, — добавил он, с обожанием глядя на латунную звезду, которую держал в руках.

Взрослые снова улыбнулись. Фернанда порадовалась тому, что у нее растет такой хороший мальчик.

В этот момент в комнату вошел Уилл, привлеченный голосами взрослых, которые он услышал из своей комнаты. Он улыбнулся, увидев Теда, а Сэм немедленно доложил ему, что он теперь стал помощником полицейского.

– Круто, — улыбнулся Уилл и посмотрел на Теда. — Значит, все-таки это было взрывное устройство, верно?

Тед медленно кивнул:

— Верно.

Уилл, как и его брат, был красивым и умным мальчиком. У Фернанды трое хороших детей.

– Вы знаете, кто это сделал? — спросил Уилл, и Тед снова извлек из конверта фотографию и показал ему.

– Не встречал ли ты где-нибудь поблизости этого человека? — спокойно спросил он.

— Это сделал он? — спросил Уилл и долго смотрел на снимок.

Глаза Карлтона Уотерса возымели на него то же гипнотизирующее воздействие. Потом он возвратил фотографию Теду и покачал головой. Никто из них никогда не видел Карлтона Уотерса, а это было уже кое-что. Это не подтверждало полностью невиновность Уотерса, но существенно уменьшало вераятность его вины.

— Мы проверяем возможности. Пока не удалось установить никакой его связи с происшествием. Ты его никогда не видел, Уилл?

— Нет, не видел, — покачал головой мальчик. — Еще кого-нибудь подозреваете? — Уиллу Тед понравился, и он с удовольствием с ним разговаривал. С ним было легко и просто общаться. Тед имел особый подход к детям.

— Пока нет. Мы вам сообщим. — Тед взглянул на часы и сказал, что должен идти. Фернанда проводила его до входной двери, и он на минутку задержался на пороге Странно говорить такое о женщине, живущей в особой роскоши, но ему было жаль ее. — У вас прекрасный дом и множество красивых вещей. И мне очень жаль, что умер ваш муж, — с сочувствием сказал он

Прожив двадцать восемь лет со своей женой, он знал цену дружескому участию. Пусть даже они больше не были близки, они многое значили друг для друга Он чувствовал одиночество Фернанды, нависшее над ней, словно мрачная туча

— Мне тоже жаль, — печально сказала она в ответ на сочувствие, выраженное Тедом.

— Это был несчастный случай?

Фернанда помедлила и взглянула на него. Он увидел в ее глазах такую боль, что у него перехватило дыхание. Это была открытая рана

— Возможно... Мы не знаем — Она помедлила еще мгновение и почувствовала себя с ним удивительно комфортно Она не смогла бы объяснить почему, но она испытывала к нему доверие — Возможно, это было самоубийство. Это произошло в Мексике Ночью он упал за борт яхты. На яхте он был один.

— Примите мои соболезнования, — снова сказал Тед, потом открыл дверь и, оглянувшись, добавил: — Если в чем-нибудь потребуется наша помощь, дайте мне знать.

Встреча с ней и ее детьми составляла часть его работы, которую он особенно любил. Люди, с которыми приходилось встречаться, заставляли его чувствовать, как важна и полезна его работа. А судьба этого семейства тронула его за душу. Сколько бы ни было у них денег — а их, судя по всему, было много, — у них были и свои печали. Иногда независимо от того, беден ты или богат, с людьми, принадлежащими к разным слоям общества, имеющими разный уровень благосостояния, происходит одно и то же и богатые страдают точно так же, как и бедные. И каким бы величественным ни был ее дом, какими бы элегантными ни были в нем люстры, это не согревало ее по ночам; она была очень одинока и одна должна думать о том, как поставить на ноги троих детей. Если бы что-нибудь случилось с ним и Шерли пришлось бы одной растить сыновей, сложилась бы такая же картина. Все еще размышляя о Фернанде, он направился к своей машине и уехал, а она тихо закрыла за ним дверь.

Потом она снова вернулась к своему столу и еще раз перечитала письмо Джека Уотермана. Она позвонила, чтобы назначить с ним встречу, а его секретарша сказала, что он перезвонит ей завтра, так как уехал на целый день. Без четверти семь она села в машину и отправилась за Эшли в балетную студию. Эшли села в машину в хорошем настроении, и они всю дорогу болтали о репетиции, о школе и о многочисленных подружках Эшли. Она все еще была в том возрасте, когда девочки особенно близки с матерями, но Фернанда знала, что через год-другой ситуация переменится. Но пока ее ребенок был близок ей, и Фернанда была рада этому.

Придя домой, Эшли продолжала возбужденно говорить о своей предполагаемой поездке на озеро Тахо в июле. Она едва могла дождаться окончания занятий в школе. Они все с нетерпением ждали этого, хотя Фернанда знала, что летом, когда Эшли и Уилл уедут, она будет чувствовать себя еще более одинокой. Хорошо еще, что Сэм останется с ней. Она была рада, что он еще маленький и пока не стал таким независимым, как старшие дети. Он любил держаться поближе к ней, особенно теперь, когда не стало отца, хотя за последние годы Аллан уделял ему мало внимания. Он был всегда слишком занят. Лучше бы он проводил больше времени со своими детьми, думала Фернанда, чем создавал своими руками будущий финансовый крах, который в конечном счете не только унес его жизнь, но и разрушил их жизни.

Она приготовила обед для детей. Все устали, но настроение было лучше, чем за все последнее время. Сэм нацепил свою новую звезду, и все снова заговорили о взрыве машины на их улице. Фернанда испытала некоторое облегчение, узнав, что вероятнее всего это было покушение на жизнь судьи, устроенное кем-нибудь из тех, кого он за долгие годы своего пребывания в судейском кресле отправил за решетку, а не просто случайный акт жестокости, не направленный против конкретного лица. Однако это не успокаивало, потому что было неприятно сознавать, что есть люди, готовые убивать других и уничтожать чужое имущество. Она и ее дети вполне могли бы пострадать при взрыве, если бы в этот момент проходили мимо, и лишь по чистой случайности никто из них не претерпел этого. Миссис Макинтайр задержалась в доме, а судьи не было в городе. Дети были взволнованы этим происшествием. Мысль о том, что нечто экстраординарное произошло прямо в их квартале, с людьми, которых они знали, казалась невероятной не только им, но и ей тоже. Но как бы то ни было, это случилось и могло случиться снова. Ложась спать в ту ночь, Фернанда остро ощутила свою незащищенность и еще сильнее горевала, что Аллана нет рядом.

Глава 8

В надежде найти работу или хотя бы пройти собеседование на случай появления вакансии Питер Морган обзвонил всех людей, с которыми когда-либо общался в Сан-Франциско. В бумажнике у него оставалось чуть больше трехсот долларов, и ему было необходимо убедить своего уполномоченного по условному освобождению, что он изо всех сил старается трудоустроиться. Он действительно старался. Но за первую неделю после возвращения в город ничего не подвернулось. Некоторые люди уехали, и на их месте теперь были незнакомые лица, а те, кто помнил его, либо отказывались общаться с ним, либо разговаривали, но сразу же «отшивали» его, потрясенные тем, что он снова возник на горизонте. В нормальной жизни четыре года — немалый отрезок времени. И почти все, кто был знаком с ним раньше, знали, что он попал в тюрьму. Никто не горел желанием встретиться с ним снова. И к концу первой недели Питеру стало ясно, что ему придется существенно снизить уровень своих претензий Как бы ни был он полезен надзирателю в тюрьме, никто в Кремниевой долине, тем более в финансовых кругах, не хотел иметь с ним ничего общего. История его жизни изобиловала неожиданными зигзагами, и нетрудно было себе представить, что за четыре года пребывания в тюрьме он научился коечему похлестче, чем его прежние выходки. Не говоря уже о его предрасположенности к злоупотреблению наркотиками, из-за чего он в конечном счете и оказался на дне.

Он обращался за работой в рестораны, на мелкие предприятия, в магазинчик, торгующий грампластинками, и даже на фирму грузовых перевозок. Работы для него нигде не было. его считали квалифицированным, слишком образованным, а в одном месте даже, не стесняясь, назвали его всезнайкой и снобом. Но хуже всего было то, что он побывал в тюрьме. Он буквально не мог найти работу. В результате к концу второй недели у него осталось сорок долларов в бумажнике и ника ких перспектив. В закусочной рядом с общежитием ему пред ложили мыть посуду за половину минимальной зарплаты наличными, но на такие деньги он не смог бы прожить, а платить ему больше хозяевам было незачем. В их распоряжении было сколько угодно нелегальных эмигрантов, готовых работать за гроши. А Питеру для того чтобы выжить, требо валось больше Совсем отчаявшись он в десятый раз пере листал старенькую записную книжку с адресами и остановился на одной фамилии: Филипп Эдисон. До последнего момента он был твердо намерен не звонить ему. Это был тот еще негодяй. У Питера и раньше бывали из-за него неприят ности. Питер до сих пор не был абсолютно уверен в том, что по его вине провалилась операция с наркотиками, из-за которой он и попал в тюрьму. Питер был должен ему целое состояние, но поскольку потреблял кокаин в огромном количестве, то не имел никакой возможности вернуть ему долг, который числился за ним до сих пор. По каким-то своим соображениям Эдисон предпочел помалкивать о долге, понимая, что нет никакой возможности взыскать его с Питера, пока он находится в тюрьме. Питер не без оснований относился к нему с подозрением, и ему не хотелось лишний раз напоминать Эдисону о непогашенном долге. У него не было возможности расплатиться с ним, и Эдисон это знал

Филипп Эдисон на законных основаниях владел огромной компанией, акции которой были официально допущены к обращению на бирже, а также полдюжиной других, не вполне легализованных компаний, деятельность которых он не афишировал, и обладал широкими связями в криминальной среде. Человек, подобный Эдисону, всегда мог найти место для Питера в одной из своих теневых компаний, а это как-никак означало работу и приличные деньги. Но Питеру очень не хотелось ему звонить. Эдисон и раньше обманывал Питера, и тот знал, что как только человек по любой причине попадал ему в лапы, то выбраться из них уже не мог. Но сейчас Моргану было больше не к кому обратиться. Его не приняли на работу даже на заправочной станции. Их клиенты сами заправляли машины бензином и не хотели, чтобы их деньги проходили через руки человека, только что вышедшего из тюрьмы. Степень бакалавра Гарвардского университета была ему практически бесполезна. А над рекомендацией тюремного надзирателя большинство просто потешалось. Питер впал в отчаяние. У него не было ни друзей, ни семьи —

никого кто бы мог помочь ему. Чем дольше он будет оставаться без работы, тем пристальнее будут за ним наблюдать. Всем известно, какое давление оказывает на условно освобожденных лиц отсутствие денег и к деятельности какого рода они способны прибегнуть, если впадут в отчаяние. Питера охватила паника. Денег у него почти не осталось, а надо было хотя бы оплачивать жилье и питание.

Через две недели после того, как вышел за ворота Пеликан-Бей, он почти полчаса просидел, уставившись на номер телефона Филиппа Эдисона, потом все же поднял телефонную трубку и позвонил ему. Секретарша сказала, что мистера Эдисона нет в стране, и предложила оставить сообщение Питер оставил свое имя и номер телефона. И через два часа ему позвонил Филипп. Когда Питер в самом мрачном настроении сидел в своей комнате, кто-то крикнул снизу, что его просит к телефону какой-то парень, назвавшийся Эдисоном. Питер побежал к телефону. Это могло быть началом его гибели. Или спасением. От Филиппа Эдисона можно было ожидать и того и другого.

— Вот это сюрприз, — произнес Эдисон неприятным тоном. Когда он говорил, всегда казалось, что он издевается над человеком. Но все-таки он позвонил. И быстро. — Давно ли тебя выбросило на берег? Сколько времени гуляешь на свободе?

— Около двух недель, — спокойно ответил Питер, жалея, что позвонил.

Но ему нужны были деньги, да и уполномоченный торопил его с устройством на работу. Он даже подумывал обратиться за социальным пособием. Но к тому времени как он его получит — если получит вообще, — он будет голодать или окажется бездомным. Теперь он понимал, как люди доходят до отчаяния. Сейчас его единственным шансом был Филипп Эдисон. Питер успокаивал себя тем, что, как только найдет что-нибудь получше, он всегда может уйти от Эдисона Его тревожило одно: оковы, которые Эдисон надевал на тех, кому помогал, — самые бессовестные методы, которыми тот пользовался, чтобы держать людей в своей власти. Но у Питера не было выбора. Он не мог даже стать мойщиком посуды за приличную плату.

— Где еще ты пробовал устроиться, прежде чем позвонил мне? — спросил Эдисон, явно потешаясь над ним. Он знал эту проторенную дорожку. На него работали и другие бывшие заключенные. Все они нуждались, находились в отчаянии и были готовы продемонстрировать свою преданность, как и Питер Морган. Эдисону это нравилось. — Для парней вроде тебя работы не так уж много, — сказал он, не стесняясь в выражениях. — Только разве наняться мойщиком машин или чистильщиком обуви. Мне почему-то кажется, что тебе это не подойдет. Чем я могу тебе помочь? — почти вежливо спросил он.

— Мне нужна работа, — прямо сказал Питер. Не было смысла играть с ним в игры. Но он из осторожности сказал, что ему нужна работа, а не деньги.

— Должно быть, ты совсем без гроша, если позвонил мне. Насколько сильно тебе нужна работа?

— Очень нужна. Но не настолько, чтобы заниматься чем-нибудь незаконным. Я не собираюсь возвращаться в тюрьму ни ради тебя, ни ради кого-нибудь другого. Я поумнел. Четыре года — долгий срок. Мне нужна работа. Если бы ты смог предложить мне что-нибудь законное, я был бы тебе благодарен.

Питер никогда еще не чувствовал себя таким униженным, и Филипп знал это. Ему это нравилось. Питер не упомянул о своем долге, но они оба помнили о нем и о том, что Питер рисковал, позвонив ему. Видно, работа была нужна ему позарез.

— У меня весь бизнес законный, — заявил Эдисон оскорбленным тоном на тот случай, если его телефон прослушивается, хотя был уверен, что его разговор подслушать нельзя, потому что говорил он по сотовому телефону. — Кстати, ты все еще должен мне деньги. И немалые. Когда ты сам пошел на дно, ты оставил с носом множество людей. И я был вынужден расплачиваться с ними. Если бы я этого не сделал, они отыскали бы тебя даже в тюрьме и убили бы.

Питер понимал, что он, возможно, преувеличивает, но в его словах была доля правды. Он занял у Эдисона деньги на оплату последней партии, но так и не расплатился, потому что его арестовали и конфисковали большую часть товара до того, как он успел его продать. Он понимал, что в реальном выражении он, по всей видимости, должен Эдисону около двухсот тысяч долларов, и не отрицал этого. Какими бы соображениями ни руководствовался Эдисон, он не взыскал с него долг. Но оба они знали, что Питер ему должен.

— Если захочешь, ты сможешь вычитать у меня из зарплаты. Но если у меня не будет работы, я вообще не смогу расплатиться с тобой, — сказал Питер.

Это был разумный подход к проблеме, и Эдисон тоже знал, что это правда, хотя он больше не надеялся получить с Питера деньги. В подобном бизнесе такие потери случаются сплошь да рядом. Больше всего в этой ситуации ему нравилось то, что у Питера есть перед ним обязательство.

— Почему бы тебе не зайти ко мне для разговора? — задумчиво сказал он.

— Когда? — спросил Питер. Он надеялся, что это будет скоро, но не хотел форсировать события. Секретарша сказала, что его нет в стране, хотя, возможно, это было сделано для отвода глаз.

— Сегодня, в пять часов, — сказал Эдисон, даже не спросив, удобно ли это ему. Если Питер хотел на него работать, он должен научиться быть тут как тут по первому слову Эдисона. Эдисон раньше снабжал Питера деньгами, но тот фактически никогда на него не работал. Теперь было по-другому.

— Куда прийти? — безжизненным тоном спросил Питер.

Он еще мог отказаться, если Эдисон предложит ему что-нибудь оскорбительное. Но Питер был теперь полностью готов к тому, чтобы его оскорбляли, использовали или даже плохо обращались с ним. Лишь бы все было в рамках закона.

Эдисон назвал ему адрес, предупредил, чтобы не опаздывал, и повесил трубку. Адрес был в Сан-Матео. Питер знал, что там находится его легальная компания. Сначала эта компания имела колоссальный успех, но потом начались затруднения. За время своего существования она пережила несколько взлетов и падений и достигла наибольшего расцвета в период бума компаний, занимающихся высокими технологиями. После этого цена акций катастрофически упала, рухнуло и все остальное. Они выпускали высокотехнологичное хирургическое оборудование и, насколько было известно Питеру, Эдисон также сделал крупные капиталовложения в генную инженерию. Сам Эдисон имел инженерное образование и кое-какую медицинскую подготовку, и в течение некоторого времени, пусть даже недолгого, его даже считали финансовым гением. Но в конечном счете он, как и все остальные, оказался колоссом на глиняных ногах и существенно перенапряг свои финансовые возможности. Чтобы укрепить свою материальную базу, он стал заниматься переброской через границу наркотиков из Мексики, и теперь большая часть собственного капитала находилась в виде кристаллического порошка в лабораториях Мексики, а его главная контора по эту сторону границы занималась сбытом героина в районе Миссии.

Самыми лучшими его клиентами были яппи. Конечно, ни они, ни кто-нибудь другой не знали, что покупают у него. Даже члены его семьи полагали, что он занимается респектабельным бизнесом. У него был дом в Россе, дети его учились в частных школах, он был членом всех уважаемых благотворительных комитетов и самых престижных клубов Сан-Франциско. Его считали столпом общества. Но Питеру было известно, что это за человек. Они встретились, когда Питер попал в беду, и Филипп Эдисон спокойно предложил ему помочь. Сначала он даже снабжал его наркотиками по пониженной цене и научил Питера сбывать их. Если бы Питер не утратил контроль над собственным потреблением, а с ним и способность трезво оценивать ситуацию, он бы, возможно, никогда не попал в тюрьму.

Эдисон не допускал такой глупости и никогда не прикасался к наркотикам, которыми торговал. Он был умен и с большой изобретательностью управлял своей подпольной империей. Обычно он хорошо разбирался в людях, которые на него работали. В Питере он ошибся, решив, что тот более честолюбив и хитер, чем оказалось. Иметь дело с парнем, у которого инстинкты работали неправильно, для Филиппа Эдисона было слишком рискованно. Питер в то время был мелким правонарушителем, которого вынудили нарушить закон обстоятельства и неспособность правильно оценивать ситуацию и который в конечном счете пристрастился к наркотикам. Эдисон же был настоящим преступником, для которого нарушение закона стало стилем жизни. Тогда как для Питера это было всего лишь эпизодом. Но несмотря на это, Эдисону казалось, что его можно использовать. Он был умен, хорошо образован и рос среди правильных людей в правильных местах. Он учился в престижных школах, был хорош собой и весьма презентабелен. Он удачно женился, хотя по его вине брак распался. Гарвардскую степень бакалавра тоже не следовало сбрасывать со счетов.

Когда Питер и Филипп Эдисон встретились, у Питера даже имелись нужные связи. Сейчас он их растерял, но, если ему с помощью Филиппа удастся снова встать на ноги, он, по мнению Эдисона, мог бы оказаться полезным. Тем более теперь, когда он многому научился за четыре года пребывания в тюрьме. Раньше он выступал на любительском уровне в роли наивного парня, сбившегося с пути, но если сейчас стал профессионалом, то он тем более нужен Эдисону. Теперь ему предстояло выяснить, чему за это время научился Питер, чем готов был заниматься и насколько безвыходным было его положение.

Филипп пропустил мимо ушей его заявление о том, что он, мол, желает заниматься только легальной работой. Ему было безразлично все, что говорит Питер. По мнению Филиппа, главным было то, что он будет делать, и тот факт, что Питер был ему должен, тоже совпадал с интересами Эдисона. Это ставило Питера в зависимость от него, что очень импонировало Филиппу и гораздо меньше — Питеру. Эдисон не мог также не обратить внимания на то, что когда Питера арестовали, он ни разу не назвал его имени и не подставил под удар, а это означало, что парню можно доверять. Эдисону это в Питере нравилось. Утопая, он не потащил за собой никого. Этим главным образом и объяснялось то, что Эдисон не приказал его убить. В некоторых отношениях Питер был человеком чести. Пусть даже это было понятие чести, принятое в воровской среде.

Питер доехал на автобусе до Сан-Матео. На нем был тот единственный комплект одежды, который ему выдали в тюрьме. У него даже не было пиджака, и он не мог позволить себе купить костюм для беседы в связи с трудоустройством. Добравшись пешком до дома по указанному адресу, он почувствовал волнение.

А Филипп Эдисон сидел за письменным столом в своем офисе и перелистывал страницы толстого досье. Это досье хранилось в запертом ящике стола уже более года и было для него мечтой всей жизни. Он вынашивал эту мечту более трех лет. Это был единственный проект, для осуществления которого ему нужна была помощь Питера. Хотел ли он или не хотел заниматься этим, Филиппа не интересовало. Важно было одно: способен ли он осуществить эту операцию. В этом Филипп не желал рисковать и не мог допустить, чтобы дело было выполнено кое-как. Все должно быть сделано с точностью балета Большого театра или хирургических инструментов, которые он изготавливал, с абсолютной безупречностью лазера. Нельзя было допустить никакой пробуксовки. По мнению Эдисона, Питер идеально подходил для этой цели.

Именно поэтому Эдисон ему перезвонил. Он подумал об этом, как только получил оставленное Питером сообщение. И когда секретарша доложила, что пришел Питер, он положил досье в ящик стола и встал, чтобы поздороваться с ним.

Войдя в комнату, Питер увидел высокого холеного мужчину лет шестидесяти. На нем были сшитый на заказ английский костюм, великолепный галстук и сорочка, сделанные специально для него в Париже. Когда он вышел из-за стола, чтобы обменяться рукопожатием с Питером, стало видно, что даже его штиблеты начищены безупречно. Казалось, он не обратил внимания на одежду Питера, которую побрезговал бы использовать даже в качестве тряпки для мытья машины, и Питер это понимал. Филипп Эдисон был очень скользким типом. Он был подобен смазанному жиром мраморному яйцу, скользящему по полу. Его было невозможно схватить за руку или поймать с поличным. Никому этого не удавалось. Он был выше подозрений. Поэтому Питера, не ожидавшего такого дружелюбного приема, это насторожило. Казалось, были забыты даже легкие угрозы относительно денег, которые ему должен Питер, прозвучавшие в разговоре, когда он позвонил.

Они немного поболтали о всяких пустяках, потом Филипп снисходительным тоном спросил, что он имел в виду. Питер назвал ему области, представляющие для него интерес: маркетинг, финансы, новые капиталовложения, новые филиалы, новые виды бизнеса, любая предпринимательская деятельность, которая, по мнению Филиппа, подойдет ему. Потом он вздохнул и взглянул на Филиппа. Настало время для чистосердечного признания.

— Послушай, мне нужна работа. Если я ее не найду, то окажусь на улице с тележкой и оловянной кружкой для подаяний, а возможно, даже без тележки, с одной кружкой. Я буду делать все, что тебе потребуется, — в разумных пределах. Я не хочу возвратиться в тюрьму. Я с удовольствием стал бы работать на тебя, но в твоем легальном бизнесе. Нелегальный для меня слишком рискован, я не могу им заниматься. И не хочу.

— Ишь каким благородным ты заделался за последние четыре года. Пять лет назад, когда я тебя встретил, у тебя не замечалось таких угрызений совести.

— Я был глупее, намного моложе и почти свихнулся. Пятьдесят один месяц, проведенный в Пеликан-Бей, здорово отрезвляет и вправляет мозги на место. Это была хорошая встряска. Я не хочу туда возвращаться. В следующий раз им придется убить меня. — Он говорил это не для красного словца.

— Тебе повезло, что тебя не убили в прошлый раз, — откровенно заявил Эдисон. — Ты многих людей оставил с носом, когда попал в тюрьму. Как насчет твоего долга мне? — спросил Эдисон, причем не потому, что ему нужны были деньги, а для того, чтобы напомнить Питеру, что он перед ним в долгу. На всякий случай.

— Я уже говорил, что с радостью отработал бы долг. Ты мог бы вычитать его постепенно из моей зарплаты. Ничего большего я сейчас сделать не могу. Мне нечем отдавать долг.

Эдисон знал, что он говорит правду. Они оба это знали. Питер был с ним честен. Насколько можно быть честным с таким человеком, как Эдисон. Честность не относилась к числу тех качеств, которые тот ценил. По его понятиям, ангелочки из хора мальчиков были людьми бесполезными. Но даже Филипп понимал, что нельзя выжать кровь из камня. У Питера не было денег, чтобы отдать ему. У него были лишь мозги и побудительный мотив. И пока этого было достаточно.

— Я и сейчас могу сделать так, что тебя убьют, — спокойно сказал Эдисон. — Некоторые из наших общих друзей в Мексике были бы счастливы сделать это. А если конкретнее, то есть один человек в Колумбии, который хотел разделаться с тобой в тюрьме. Я попросил его не делать этого. Ты мне всегда нравился, Морган, — сказал Эдисон, словно обсуждая только что сыгранную партию в гольф.

В гольф он играл регулярно — то с главами промышленных корпораций, то с крупными государственными деятелями. У него были ценные политические связи. Он был мошенником такого крупного калибра, что, насколько понимал Питер, если бы что-нибудь пошло не так, он оказался бы полностью в его власти. Он был могущественным человеком, воплощением зла, не имеющим ни чести, ни моральных устоев. Абсолютно никаких.

И Питер знал это. По сравнению с Эдисоном он был мелкой сошкой. Если он будет работать на Эдисона, то станет пешкой в одной из его шахматных партий. Но если он откажется, то рано или поздно просто с отчаяния может снова оказаться в Пеликан-Бей и работать на тюремного надзирателя.

— Если то, что ты сказал о парне из Колумбии, правда, то спасибо тебе, — вежливо сказал Питер.

Он не хотел лгать ему, а поэтому в ответ на заявление Эдисона о том, что Питер, мол, всегда ему нравился, он просто промолчал. Ему Эдисон никогда не нравился. Питер слишком много знал, чтобы любить его. Тот только прикидывался хорошим, а на самом деле был законченным негодяем. У него была жена, пользовавшаяся большим успехом в обществе, и четверо очаровательных детишек. Те немногие, кто достаточно хорошо его знал как человека, умеющего скрывать свое подлинное лицо под многочисленными масками, сравнивали Филиппа Эдисона со Сталиным. Всем остальным он казался респектабельным преуспевающим бизнесменом. Но Питер на этот счет не заблуждался.

— Я решил, что живой ты мне когда-нибудь сможешь пригодиться, — задумчиво сказал Эдисон, как будто уже имел кое-что на примете для Питера. Так оно и было на самом деле. — И такое время, возможно, настало. Позволить тебе умереть в тюрьме мне показалось пустым расточительством. После нашего сегодняшнего разговора по телефону я подумал, и мне кое-что пришло в голову относительно того, как тебя использовать. Речь идет о проекте в области тонких технологий, о хорошо организованном синхронизированном объединенном усилии высококвалифицированных специалистов. — Он говорил это так, словно речь шла о хирургических операциях на открытом сердце, и из того, что он говорил, Питер никак не мог понять, о проекте какого рода идет речь.

— В какой области? — спросил Питер, с облегчением заметив, что не последовало ни угрозы убить его, ни требования возврата долга. Наконец-то они заговорили о деле.

— Я пока не готов объяснить это тебе. Объясню потом. А сейчас я хочу провести кое-какие дополнительные исследования. Вернее, исследовательской работой должен будешь заняться ты. А я буду заниматься осуществлением проекта в целом. Это моя часть работы. Но сначала я хочу получить твое согласие. Я хочу нанять тебя в качестве координатора проекта. Не думаю, чтобы у тебя была достаточная техническая подготовка для выполнения этой работы. Но я хочу, чтобы ты подобрал экспертов, которые выполнят эту работу для нас. И все мы будем иметь свою долю в прибылях. Я не просто найму тебя на работу — я хочу, чтобы ты участвовал в деле. Если выполнишь как следует эту работу, ты будешь этого заслуживать.

Питер был заинтригован сказанным. То, о чем говорил Эдисон, было интересно, вызывало уважение и сулило доход. Именно это было ему нужно, чтобы снова встать на ноги, сделать кое-какие капиталовложения и, возможно, основать собственную компанию. В области инвестиций у него было острое чутье, и он многому успел научиться, пока не пошел по плохой дорожке. Это был столь необходимый ему шанс начать все заново. О таком он и мечтать не смел. Может быть, ему снова улыбнется удача? Наконец-то Эдисон предлагает ему что-то приличное, и Питер был ему благодарен.

— Это долгосрочный проект, рассчитанный на несколько лет? — спросил он.

Это означало бы стабильную работу, хотя и привязало бы его к Эдисону на более длительное время, чем хотелось бы. Но это дало бы ему достаточно времени и, возможно даже, он смог бы снова получить право посещения дочерей, о чем Питер иногда позволял себе помечтать. Он уже пять лет не видел своих девочек, и, когда думал об этом, у него щемило сердце. В прошлом он изгадил все в своей жизни, даже отношения с собственными детьми, когда они были в младенческом возрасте. Он надеялся, что когда-нибудь сумеет познакомиться с ними заново. К тому же, вновь имея твердую финансовую основу, он сможет более разумно разговаривать с Джанет, пусть даже она снова вышла замуж.

— По правде говоря, — ответил ему Эдисон, — проект сравнительно краткосрочный. Я думаю, мы могли бы завершить его за несколько месяцев, а возможно, даже за несколько недель. Разумеется, предварительные исследования и распределение этапов проекта по времени, а также приведение в порядок всяких недоделок после завершения проекта займут еще месяц или два. Но я полагаю, что речь идет не о долгосрочном проекте. Однако доли в прибыли могут оказаться большим сюрпризом, — продолжал Эдисон.

Трудно было догадаться, что это за проект. Возможно, он планировал выпустить на рынок какое-нибудь новое изобретение в области высоких технологий и хотел, чтобы Питер организовал его появление на рынке с точки зрения маркетинга и популяризации. Ничего другого Питеру не приходило в голову. Или, может быть, это какое-нибудь рискованное коммерческое предприятие, работу которого надо отрегулировать на первых порах, чтобы потом, когда все пойдет как по маслу, передать его в руки других людей. Эдисон, говоря о нем, напускал таинственности, так что Питеру оставалось лишь гадать.

— Речь идет о внедрении или разработке какого-нибудь продукта или об исследовании конъюнктуры рынка? — пытался понять Питер.

— В некотором роде, — кивнул Эдисон и немного помедлил. Придется что-то сказать Питеру еще до того, как он полностью ему доверится. — Мысль об этом проекте я вынашивал очень давно, а теперь, мне кажется, настало самое подходящее время для его осуществления. Мне также кажется, что твой утренний звонок был ниспослан самой судьбой, — сказал он с гнусной ухмылкой. Питер никогда еще не видел таких холодных, вселяющих ужас глаз, как у него.

— Когда прикажешь приступить? — спросил Питер, думая о пятнадцати долларах в своем бумажнике, на которые ему с трудом удастся поужинать вечером и позавтракать утром, да и то только в «Макдоналдсе». А если поужинать в другом месте, то этих денег хватит только на сегодняшний ужин. После этого он будет вынужден просить милостыню на улице, и его могут схватить за нарушение общественного порядка.

Эдисон посмотрел ему прямо в глаза.

— Сегодня, если тебя это устроит. Я думаю, мы готовы начать. Этот проект будет осуществляться поэтапно. Я хочу, чтобы в течение последующих четырех недель ты занимался исследованиями и разработками. По правде говоря, я хотел бы, чтобы ты сам занялся наймом людей для работы над проектом.

У Питера от радости замерло сердце. На такое он не смел даже надеяться. Видно, судьба сжалилась над ним.

— Какого рода людей потребуется нанять? — спросил Питер. Он все еще не понял ни масштаба, ни даже основной цели проекта. Но судя по всему, это что-нибудь очень секретное из области высоких технологий.

— Кого ты наймешь, решать тебе. Конечно, я хочу, чтобы ты со мной советовался, но думаю, что твои связи в этой области гораздо лучше, чем мои, — проявляя щедрость, заявил Эдисон, и с этими словами отпер ящик стола, достал тяжелое досье, которое собирал годами, и протянул Питеру.

В досье содержались вырезки и сообщения практически о каждом проекте, который за последние четыре года предпринимал Аллан Барнс. Питер взял досье, открыл его, потом взглянул на Филиппа. Он был потрясен. Он знал, кем был Аллан. В мире финансов и высоких технологий не было человека, который не знал бы его. Он был гением среди предпринимателей, самым крупным из всех. В материалах было даже несколько фотографий, где Барнс запечатлен со своим семейством. Досье было необычайно полным.

— Ты подумываешь о том, чтобы организовать с ним совместное предприятие?

— Подумывал. Но больше не думаю. Ты, очевидно, несколько отстал от жизни. Он умер в январе, оставив вдову и троих детей.

— Очень жаль, — с сочувствием сказал Питер.

Как это он мог пропустить сообщение об этом? Правда, в Пеликан-Бей у него иногда не было настроения читать газеты. Реальный мир казался слишком далеким.

— Конечно, проект был бы значительно интереснее, если бы осуществлялся при его жизни, но, учитывая обстоятельства, я готов работать с его вдовой, — великодушно заявил Филипп.

— Над чем? — растерянно спросил Питер. — Разве теперь она управляет его империей? — Как видно, он действительно очень отстал от жизни. Он об этом ничего не читал.

— Полагаю, он оставил ей все состояние или большую его часть, а остальное — детям, — объяснил Филипп. — От одного приятеля я слышал, что она является единственным бенефициаром. И еще я могу с полной уверенностью сказать, что на момент смерти его состояние составляло полмиллиарда долларов. Он умер в Мексике, куда уехал на рыбалку. Он упал за борт и утонул в море. О своих планах насчет его компаний они не распространяются, но я предполагаю, что большинство решений — или некоторые из них — будет принимать она сама.

— Ты говорил с ней лично о совместном инвестировании капитала? — спросил Питер.

Ему и в голову не приходило, что интересы Аллана Барнса лежат в тех же областях, что и интересы Эдисона, но концепция получалась любопытная, потому что любые финансовые проблемы, которые все еще имелись у Эдисона, могли бы быть решены путем объединения с такой кредитоспособной империей, как та, которую оставил Аллан, — по крайней мере так думал Питер.

И ни тому ни другому из них не пришло в голову, что та империя обанкротилась и жила за чужой счет, еще когда он был жив, не говоря уже о том, что именно это и послужило причиной его смерти. Барнс с таким мастерством прятал компании за другими компаниями и скрывал безумные азартные игры на бирже, что на какое-то время даже человек, обладающий связями Эдисона, не мог представить себе, какие страшные развалины оставил после себя Аллан Барнс.

Фернанде, адвокатам и главам прекративших существование компаний Аллана путем неимоверных усилий удалось избежать огласки, хотя это не могло продолжаться вечно. Но в течение четырех месяцев после его гибели им это удавалось, и память о легендарном Аллане Барнсе продолжала оставаться незапятнанной. Фернанда хотела, чтобы все так и продолжалось как можно дольше из уважения к памяти мужа и ради детей.

Насколько понимал Питер, для Эдисона выгода от союза с Барнсом заключалась в том, что мир, построенный Барнсом, был настолько респектабелен, что позолотил бы его сомнительные предприятия той же золотой краской. Короче говоря, любой их совместный проект был гениальным ходом, и Питер отнесся к этому с одобрением. Имя Аллана Барнса и его репутация вызывали чрезвычайное уважение и восхищение. Само собой, проект, охватывающий обе группы компаний, был именно тем, что нужно Питеру, чтобы вновь занять видное положение. Навсегда. Это была сбывшаяся мечта, и Питер, держа в руках досье, которое дал ему Филипп, улыбнулся, неожиданно почувствовав к нему уважение.

— Я еще не говорил с миссис Барнс лично, — продолжал объяснение Эдисон. — Мы пока еще не готовы к этому. Сначала ты должен нанять людей.

— Наверное, мне следует сначала прочесть досье, чтобы до конца понять характер проекта.

— Я так не думаю, — сказал Филипп, протягивая руку через стол и забирая у него досье. — Это всего лишь изложенная в хронологической последовательности история его свершений. Она, конечно, имеет отношение к делу, но ты, наверное, все равно почти все об этом знаешь, — несколько туманно сказал он, снова сбив с толку Питера.

Проект был окружен тайной: его просили нанять людей для выполнения безымянного проекта в области, которую ему не назвали, а характер работы не объяснили. Все это не могло не сбивать с толку, но Эдисон, видимо, на то и рассчитывал. Он снова улыбнулся Питеру и запер досье в ящик стола.

— Кого мне следует нанимать, если я сам не имею отчетливого представления о том, что предстоит делать? — озадаченно произнес Питер.

— Думаю, ты хорошо это понимаешь, Питер. Разве не так? Неужели тебе надо объяснять? Я хочу, чтобы ты нанял кого-нибудь из дружков, появившихся у тебя за последние четыре года.

— Каких дружков? — переспросил в полном замешательстве Питер.

— Полагаю, что ты познакомился с очень интересными и предприимчивыми людьми, которые не прочь заработать очень большую сумму денег и потом без шума скрыться? Я хочу, чтобы ты как следует покопался в памяти и мы тщательно отобрали бы людей для одной очень важной работы. Я не жду, что ты сам будешь делать эту работу, но хочу, чтобы ты наблюдал за ней и руководил проектом.

— И в чем заключается проект? — спросил Питер хмурясь. Ему вдруг перестало нравиться то, что он слышит. С точки зрения бизнеса последние четыре года его жизни были потеряны. В Пеликан-Бей он познакомился только с преступниками: убийцами, насильниками и ворами. Он вдруг взглянул на Эдисона, и кровь застыла у него в жилах. — Какое отношение к этому имеет жена Аллана Барнса?

— Все очень просто. После того как подготовка проекта будет закончена, мы кое-что ей предложим. А для того чтобы она приняла наше предложение, мы создадим небольшой стимул. И она щедро заплатит нам. Учитывая размер ее состояния и налоги на недвижимость, которые ей, наверное, требуется заплатить, я готов даже ограничить сумму разумными пределами. Предположим, на момент его смерти его состояние составляло полмиллиарда долларов. Более пятидесяти процентов этой суммы потребует правительство. По самым скромным подсчетам, после соблюдения всех формальностей у нее останется двести миллионов долларов. А мы просим у нее всего половину этой суммы. По крайней мере я так предполагаю.

— Чем ее предполагается стимулировать? — небрежно поинтересовался Питер, хотя уже догадался сам.

— Жизнь и благополучное возвращение одного или всех ее детей — разве это не стимул? За это, ей-богу, не жаль заплатить и вдвое большую цену. Ведь мы, по сути дела, всего лишь просим поделить с нами состояние, а это, по-моему, справедливое требование, и она будет рада заплатить эту сумму. Ты согласен? — с недоброй ухмылкой сказал Эдисон.

Питер Морган поднялся с кресла.

— Ты хочешь сказать, что я должен похитить ее детей, чтобы получить с нее выкуп в размере ста миллионов долларов? — спросил Питер, уставившись на человека, сидевшего за письменным столом. Видимо, Филипп Эдисон был не в своем уме.

— Ничего подобного, — спокойно заявил Филипп и откинулся на спинку кресла. — Я прошу тебя найти и нанять людей, которые это сделают. Надо, чтобы это сделали профессионалы, а не любители вроде нас с тобой. Когда ты попал в тюрьму, ты был мелким правонарушителем и неумелым сбытчиком наркотиков. Ты не похититель людей. Я тоже. Я даже похищением это не назвал бы. Это сделка. Аллану Барнсу достался выигрышный лотерейный билет. И только. Признаю, ему очень повезло. Так почему же все должно достаться его вдове? Этот счастливый лотерейный билет мог попасться тебе или мне. Почему бы ей не поделиться с нами выигрышем после смерти? Мы не собираемся причинить вред его детям. Мы лишь подержим их у себя недолго, а потом возвратим ей целыми и невредимыми в обмен на кусочек пирога, который оставил ей Аллан. Почему бы не поделиться этим пирогом? Он не заработал его тяжким трудом. Ему просто повезло. А теперь пусть повезет нам. — В глазах Филиппа вспыхнули недобрые огоньки. Он усмехнулся.

— Ты с ума сошел? — спросил Питер, пристально глядя на него. — Тебе известно, чем карается похищение людей? Если нас поймают, то приговорят к смерти независимо от того, причиним мы им вред или не причиним. По правде говоря, даже сговор с целью похищения может стоить нам приговора к смертной казни. И ты хочешь, чтобы я это организовал? Я не стану этого делать. Найди себе кого-нибудь другого, — сказал Питер, направляясь к двери.

Эдисон не обратил на его слова никакого внимания.

— На твоем месте, Морган, я не стал бы так поступать. У тебя тоже кое-что поставлено на карту в этом деле, — сказал он.

Питер оглянулся, посмотрев на него непонимающим взглядом. Не имеет значения, что он должен Эдисону. Лучше уж пусть убьет его, чем заставит рисковать получить смертный приговор. А кроме того, по его мнению, было гнусно спекулировать на горе других людей и ставить на карту жизни детишек. Сама мысль об этом его возмущала.

— А какова была бы моя доля, если б я согласился участвовать в этом деле? — цедя сквозь зубы, спросил он Филиппа.

Эдисон был ему омерзителен. Он был даже хуже, чем опасался Питер. Гораздо хуже. Он был бесчеловечен и жаден до безумия. Но Питер не мог знать, что империя Эдисона сильно пошатнулась и что без мощного финансового впрыскивания подобного размера его собственный карточный домик готов был рухнуть. Довольно продолжительное время он отмывал деньги для своих колумбийских партнеров и вкладывал их в очень рискованные высокотехнологичные предприятия, сулившие огромные прибыли. Некоторое время результаты превосходили ожидания, но потом ситуация стала меняться. В конце концов обстоятельства не только изменились, но, меняясь, чуть не потопили его. И он знал, что, как только колумбийцы обнаружат, что он потерял их деньги, ему несдобровать. Надо было что-то делать, причем как можно скорее. Звонок Питера был для него подарком судьбы.

Поэтому в ответ на вопрос Питера он сказал с гаденькой ухмылкой:

— А ставка твоя в этом деле — это спасение жизней твоих собственных детишек.

— Спасение жизней моих детей? Как это прикажешь понимать? — неожиданно занервничав, спросил Питер.

— Насколько мне известно, у тебя есть две маленькие дочери, которых ты не видел несколько лет. Я когда-то знавал твоего бывшего тестя. Хороший человек. И детишки у тебя, я уверен, хорошие. — Филипп Эдисон смотрел ему прямо в глаза, и от его ледяного, вселяющего ужас взгляда у Питера по спине пробежал холодок.

— Какое отношение ко всему остальному это имеет? — спросил Питер, у которого сердце сжалось от страха. На сей раз он боялся не за себя, а за своих детишек. Сам того не желая, он своим разговором с Эдисоном поставил их под угрозу. При этой мысли ему стало не по себе.

— Их будет не очень трудно найти. Уверен, что ты, если бы захотел, мог бы и сам это сделать. Если ты вздумаешь нам мешать или выдашь нас, мы займемся твоими двумя дочерьми. И тут уж ни о каком выкупе речь не пойдет. Они просто тихо исчезнут, и их никто никогда больше не увидит, — объяснил Эдисон.

Питер побледнел.

— Значит, ты хочешь сказать, что если я не похищу детей Барнсов или не организую их похищение, то ты убьешь моих детей? — У Питера сорвался и задрожал голос, когда он задавал этот вопрос. Ответ на него он уже знал.

— Именно это я и хочу тебе сказать. Насколько я понимаю, у тебя нет выбора. Но если сделаешь то, о чем я тебя прошу, то не прогадаешь. У Барнсов трое детей, с меня будет довольно одного из них. Если сможешь заполучить всех — отлично, если нет, то и одного будет достаточно. Я хочу, чтобы ты нанял для выполнения этой работы троих хороших парней. Профессионалов. Я хочу, чтобы все прошло без сучка без задоринки. Ты их найдешь и наймешь. Я заплачу каждому из них пять миллионов долларов, которые будут положены на счет либо в швейцарском, либо в южноамериканском банке. Я заплачу им по сто тысяч долларов в виде аванса, остальное они получат после того, как выкуп будет в наших руках. Тебе я заплачу десять миллионов долларов за руководство всей операцией: двести тысяч долларов в виде аванса, остальное — на счет в швейцарском банке. Я даже аннулирую твой долг. Остальное пойдет мне.

Питер быстро подсчитал в уме и понял, что из выкупа в сто миллионов долларов, о котором идет речь, Эдисон оставляет себе семьдесят пять процентов. Предполагалось, что остальное, как пирог, будет поделено между ним и тремя парнями, которых ему предстоит нанять. Но Эдисон очень четко объяснил ему правила игры. Если он откажется это сделать, то убьют его дочерей. Это уже была не грубая игра на поле. Это была ядерная война. Положение было безвыходным. Он подумал, что хорошо бы предупредить Джанет относительно опасности, нависшей над девочками, пока Эдисон до них не добрался, но на это нельзя было рассчитывать. Он знал теперь, что Эдисон способен на что угодно. А Питер не хотел, чтобы пострадали дети — будь то его дети или дети Барнсов.

— Ты маньяк, — сказал Питер, снова усаживаясь в кресло. Он не видел выхода и боялся, что его нет вовсе.

— Пусть маньяк, но умный, — усмехнулся Эдисон. — Я думаю, что план составлен весьма разумно. Теперь тебе остается найти людей. Аванс тебе потребуется, чтобы купить приличную одежду и снять жилье. Тебе также придется подыскать место, где можно будет держать детей, пока будем ждать уплаты выкупа. Я думаю, что миссис Барнс, только что потеряв мужа, не будет медлить с уплатой денег за возвращение детей. Она едва ли захочет и их потерять.

Он все правильно рассчитал, нашел ее самое уязвимое место и теперь торопился ковать железо, пока горячо. В том, что Питер ему позвонил, был поистине промысел Божий. Это было то самое доброе предзнаменование, которого он ждал, и тот самый человек, который был ему нужен для осуществления проекта. Он был уверен, что Питер, пробыв четыре года в Пеликан-Бей, познакомился с нужными людьми. Питер, разумеется, с такими людьми познакомился, но это была не та работа, которую он рассчитывал получить. По правде говоря, он подумывал о том, чтобы просто уйти. Но что будет тогда с его девочками? Эдисон держал его за горло. Жизни его детей были поставлены на кон, поэтому у него не было выбора. Разве мог он рисковать ими? Джанет, наверное, не пожелает даже разговаривать с ним, если он позвонит по телефону, а пока он найдет ее, чтобы предупредить об опасности, угрожающей ее детям, их, возможно, уже не будет в живых. Нет, имея дело с таким опасным человеком, он не мог рисковать. Эдисон не задумываясь убьет их.

— А что, если что-нибудь пойдет не так с ребятишками Барнсов? Что, если один из них будет убит? — спросил Питер.

— Твоя забота сделать так, чтобы этого не случилось. Родители обычно не жаждут платить выкуп за мертвого ребенка. И копов это расстраивает.

— Черт с ними, с копами. Как только исчезнут дети, за нами будет охотиться ФБР!

— Да, за вами. Или за тобой. Или за кем-то еще, — спокойно сказал Эдисон. — Что касается меня, то я этим летом решил отдохнуть в Европе. Мы едем на юг Франции, а это дело я оставляю в твоих умелых руках. — «Разумеется, чтобы исключить любые подозрения его причастности к этому делу». — Кстати, если одного из твоих людей схватят в ходе операции, я готов заплатить половину обещанной суммы. Этого хватит на оплату гонораров адвоката и даже на организацию побега. — «Он подумал обо всем». — А ты, дружище, сможешь потом либо начисто отрицать свою причастность, либо спокойно перебраться в Южную Америку, где десять миллионов долларов позволят тебе жить в свое удовольствие. Возможно, впоследствии мы с тобой могли бы организовать какой-нибудь совместный бизнес. Чем черт не шутит? — «И Эдисон, конечно, будет всю жизнь шантажировать меня, угрожая выдать ФБР, если я откажусь сделать это».

Но для Питера страшнее всего была смертельная угроза его девочкам. Пусть даже он не видел их с тех пор, как они были совсем малышками, он их любил и предпочел бы умереть сам, чем поставить под угрозу их жизни. Он рискнул бы попасть в тюрьму или даже получить смертный приговор, лишь бы защитить их. Сейчас он думал об одном: он обязан позаботиться о том, чтобы дети Барнсов не были убиты в ходе похищения. Этого он хотел даже больше, чем получить десять миллионов долларов.

— Где гарантии, что ты мне заплатишь?

Когда Питер задал этот вопрос, Филипп понял, что он согласился. Дело сделано.

— Ты получаешь двести тысяч долларов в качестве аванса. Пока тебе хватит денег на расходы. Остальное получишь, когда нам заплатят выкуп. Неплохие денежки для бывшего заключенного без гроша в кармане. Что ты на это скажешь?

Питер ничего не ответил, а лишь уставился на него, потрясенный всем, что услышал.

За последние два часа вся его жизнь снова пошла под откос. Он никогда не сможет объяснить, откуда у него появились деньги, и будет вынужден скрываться до конца своих дней. Но Эдисон и об этом тоже подумал.

— Я готов сказать, что ссудил тебе деньги на одну нашу совместную деловую операцию и прибыль от нее превзошла всякие ожидания. Никто никогда об этом не узнает.

Но Эдисон будет знать. И как бы тщательно ни подделывал он свои бухгалтерские записи, всегда останется опасность того, что кто-нибудь проболтается. Тюрьмы полны людей, которые были уверены в том, у них все шито-крыто, пока кто-нибудь не продавал их с потрохами. А Эдисон будет иметь над ним власть всю оставшуюся жизнь. И уже имеет. Как только он объяснил Питеру свой план, для Питера все было кончено. И для его детей. И наверняка для детишек Барнсов.

— Что, если у нее нет денег? Если он их частично потерял? — спросил Питер.

Это был вполне разумный вопрос. Случались и более странные вещи, особенно в нынешней экономической ситуации. За последние несколько лет возникали и исчезали огромные состояния, оставляя после себя настоящие эвересты долгов. Но Эдисон лишь рассмеялся:

— Ты, видно, шутишь. Полгода назад состояние этого человека составляло полмиллиарда долларов. Нельзя потерять такие деньги, даже если очень сильно постараться. — Однако другие теряли. Просто Эдисон не желал верить, что такое могло случиться с Барнсом. Этот мужик был слишком умен, чтобы потерять все или хотя бы большую часть своего состояния. По крайней мере так думал Эдисон.

— К чему бы ни прикасался этот человек, все превращалось в чистое золото. Уж поверь мне. Все его денежки на месте. И она заплатит. Да и кто бы не заплатил на ее месте? У нее теперь ничего не осталось, кроме ее детей и его денег. А мы хотим всего половину этих денег. У нее еще останется огромная сумма, чтобы жить, не зная забот, вместе со своими детишками.

Если они останутся живы и здоровы. А это теперь будет зависеть от того, каких людей наймет Питер. Все зависит от него. За последние два часа его жизнь превратилась в кошмар. Такого он и представить себе не мог. Он рискует получить смертный приговор или в лучшем случае пожизненное заключение.

Эдисон открыл ящик письменного стола и достал конверт с деньгами, которые он приготовил еще до прихода Питера. Он бросил конверт через стол.

— Здесь сто тысяч долларов — для начала Ещ ст тысяч тебе доставят на следующей неделе. Наличными. На всякие мелкие расходы. И десять миллионов ты получишь по окончании работы. Ты пришел сюда два часа назад нищим, только что выпущенным из тюрьмы заключенным, а уходишь богатым человеком. Не забывай об этом. Но если ты как-нибудь впутаешь меня в это или даже назовешь мое имя, то не проживешь и дня. А если ты испугаешься и попытаешься выйти из игры, то просто подумай о своих девочках. — Он крепко держал Питера за горло. И знал это. — Сразу же начинай подыскивать людей. Выбирай самых подходящих. Я хочу, чтобы к следующей неделе за ней установили слежку. Когда будешь нанимать людей на работу, не забудь напомнить им, что если они вздумают улизнуть со своими ста тысячами долларов, то не проживут и двух дней. Это я гарантирую, — сказал Эдисон. По его глазам было видно, что он не шутит. Питер ему поверил. И понял, что это относится и к нему тоже.

— Какие сроки этой операции ты ставишь? — спросил Питер, пряча онемевшими пальцами конверт в карман.

— Если ты наймешь всех троих в течение недели или двух и мы сможем вести наблюдение за семейством в течение последующих четырех или шести недель, то, я думаю, мы будем знать о них все, что нам нужно. Тогда ты сможешь назначить операцию на начало июля, — сказал Эдисон.

Первого июля он отправлялся в Канн. Питеру нетрудно было догадаться, что он хочет уехать из страны до того, как начнется операция.

Питер кивнул и взглянул на него. За последние два часа переменилась вся его жизнь. В кармане его лежал конверт со ста тысячами долларов. А к следующей неделе у него будет еще сотня тысяч, и это для него ничего не значило. За два часа, проведенные с Филиппом Эдисоном, он продал свою душу в обмен на жизни своих дочерей. И если ему повезет, он постарается также сохранить жизнь детей Барнсов. Остальное для него не имело значения. Десять миллионов долларов были деньгами кровавыми. Он продал душу Филиппу Эдисону. Насколько он понимал, это было равносильно смерти. Он повернулся и направился к выходу, не сказав больше ни слова Эдисону, который наблюдал за ним и, как только Питер приблизился к двери, произнес:

— Желаю удачи. Держи меня в курсе.

Питер кивнул и, выйдя из офиса, спустился на лифте вниз. Когда он вышел, часы показывали половину восьмого. Все служащие давно разошлись. Вокруг не было ни души. Питер подошел к мусорному баку на углу улицы, наклонился, и его вырвало.

Глава 9

Вечером, лежа на койке в общежитии, Питер обдумывал возможность связаться со своей бывшей женой. Он хотел предупредить ее, чтобы она оберегала дочерей. Она, конечно, решит, что он рехнулся. Питер не хотел, чтобы Эдисон, демонстрируя свое могущество, держал их в заложницах до тех пор, пока он не завершит работу, за которую взялся. Но Эдисон был умнее, понимая, что если он подвергнет опасности детишек Питера, то Питеру нечего будет терять и он его выдаст. Пока Морган делал то, для чего его наняли, его девочки были в безопасности. Это единственное, что он сделал для своих дочерей за последние пять лет, а возможно, за всю их жизнь. Он купил их безопасность ценой своей собственной. У него все еще были большие сомнения по поводу того, что они смогут осуществить эту операцию. Но если он подберет подходящих для этой цели людей, то, возможно, им это удастся.

Сейчас самое главное — правильно выбрать людей. Если он наймет нескольких парней из обычной уголовной шушеры, то они могут в самый ответственный момент запаниковать и убить детей. Значит, предстояло найти самых скользких, самых крутых, самых хладнокровных и самых квалифицированных людей в уголовном бизнесе, если такое понятие существует. Парни, с которыми он познакомился в тюрьме, уже доказали свою несостоятельность тем, что позволили себе попасться. Питер должен был признать, что стратегия Эдисона была хорошо продумана. При условии, что деньги находятся в распоряжении вдовы Аллана Барнса. Хотя маловероятно, что она хранит сто миллионов долларов наличными дома, в коробке из-под печенья.

Когда он, лежа на койке, думал обо всем этом, в комнату вошел его сосед. На следующий день Питер собирался присмотреть для себя комнату в приличной гостинице, но ничего экстравагантного или слишком дорогого. Он не хотел демонстрировать свалившееся на его голову богатство, происхождения которого не мог объяснить, хотя Филипп Эдисон сказал, что собирается официально провести его в штат одной из небольших дочерних компаний в качестве консультанта. Фирма якобы занималась исследованиями конъюнктуры рынка, а в действительности служила прикрытием для одной из его цепочек в наркоторговле. Однако она уже несколько лет функционировала без единой проблемы и проследить ее связь с ним было невозможно.

— Как дела? — спросил сосед по комнате. Он провел изнурительный день, работая в «Бургер кинг», и насквозь провонял бургерами и французской жареной картошкой. Это было лишь немного лучше, чем его запах на прошлой неделе, когда он работал в одном кафе, где кормили рыбой и чипсами. Тогда в комнате долго держался запах рыбы. Но запах бургеров тоже не освежал воздух.

— Все в порядке. Я нашел работу. И завтра собираюсь переехать отсюда, — сказал Питер безразличным тоном. Парень пожалел, что он съезжает. Питер был соседом спокойным, не мешал ему и не совал нос в чужие дела.

— Что за работа? — спросил сосед, который давно заметил, что Питер классный парень и образованный. Этого не скроешь, даже если на тебе джинсы и футболка. Но несмотря на образование, когда он освободился из тюрьмы, то оказался в одной лодке со всеми остальными.

— Исследование конъюнктуры рынка. Платят не очень много, но на оплату жилья и еды хватит, — сказал без особого энтузиазма Питер.

При воспоминании о состоявшемся разговоре его все еще мутило. Казалось, что жизнь кончена. Ему чуть ли не хотелось вернуться в тюрьму. По крайней мере там все было просто и понятно и даже оставалась надежда со временем начать достойную жизнь. Теперь этой надежды больше не стало. Для него все было кончено. Он продал свою душу дьяволу.

— Это хорошо, дружище, я рад за тебя. Не хочешь сходить куда-нибудь посидеть, чтобы отпраздновать это дело? — предложил сосед. Это был вполне приличный парень, угодивший в тюрьму штата за сбыт марихуаны, и Питеру он нравился, хотя и был порядочным неряхой.

— Нет, спасибо. У меня голова болит, а завтра рано утром идти на работу, — отказался Питер.

По правде говоря, ему хотелось продолжить обдумывание вопроса о том, кого нанять для осуществления проекта Эдисона. Было чрезвычайно трудно выбрать людей, которые не выдадут тебя, если откажутся сотрудничать или если он сам решит отказаться от их услуг, потому что с ними слишком опасно иметь дело. Он не собирался обсуждать план, пока не познакомится с ними как следует, не начнет им доверять и не проверит, что они за люди. Но все равно нанимать их надо было с большой осмотрительностью. Даже мысль об этом вызывала у него боль где-то внутри живота. Пока ему в голову пришла лишь одна кандидатура. Хотя этот парень был приговорен к тюремному заключению не за похищение, Питер подозревал, что он именно такой человек, который нужен для этой работы. Он знал его имя и мог приблизительно предполагать, куда он направился, когда вышел из тюрьмы. Теперь Питеру надо было лишь узнать, где он находится в настоящее время, и собирался начать поиски утром, после того как переедет в гостиницу. Мысль об этом заставила его беспокойно метаться в койке всю ночь.

На следующее утро, едва поднявшись, Питер отправился на поиск гостиницы. Сев в автобус, направлявшийся в центр города, он нашел подходящее местечко на окраине Злачного квартала в южной части Ноб-Хилла. Гостиница была небольшая, ничем не примечательная, но там было достаточно многолюдно, чтобы никто не обратил на него внимания. Он заплатил за месяц вперед наличными, потом вернулся в общежитие, чтобы забрать свои пожитки. Он выписался из общежития, оставил записку соседу по комнате, пожелав ему удачи, и снова отправился на автобусе в сторону центра.

Питер зашел в магазин готового платья «Мейси» и купил кое-что из одежды. Приятно было снова иметь возможность делать это. Он купил несколько удобных брюк и сорочек, пару галстуков, спортивную куртку и кожаную куртку бейсболиста, а также несколько свитеров. Приобрел также новое нижнее белье и несколько пар приличной обуви. Потом вернулся в гостиницу, где снял номер. Помывшись и снова почувствовав себя человеком, он отправился поискать местечко, где можно поесть. По улице прогуливались проститутки, возле парадных ошивались пьяные. В припаркованной машине шла оживленная торговля наркотиками, а мимо всего этого спешили по делам люди, проходили группы туристов. Это было то самое место в городе, где никто на тебя не обращает внимания и можно без труда затеряться в толпе. Именно такое место и было ему нужно.

Он не имел желания привлекать к себе внимание.

Пообедав, Питер полчаса висел на телефоне. Он знал, кого ищет, и был крайне удивлен тем, насколько легко ему удалось установить его местонахождение. Он решил, что отправится на автобусе в Модесто утром, а тем временем купил себе сотовый телефон. Не иметь сотового телефона было одним из условий его освобождения. Это было стандартное условие для всех, кто попал в тюрьму за сбыт наркотиков.

Эдисон велел ему купить сотовый телефон. А теперь всему, что скажет Эдисон, следовало подчиняться, потому что он был хозяином. Питер понимал, что его уполномоченный по условному освобождению никак не сможет узнать, что он приобрел телефон. В то утро Питер сообщил ему, что нашел работу и сменил адрес, и его уполномоченный, судя по всему, был очень доволен.

Питер позвонил в офис Эдисону и оставил на автоответчике номер своего сотового телефона и номер телефона гостиницы.

Фернанда готовила ужин для детей. По мере приближения летних каникул радостное возбуждение у них нарастало. Уилл с радостью предвкушал возможность в течение трех недель играть в спортивном лагере в лакросс. Остальные тоже с волнением обсуждали свои планы. А она, когда они на следующий день отправились в школу, поехала на встречу с Джеком Уотерманом. Им нужно было о многом поговорить. Он всегда нравился ей, хотя в последнее время был как бы рупором самой судьбы. Он был адвокатом, который управлял недвижимостью Аллана, а до этого они много лет были хорошими друзьями. Джек был ошеломлен беспорядком, в котором находились дела Аллана, его решениями, приведшими к катастрофе, а также тем, как все это отразится на Фернанде и детях.

Когда она вошла и его секретарша налила ей чашечку кофе, Джек сидел за письменным столом с самым мрачным выражением лица. Иногда он ненавидел Аллана за все, что тот натворил. Фернанда была такой хорошей женщиной, она этого не заслуживала. И никто не заслуживал.

— Ты еще не сказала детям? — спросил он.

Она поставила чашку и покачала головой.

— Относительно дома? Нет, не сказала. Пока им незачем знать. Мы выставим его на продажу только в августе. К тому же, возможно, покупатель найдется не сразу.

Дом был громадный, и его содержание обходилось слишком дорого. А ситуация на рынке недвижимости была не очень благоприятной. Джек уже говорил ей, что дом продать абсолютно необходимо, чтобы к концу года иметь на руках деньги. Он также посоветовал ей продать из дома все, что можно, по отдельности. Прежде всего мебель. Они потратили около пяти миллионов долларов на меблировку дома. Часть этих расходов нельзя было возместить, как, например, стоимость мрамора, которым отделали все ванные комнаты, или сделанную по особому дизайнерскому проекту кухню. Но венскую люстру, за которую они заплатили четыреста тысяч долларов, можно выставить на аукцион в Нью-Йорке и, возможно, даже получить некоторую прибыль. В доме были и другие вещи, которые можно было продать. Но она также знала, что, как только из дома станут выносить вещи, дети расстроятся, а этого она боялась больше всего. Пытаясь не думать об этом, она улыбнулась Джеку, и он улыбнулся в ответ.

За последние четыре месяца она держалась молодцом, и он восхищался ее выдержкой. Фернанда как-то раз сказала, что было бы интересно узнать, думал ли когда-нибудь Аллан, какую боль все это причинит ей. Зная его, Джек подозревал, что Аллан меньше всего думал об этом. Все его мысли были только о бизнесе и о деньгах. Временами Аллан был занят только собой. Так было в период его головокружительного взлета к вершинам предпринимательской славы, так было и во время крушения его империи. Он был красивым, обаятельным, умным парнем, но было ему свойственно самолюбование, этакий нарциссизм. Даже его самоубийство — и то объяснялось его собственным отчаянием, которым он упивался, совершенно не думая ни о жене, ни о детях. Джеку очень хотелось бы сделать для Фернанды больше, но пока он делал то, что мог.

— Вы куда-нибудь едете этим летом? — спросил он, откидываясь на спинку кресла.

Он был мужчиной приятной наружности. Учился в школе бизнеса вместе с Алланом, а после этого изучал юриспруденцию. Все трое давно знали друг друга. В его жизни были горькие страницы. Его жена была адвокатом. Она умерла от опухоли мозга в возрасте тридцати пяти лет. Он так и не женился снова, а детей они не успели завести. Собственная утрата заставила его с особым сочувствием относиться к горю Фернанды, тем более что он завидовал тому, что у нее есть дети. Он особенно сильно беспокоился о том, на какие средства будет она жить после того, как они расплатятся с долгами Аллана. Он знал, что она подумывает о том, чтобы найти работу в музее или преподавать в школе. Она даже подсчитала, что если будет преподавать в школе, где учатся Эшли и Сэм, а возможно, даже в школе Уилла, ей могут снизить плату за их обучение. Однако для того чтобы прожить, им было нужно гораздо больше. Они прошли путь от нищеты к богатству и вновь впали в нищету. После краха пострадали многие люди, но по милости Аллана в данном случае все было доведено до крайности.

— Уилл едет в спортивный лагерь, а Эш уезжает на озеро Тахо, — сказала Фернанда. — Мы с Сэмом остаемся здесь. Если захотим, всегда сможем сходить на пляж.

Слушая ее, он чувствовал себя виноватым, потому что сам в августе уезжал в Италию и с удовольствием пригласил бы ее и ребятишек, но он ехал с приятелями. В его жизни не было сейчас постоянной женщины, а к Фернанде он всегда был неравнодушен, но знал по собственному опыту, что заговаривать с ней на эту тему еще рано. Аллан ушел из жизни всего четыре месяца назад. А когда умерла его жена, он не встречался с женщинами целый год. Однако за последнее время мысль об этом не раз приходила ему в голову. Ей было нужно, чтобы кто-нибудь заботился о ней. Детям тоже это было необходимо, и он всех их любил. Правда, Фернанда не знала о его чувствах.

— Не съездить ли нам в Напу или куда-нибудь еще, когда у детей закончатся занятия в школе? — осторожно предложил он, и она улыбнулась ему.

Они так давно знали друг друга, что она считала его братом. Ей и в голову не приходило, что он хотел бы пригласить ее на свидание и просто ждет подходящего момента. Она уже семнадцать лет не ходила на свидания и даже не думала о том, чтобы снова начать этим интересоваться. На первом плане у нее были дела поважнее. Например, как свести концы с концами и чем накормить детей.

— Дети будут в восторге, — сказала Фернанда в ответ на его приглашение.

— У меня есть приятель, у которого имеется шлюпка. Великолепная парусная шлюпка. — Он пытался придумать, чем бы развлечь ее и порадовать ее детишек, но так, чтобы не показаться слишком назойливым.

Она застенчиво взглянула на него, допивая кофе.

— Детям это понравится. Аллан несколько раз брал их на прогулки на шлюпке. А я страдаю морской болезнью.

Она терпеть не могла яхту Аллана, хотя он ее обожал. Ее начинало тошнить, даже если она просто стояла на палубе. А теперь любой разговор о шлюпках напоминал ей о том, как умер Аллан. Она бы с удовольствием никогда больше не видела ни одной шлюпки.

— Мы придумаем что-нибудь другое, — заботливо сказал он.

В течение последующих двух часов они обсуждали деловые вопросы и закончили работать с документами почти в полдень. Фернанда хорошо понимала ситуацию и принимала решения с полной ответственностью. Легкомыслия она ни в чем не допускала. Ему очень хотелось бы сделать для нее все, что в его силах.

Он пригласил ее на ленч, но она сказала, что у нее еще есть дела и что во второй половине дня она назначена на прием к дантисту. По правде говоря, после разговора с ним о страшной ситуации, в которой она оказалась, ей хотелось побыть одной и просто подышать свежим воздухом. Если бы они пошли на ленч, то разговор неизбежно коснулся бы ее проблем и долгов Аллана. Фернанда знала, что Джек жалеет ее, он был очень добр. Но это заставляло ее чувствовать себя брошенной и жалкой.

Распрощавшись с ним, она почувствовала облегчение и поехала на Пасифик-Хейтс. Когда она отклонила приглашение Джека на ленч, он пообещал прийти к ним на следующей неделе на обед и сказал, что позвонит ей. Ладно, подумала она, в присутствии детей по крайней мере не придется без конца обсуждать с ним страшную ситуацию, в которой она оказалась. Он был человеком очень прагматичным и объяснял ситуацию слишком уж прямолинейно, не сглаживая острых углов. Она бы очень удивилась, если бы узнала, что он имеет в отношении ее какие-то романтические намерения. Такое ей и в голову не приходило, хотя они часто встречались. Она всегда считала его хорошим и надежным как скала другом и жалела, что он так и не женился второй раз. В разговорах с ней и Алланом он всегда утверждал, что не нашел подходящей женщины. Она знала, что он очень любил свою жену, и Аллан не раз предупреждал, чтобы она не надоедала ему и не знакомила с подругами, поэтому она этого не делала. О том, что он как-то по-особому относится к ней, она и не думала.

Фернанда была по уши влюблена в Аллана и продолжала его любить. И несмотря на все его недостатки и на хаос в делах, который он после себя оставил, она считала его великолепным мужем. Она не имела желания кем-нибудь заменять его. Более того, она могла считать себя замужем за ним до конца своих дней и никогда не встречаться с другими мужчинами. Так она и детям сказала. Это в чем-то утешило их, особенно Сэма, но и опечалило: им было жаль ее.

Эшли не раз заговаривала об этом с Уиллом, когда они оставались одни, а матери с Сэмом не было дома.

— Я не хочу, чтобы она навсегда осталась одна, — сказала Эшли старшему брату, который обычно начинал нервничать, когда она поднимала этот вопрос. Он старался не думать о том, что мать может быть с каким-нибудь другим мужчиной, кроме отца. Эшли была более романтичной, чем мать, но прирожденной любительницей устраивать браки.

— Отец умер совсем недавно, — говорил всегда Уилл, который расстраивался всякий раз, когда об этом заходила речь. — Дай ей время. Мама что-нибудь говорила об этом? — вдруг встревожился он.

— Да, она говорит, что не хочет ни с кем встречаться. Она хочет навсегда остаться папиной женой. Это очень печально, — сказала Эшли.

Фернанда по-прежнему носила обручальное кольцо. Она больше не выходила вечерами, не считая выходов с детьми в кино или пиццерию. Да еще пару раз они все вместе ходили в кафе «У Мэл» после игр Уилла. — Надеюсь, что однажды она кого-нибудь встретит и полюбит, — сказала в заключение разговора Эшли, на что Уилл строго заметил:

— Это нас не касается.

— Касается. Как насчет Джека Уотермана? — высказала предположение Эшли, до которой такие вещи доходили гораздо скорее, чем до ее матери. — Мне кажется, она ему нравится.

— Не говори глупостей, Эш. Они просто друзья.

-- Чем черт не шутит. Его жена тоже умерла. И он не женился во второй раз, — гнула свою линию Эшли. Потом вдруг встревожилась и спросила: — Ты думаешь, он гей?

— Конечно, нет. У него полно подружек. А ты со своими намеками просто отвратительна, — сказал Уилл и выскочил из комнаты, как делал всегда, когда она начинала с ним разговоры о несуществующей любовной жизни их матери.

Уилл не хотел думать о матери в этом плане. Она была его матерью, и он не видел ничего плохого в том, что она продолжает оставаться одна, если это ее устраивает, а она сама говорила об этом. Его, например, это устраивало. Его сестрица, несмотря на нежный возраст, была гораздо более проницательной.

Они провели уик-энд, занимаясь своими обычными делами, и в субботу, пока Фернанда сидела на стадионе в Марине, наблюдая за игрой Уилла в лакросс, Питер Морган ехал на автобусе в Модесто. В новой одежде, купленной на деньги, полученные от Эдисона, он выглядел респектабельно и был занят своими мыслями. Человек, который ответил ему, когда он позвонил в общежитие, сказал, что Карлтон Уотерс зарегистрирован здесь. Это было второе общежитие, куда он позвонил. Он не знал пока, что скажет при встрече. Ему необходимо было прощупать Уотерса, посмотреть, как у него складывается жизнь. Даже если сам Уотерс не пожелает браться за это дело после двадцати четырех лет отсидки в тюрьме за убийство, то он наверняка знает парней, которых такая работа заинтересует. Питер пока не предполагал, каким образом он намерен получить от него эту информацию, особенно если он не пожелает сам браться за это и такое предложение его обидит. «Исследование», как это называл Эдисон, было не такой простой задачей, как представлялось поначалу. И в автобусе по дороге в Модесто Питер обдумывал возможные варианты своей тактики.

Как оказалось, общежитие находилось совсем рядом с автобусной остановкой, и Питер решил прогуляться пешком. Лето вступало в свои права, было жарко. Он снял бейсбольную кожаную куртку и закатал рукава сорочки. Пока он добрался до дома по указанному адресу, его новые ботинки покрылись пылью. Однако, поднимаясь по ступеням лестницы к входу в общежитие, он все-таки выглядел как бизнесмен.

Войдя внутрь, он подошел к конторке и спросил Уотерса. Ему ответили, что он ушел, и Питер вышел из помещения и стал ждать снаружи. Никто не знал, куда он ушел и когда вернется. Человек за конторкой сказал, что у Уотерса где-то в этом районе есть родственники и что, возможно, он поехал к ним или отправился куда-нибудь еще со своими дружками. Человек за конторкой твердо знал лишь одно: комендантский час в девять и к тому времени Уотерс вернется.

Питер долго ждал, сидя на крыльце, и в пять часов стал подумывать о том, что пора бы пойти куда-нибудь перекусить, но тут заметил знакомую фигуру, медленно приближающуюся к нему по улице в сопровождении двух парней. Фигура у Уотерса была впечатляющая. Он походил на баскетболиста: обладал мощным телосложением, был высок и широк в плечах. В тюрьме он упорно занимался бодибилдингом, и результат был налицо. Питер понимал, что в другом месте и в другое время он мог бы показаться страшным человеком, хотя, насколько ему было известно, за двадцать четыре года пребывания в тюрьме никаких злостных выходок за ним не замечалось. Эта информация не очень успокаивала Питера. Вполне возможно, что его предложение приведет Уотерса в такую ярость, что он изобьет его до полусмерти за одно лишь то, что Питер обратился к нему с этим. Драться с ним Питеру совсем не хотелось.

Уотерс, медленно переходя улицу, смотрел прямо на Питера. Они сразу же узнали друг друга, хотя и не были близко знакомы. Это был именно такой человек, какого велел ему найти Эдисон: настоящий профессиональный уголовник, а не какой-то любитель. Хотя теперь стараниями Эдисона он тоже перешел в высшую лигу. Правда, Питер отнюдь не гордился этим. Напротив, ему очень не нравилось то, что он делал, но у него не было выбора.

Они кивнули друг другу. Питер стоял, поджидая его, на крыльце, и Уотерс приблизился, глядя ему прямо в глаза настороженно и даже враждебно. Он поднялся по ступеням.

— Ищешь кого-нибудь? — спросил Уотерс, и Питер кивнул в ответ, не уточняя, кого именно он ищет.

— Как твои дела? — спросил Питер. Они кружили друг возле друга, словно бойцовые петухи, и Питер боялся, что Уотерс на него набросится. Двое других, Малькольм Старк и Джим Фри, стояли поодаль, наблюдая, как будут развиваться события.

— У меня все в порядке. У тебя тоже? — сказал Уотерс. Питер кивнул в ответ.

Они по-прежнему в упор смотрели друг на друга, словно их глаза притягивались, как магнит к металлу. Питер не знал, как начать разговор, хотя чувствовал, что Уотерс понимает, что он пришел, чтобы поговорить с ним. Не сказав Питеру ни слова, он повернулся к своим приятелям и предупредил, что придет через минутку. Проходя мимо Питера, они оба окинули его взглядом и дверь за ними захлопнулась. Уотерс снова взглянул на него.

— Ты хотел поговорить со мной? — спросил он. Питер снова кивнул и вздохнул. Все было труднее, чем он предполагал, и гораздо страшнее. Однако дело сулило огромные деньги. Трудно было предугадать, как отреагирует на его предложение Уотерс и что он скажет. Но здесь было не место говорить о таких вещах. Уотерс сразу же почувствовал, что речь пойдет о чем-то важном. Иначе и быть не могло. За четыре года пребывания в тюрьме, когда они были там оба, они не обменялись и десятком слов, а теперь вот Питер приехал аж из Сан-Франциско, чтобы поговорить с ним. Уотерсу было любопытно услышать, о чем пойдет речь и что за ставило Питера трястись три часа в автобусе и прождать его целый день. Питер выглядел как человек, на уме у которого что-то важное.

— Может быть, поговорим где-нибудь? — без обиняков сказал Питер, и Уотерс кивнул.

— Тут неподалеку есть парк, — сказал он.

Уотерс правильно понял, что Питер не захочет говорить с ним в баре, или ресторане, или в гостиной общежития, где их могли подслушать.

— Годится, — коротко ответил Питер и следом за ним спустился по ступеням с крыльца.

Он был голоден и очень нервничал, пока они, не говоря друг другу ни слова, шли по улице. Парк находился в десяти минутах ходьбы от общежития. Питер уселся на скамью; Уотерс, помедлив немного, опустился рядом. Усевшись, он достал из кармана жевательный табак. Эту привычку он приобрел в тюрьме. Питеру жевательного табака он не предложил. Посидев некоторое время, Уотерс взглянул на него с раздражением, смешанным с любопытством.

Питер относился к разряду осужденных, к которым Уотерс не испытывал уважения. С его точки зрения, Питер был болваном с деньгами, который по чистой глупости позволил себе разориться, а потом лизал задницу тюремному надзирателю, чтобы получить работу в конторе. Уотерс же много времени провел в одиночном заключении. В тюрьме он встречался с убийцами, насильниками и похитителями людей, а также с рецидивистами, которые сделали сюда по нескольку ходок. Вынесенный Питеру приговор к четырем годам тюремного заключения был сущим пустяком по сравнению с двадцатью четырьмя годами.

Независимо от того, был ли он виновен или стал невинной жертвой правосудия, большую часть своей жизни Уотерс провел в тюрьме, и такие, как Питер Морган, его не интересовали. Но если человек приехал аж из Сан-Франциско, чтобы поговорить с ним, он был готов выслушать его, но не более того. Все это было написано на его физиономии, когда он, выплюнув табачную жвачку, повернулся и взглянул на Питера. Как и раньше, когда Питеру изредка приходилось встречаться с ним взглядом в конторе надзирателя, у Питера по спине пробежали мурашки. Уотерс ждал. Питер понимал, что должен начать разговор, но просто не решался это сделать. Уотерс снова сплюнул.

— Выкладывай, что у тебя на уме, — потребовал Уотерс, глядя ему в глаза. Сила его взгляда была такова, что у Питера перехватило дыхание. Но отступать было поздно.

— Кое-кто предложил мне одно дело, — начал он, цепенея под взглядом Уотерса.

Уотерс заметил, что у него трясутся руки, и обратил внимание на его новую одежду. И куртка, и ботинки были не из дешевых. Судя по всему, дела у него шли неплохо. А Уотерс за гроши грузил ящики на томатной ферме. Он хотел получить работу в конторе, но ему сказали, что об этом говорить пока рано.

— Не знаю, заинтересует ли это тебя, но я хотел поговорить с тобой. Мне нужен твой совет.

Услышав его слова, Уотерс сразу же почувствовал, что дело тут нечисто. Откинувшись на спинку скамьи, он нахмурился.

— Почему ты решил, что я могу заинтересоваться или захочу помочь тебе? — осторожно спросил он.

— Я и сам не знаю, — сказал Питер, решив играть с ним в открытую, потому что с таким опасным человеком по-другому нельзя. Он понял, что ему предоставляется единственный шанс, и решил не оплошать. — Видишь ли, моя жизнь под угрозой. Когда я попал в тюрьму, я задолжал одному человеку пару сотен тысяч долларов, и теперь он говорит, что может убить меня, когда пожелает. Это, наверное, правда, хотя пока он меня не убил. Он предложил мне одно дело. У меня нет выбора. Если я откажусь это сделать, он угрожает убить моих детишек, и я думаю, что это не пустые угрозы.

— С какими приятными людьми ты, однако, имеешь дело, — заметил Уотерс, вытягивая перед собой ноги и внимательно разглядывая свои покрытые пылью ковбойские сапожки. — Хватит ли у него храбрости сделать это? — с любопытством спросил Уотерс, которому стало жаль Питера.

— Думаю, что хватит. Как видишь, я связан по рукам и ногам. Он хочет, чтобы я сделал для него работу.

— Что за работа? — Голос Уотерса звучал равнодушно, и он продолжал разглядывать свои сапоги.

— Дело серьезное. Очень серьезное. И связано с огромными деньгами. Если будешь участвовать, получишь пять миллионов баксов. Сто тысяч наличными авансом, остальное — по окончании работы.

Сказав ему это, Питер подумал, что, возможно, это не такое уж оскорбительное предложение, как он сначала опасался. Даже если Уотерс не захочет за это браться, предложение было очень заманчивым. Для каждого из них. Уотерс кивнул. Он тоже быстренько все прикинул в уме, однако и виду не подал, что это произвело на него большое впечатление. Он был крепкий орешек.

— А тебе сколько?

И снова Питер ответил честно. Иначе нельзя. Надо соблюдать воровской кодекс чести.

— Десять по завершении работы. Двести тысяч наличными в качестве аванса. Он хочет, чтобы я руководил операцией и нанял для него людей.

— Сколько человек?

— Троих, включая тебя, если ты согласишься.

— Наркотики?

Он не мог даже вообразить, что представляли собой такие суммы в переводе на героин или кокаин. А кроме наркотиков, он не мог представить себе ничего, что приносило бы такой баснословный доход. Но ставки были слишком высоки даже для наркобизнеса. Должно быть, это дело связано с невероятно большим риском, если кто-то предлагает за него такие огромные деньги. Уотерс взглянул на Питера, но тот покачал головой.

— Хуже. Или лучше. В зависимости от того, как на это посмотреть. Теоретически дело довольно чистое. Они хотят, чтобы мы кое-кого похитили, подержали их парочку недель, получили выкуп и, отправив их домой, разбежались. Если повезет, то это не причинит никому никакого вреда.

— Кто же это такой, черт возьми? — рявкнул Уотерс. — Президент?

Питер чуть не улыбнулся, но сдержался. Дело было серьезное для них обоих.

— Трое ребятишек. Или, если не получится, можно удовольствоваться даже одним.

— Он что, сумасшедший? Платить нам четверым двадцать пять миллионов баксов, чтобы мы сцапали троих ребятишек, а потом отослали их домой? В чем его интерес? Какова сумма выкупа?

Питер очень нервничал, выкладывая ему все подробности, но ему приходилось это делать, чтобы заинтересовать Уотерса.

— Сто миллионов. Он оставляет себе семьдесят пять. Это его идея.

Уотерс присвистнул, долго смотрел на Питера, потом без всякого предупреждения протянул руку и с такой силой схватил Питера за горло, что тот чуть не задохнулся. Питер чувствовал, как вздулись готовые разорваться кровеносные сосуды, а Уотерс, приблизив почти вплотную свою физиономию к лицу Питера, прорычал:

— Если ты вздумал шутить со мной, я убью тебя, и ты это знаешь, не так ли? — пригрозил он.

Свободной рукой он рывком раскрыл воротник сорочки Питера, оборвав все пуговицы, чтобы посмотреть, нет ли там проводков и не подключили ли его копы к подслушивающей аппаратуре, но ничего подозрительного не обнаружил.

— Я говорю правду, — прохрипел Питер, ловя ртом воздух.

Уотерс подержал его в своих клещах еще какое-то время, пока Питер чуть не потерял сознание, потом отпустил и как ни в чем не бывало снова откинулся на спинку скамьи.

— Кто этот человек?

— Этого я не могу сказать, — произнес Питер, потирая горло. Он все еще чувствовал руку Уотерса. — Это условие сделки.

Уотерс кивнул. Такое условие казалось ему правильным.

— Чьи это дети?

— Этого я тоже не могу тебе сказать, пока не получу твоего согласия. Но как только согласишься, ты сразу об этом узнаешь. Он хочет, чтобы ты понаблюдал за ними в течение месяца или шести недель, чтобы узнать их распорядок дня и решить, когда удобнее всего их схватить. А мне еще нужно подыскать место, где мы будем находиться после похищения.

— Я не могу вести наблюдение. У меня работа. — Карл Уотерс сказал это таким тоном, как будто составлял график работы автобазы. — Но я могу это делать по уик-эндам. Где это, в Сан-Франциско? — поинтересовался он. Питер кивнул.

— А я мог бы это делать в течение недели. Возможно, будет менее заметно, если мы станем меняться.

Обоим показалось, что это весьма разумно.

— Неужели у них и впрямь столько денег? Или этот парень грезит наяву?

— Год назад у них было полмиллиарда долларов. Трудно потратить такую уйму денег за один год. Этот человек умер. Выкуп мы намерены потребовать с его жены. Она заплатит, лишь бы ей вернули детишек, — сказал Питер.

Уотерс кивнул. В этом, по его мнению, тоже был смысл.

— Ты сознаешь, что нас могут приговорить к смерти, если поймают? — сказал Уотерс, как будто речь шла о чем-то самом заурядном. — Где гарантия, что этот парень не продаст нас с потрохами, как только мы выполним работу?

«Я не доверяю людям, которых не знаю», — подумал Уотерс. Он не сказал этого вслух, потому что Питеру доверял, хотя и считал его наивным. В тюрьме он слышал о нем хорошие отзывы. Он не был крепким орешком, но честно отбывал свой срок и никому не причинял вреда. Для Уотерса это многое значило.

— Я думаю, нам всем надо прикинуть, куда податься потом. Насколько я понимаю, как только работа закончится, мы все станем свободны. Но если кто-нибудь проболтается, нам всем конец, — спокойно сказал Питер.

— Понятно. Ему тоже конец, если проболтаешься ты. Должно быть, он тебе доверяет.

— Возможно. Жадный мерзавец. У меня не было выбора. Я не могу рисковать жизнями своих детей, — сказал Питер.

Уотерс снова кивнул. Это он понимал, хотя своих детей у него не было.

— С кем ты еще говорил?

— Ни с кем. Я начал с тебя. Я подумал, что если ты сам не захочешь участвовать, то что-нибудь посоветуешь. Если бы, конечно, ты не измордовал меня до полусмерти и не послал куда подальше. — При этих словах они обменялись улыбками.

— А ты храбрый парень, если решился обратиться ко мне с таким предложением. Я мог бы избить тебя.

— Или задушить, — напомнил ему Питер, и Уотерс расхохотался. Смех его напоминал раскаты грома и был под стать его внешности. — Так что ты об этом думаешь?

— Я думаю, что этот парень сумасшедший или что у него какие-то невероятно богатые друзья. Ты знаешь, о ком идет речь?

— Я знаю, кто они.

— И они существуют на самом деле?

— Не сомневайся, — заверил его Питер. Уотерс был потрясен. Он никогда не слышал, что такие деньги бывают у кого-то другого, кроме наркодельцов. Но Питер, судя по всему, в этом отношении был чист — Мне еще надо найти место, куда мы отвезем детей.

— Это не составит труда. Нужен либо домик в горах, либо какой-нибудь автофургон, припаркованный где-нибудь в пустыне. Черт возьми, наверное, непросто нянчиться с тремя ребятишками? Сколько им лет?

— Шесть, двенадцать и шестнадцать.

— Пропади все пропадом, вот морока! Но за пять миллионов баксов я, наверное, смог бы нянчиться с Дракулой и его детишками.

— Не забудь одно условие: их пальцем нельзя трогать. Они должны вернуться домой целыми и невредимыми, — напомнил Питер.

— Понятно, — раздраженно сказал Уотерс. — Никто не заплатит сто миллионов долларов за трех мертвых ребятишек. Или даже за одного. — До него дошел смысл сказанного.

— Предполагается, что мать заплатит выкуп быстро. Она потеряла мужа и не захочет лишиться детей. Ей может потребоваться неделя-другая, чтобы собрать деньги, но много времени это не займет. Особенно когда это нужно ради ее детей.

— Мне нравится, что придется иметь дело с женщиной, — заметил Уотерс, размышляя над тем, что услышал. — Уж она-то не заставит нас полгода обливаться холодным потом от страха. Она захочет поскорее получить своих детишек, — сказал он. Потом Уотерс встал и взглянул сверху вниз на Питера, все еще сидевшего на скамье. — Я подумаю об этом и дам тебе знать. Как тебя найти?

Питер протянул ему клочок бумаги с номером своего сотового телефона. Он написал его, пока ждал Уотерса на крыльце.

— Если ты согласишься, то сможешь найти еще двоих парней? — спросил Питер, тоже поднимаясь со скамейки.

— Да. Это будут парни, которым я смогу доверять. Похитить человека может любой, но важно, чтобы после этого он держал язык за зубами. От этого будет зависеть, как пойдут дальше наши жизни. Я не хочу до конца своих дней гнить в тюрьме, — сказал Уотерс. В его словах был здравый смысл, и Питер с ним согласился.

— Он хочет, чтобы мы провели операцию в июле. К тому времени его не будет в стране, и все должно закончиться к его возвращению, — сказал Питер.

У них оставалось немногим более месяца, чтобы все подготовить, найти людей, понаблюдать за вдовой. И похитить детей.

— Думаю, с этим проблемы не будет, — сказал Уотерс после того, как они некоторое время шли по улице в молчании. Ответа от него Питер пока не получил и не знал, когда он его даст. Когда они дошли до общежития, Уотерс, даже не взглянув на него, стал подниматься по ступеням, потом вдруг обернулся и тихо, чтобы никто, кроме Питера, не услышал, произнес:

— Я в деле.

После этого он взошел на крыльцо и скрылся за дверью, которая за ним захлопнулась. Постояв немного, Питер отправился на автобусную остановку и двадцать минут спустя уже ехал домой.

Глава 10

На той же неделе Карлтон Уотерс позвонил Питеру по сотовому телефону. Он нашел двух парней, которые им требовались. Это были Малькольм Старк и Джим Фри. Он сказал, что уверен в их способности выполнить работу и держать язык за зубами. Они втроем решили, что после того, как все закончится, уедут в Южную Америку через Канаду или Мексику. Они хотели, чтобы причитающиеся каждому из них пять миллионов долларов были переведены на счета в Южной Америке, где они смогут их получить. Все они подумывали о том, чтобы податься в наркобизнес, но пока еще не решили окончательно. Уотерс знал людей, которые смогут раздобыть для них паспорта и переправить их в Мексику А оттуда они смогут ехать куда угодно. Они хотели лишь сделать дело, получить деньги и поскорее смыться. Ни один из них не имел здесь каких-либо серьезных привязанностей и не был женат. С девчонкой из кафе у Джима Фри ничего не получилось. Оказалось, что у нее есть постоянный парень, а Джим Фри ее не интересует. Она просто флиртовала с ним.

В Южной Америке их ждала совсем другая жизнь. Сейчас им нужно было лишь найти место, где они будут ждать выкупа после того, как похитят детей Барнсов. Питер сказал, что сам позаботится об этом. А Уотерс согласился начать наблюдение в ближайший уик-энд. Еще им потребуется машина. Питер сказал, что купит машину для себя и Уотерса, чтобы использовать ее для наблюдения, — самую обычную и неброскую, чтобы не привлекать внимания. И еще им потребуется автофургон для самого похищения. Уотерс согласился встретиться с Питером в субботу в его гостинице. Карл мог вести наблюдение по уик-эндам с девяти утра до шести вечера. Питер будет осуществлять слежку по будням и по ночам в уик-энды. Так что наблюдение будет вестись круглосуточно. Питер предполагал, что женщина, наверное, не слишком часто отлучается, если ей приходится справляться одной с тремя детьми. К тому же надо было потерпеть всего месяц. За десять миллионов баксов он согласился бы сидеть в машине дни и ночи напролет. Он доложился Эдисону и сказал, что нашел людей. Эдисон, судя по всему, был доволен и сказал, что готов оплатить покупку и машины, и автофургона. Через месяц, когда работа будет закончена, они от них избавятся.

В тот день Питер приобрел фордовский многоместный седан. Машине было пять лет, она набегала много миль и очень кстати была черного цвета. На следующий день в дру гом месте он купил подержанный автофургон и оплатил для него место в гараже. В шесть часов вечера он припарковал машину перед домом Фернанды. Он узнал ее и ребятишек по фотографии в досье Филиппа и вспомнил их имена. Они запечатлелись в его памяти.

Он увидел, как Фернанда вошла в дом вместе с Эшли, потом вышла снова и села в машину. Он последовал за ней. За рулем она была очень рассеянна и два раза проскочила на красный свет. Ему даже показалось, что она пьяна. Он припарковался неподалеку от нее возле спортивного стадиона в Пресидио и увидел, что она выходит из машины. На стадионе она уселась на скамейку для зрителей и стала наблюдать, как Уилл играет в лакросс. Следуя за ними после игры, Питер видел, как они обнялись, прежде чем сесть в машину. Он почувствовал, как неизвестно почему у него защемило сердце.

Она была красива: белокурая и очень миниатюрная. Когда они выходили из машины возле дома, мальчик смеялся. Он был явно в отличном настроении. Еще бы, ведь они победили! Питер наблюдал, как они, взявшись за руки, поднимаются по ступеням. Ему почему-то захотелось быть рядом с ними, и, когда они вошли в дом и закрыли за собой дверь, он, неизвестно по какой причине, почувствовал себя брошенным. Потом он стал наблюдать за ней сквозь окно, чтобы узнать, включит ли она сигнализацию, что было очень важно выяснить. Сигнализацию она не включила и направилась прямиком на кухню.

Питер видел, как в кухне зажегся свет, и представил себе, как она готовит для них обед. Он уже видел Эшли и Уилла, но пока ни разу не видел Сэма. Судя по фотографии, это был улыбающийся рыжеволосый маленький мальчик. Позднее в тот же вечер он увидел ее стоящей у окна в своей спальне. Он наблюдал за ней в бинокль и заметил, что она плачет. Она просто стояла у окна в ночной рубашке, и по ее щекам катились слезы. Потом она отошла от окна. Странно было наблюдать за ней в такой момент. Он как будто заглядывал в их жизнь: девочка выходит из балетной студии, мальчик, которого она обнимает после победы в матче, и она сама у окна, плачущая, видимо, по мужу. Питер покинул свой пост только в два часа ночи. В доме было темно уже три часа подряд. Он понял, что оставаться здесь дольше незачем, потому что все, что требовалось, он уже узнал.

На следующее утро он вернулся в семь часов. В доме ничего не происходило почти до восьми. Он не видел, что делается в кухне, потому что эта сторона дома была залита светом утреннего солнца, но без десяти минут восемь она выбежала из дома. Она оглянулась и что-то сказала кому-то в коридоре, и тут из дома вышла балерина, волоча тяжеленную спортивную сумку. Игрок в лакросс помог ей дотащить сумку и направился в гараж за собственной машиной. Дверь в дом все еще была открытой, и Фернанда нетерпеливо на нее поглядывала. Наконец из дома вышел самый младший. Наблюдая за ним, Питер не мог сдержать улыбки. На Сэме были надеты ярко-красная футболка с изображением пожарной машины на спине, темно-синие вельветовые брючки и красные кеды. Он распевал во все горло. Мать рассмеялась и жестом позвала его в машину. Он сел на заднее сиденье, потому что на переднем сидела его сестра, пристроив на коленях сумку. Когда они подъехали к школе (в сопровождении Питера, незаметного в транспортном потоке), Фернанда помогла ей выйти из машины. Видя, с каким трудом она тащит сумку по лестнице, Питер попытался догадаться, что там лежит, но не смог. Сэм весело, как щеночек, помчался следом за ней в школу и оглянулся, улыбнувшись и помахав рукой своей мамочке, а она послала ему воздушный поцелуй, помахала в ответ и снова села в машину. Она подождала, пока он не скрылся за дверями школы, и уехала.

Она направилась в Лорел-Виллидж за продуктами и, толкая перед собой тележку, долго выбирала, читая этикетку и проверяя срок годности, прежде чем положить покупку. Она накупила самой разнообразной детской еды: каши, печенье, легкие закуски и полдюжины бифштексов. Она задержалась перед прилавком, где продавали цветы, и посмотрела на них, будто хотела купить, но не поддалась соблазну и с печальным видом прошла мимо. Питер мог бы остаться в машине, но он решил последовать за ней, чтобы лучше понять, что она за человек. Понаблюдав за ней, он не мог не восхититься. На его взгляд, она была олицетворением идеальной мамы. Все, что она делала, о чем думала и что покупала, было для детей и ради детей. Он стоял позади нее в очереди в кассу. Она взяла журнал, взглянула на него и положила назад. Его поразило, что она так просто одета. Никто бы никогда даже не догадался, что муж оставил этой женщине полмиллиарда долларов. На ней были надеты розовая маечка, джинсы и сабо. Она сама выглядела как девочка. Она оглянулась, посмотрела на него и неожиданно улыбнулась. В новой голубой рубашке, мокасинах и брюках цвета хаки он выглядел безупречно, как мужчины, среди которых она жила, или как друзья Аллана. Он был высоким блондином приятной наружности, и, прочитав все, что о ней писали, Питер знал, что был на полгода моложе ее. Они были почти ровесниками. Оба учились в престижных колледжах: она училась в Стэнфорде, он — в Университете Дьюка. Он пошел в аспирантуру, а она вышла замуж и рожала детей. Их дети были почти одного возраста: Сэму было шесть лет, а Изабель и Хизер — восемь и девять. Она немного походила на Джанет, хотя была красивее, а он, кажется, был очень похож на Аллана, только тот был брюнетом, а он блондином. Она это заметила, когда клала журнал на полку, и внимательно на него посмотрела. А когда уронила рулон бумажных полотенец, выкладывая их на прилавок у кассы, он поднял их и подал ей.

— Спасибо, — произнесла она. Он заметил на ее руке обручальное кольцо. Она все еще носила его, и он счел это благородным жестом. Ему все в ней нравилось. Он прислушался к тому, как она разговаривала с кассиром, видимо, хорошо знавшим ее. Она сказала, что с детьми все в порядке и что Уилл собирается поехать в спортивный лагерь играть в лакросс.

Питеру пришлось напомнить себе, зачем он находится здесь. Интересно, когда именно мальчик едет в лагерь? Если поездка предполагается в июле, то это будет означать, что Уотерс со своими дружками смогут похитить только двоих детей. При мысли об этом ему стало не по себе. Эта женщина была такой порядочной, была так верна памяти мужа и так предана детям, что боль, которую они были намерены причинить ей, показалась ему настоящим злодейством. Они собирались заставить ее заплатить сто миллионов долларов за возможность сохранить то, что у нее теперь осталось и чем она дорожила.

Мысль об этом лежала на его душе тяжелым камнем. Он видел, как она по дороге домой еще два раза проскочила на красный свет и игнорировала знак «стоп» на Калифорния-стрит. Машину она водила никуда не годно. Интересно, о чем она задумалась, когда ехала на красный свет? Он удивился еще больше, когда они вернулись домой. Он ожидал, что ее встретит и поможет разгрузить машину экономка или даже сразу несколько слуг. Вместо этого она отперла дверь, оставила ее открытой и пакет за пакетом сама перетаскивала в дом продукты. Может быть, слугам дали свободный день? После этого он не видел ее до полудня. Она вышла из дома, чтобы взять какую-то вещь, которую забыла в машине, и снова уронила рулон бумажных полотенец, только на этот раз он его не поднял, как это было в магазине. Он сидел не двигаясь, чтобы она его не заметила, и наблюдал.

Она торопливо вышла из дома в три часа. Сев в машину, Фернанда направилась в сторону школы. Она превысила скорость и едва не врезалась в автобус. Пронаблюдав за ней всего один день, Питер понял, что эта женщина представляет собой угрозу безопасности на дороге. Она превышала скорость, не обращала внимания на светофоры, перестраивалась из одного ряда в другой не сигналя и дважды чуть не сбила пешеходов на переходах. Она была явно чем-то расстроена. Резко затормозив, она остановилась перед зданием школы, в которой учились двое младших детей. Эшли, ожидавшая ее на улице, болтала с друзьями и смеялась, а пять минут спустя из школы выскочил Сэм, тащивший громадный самолет из папье-маше. Улыбаясь во весь рот, он обнял свою мамочку. Наблюдая за всем этим, Питеру захотелось плакать. И не из-за того, что они с Уотерсом собирались с ними сделать, а из-за того, что ему самому в детстве всего этого так не хватало. Он вдруг понял, какой могла бы быть его жизнь, если бы он сам ее не изгадил, а оставался с Джанет и их детишками. Они бы его обнимали. И у него была бы такая же любящая жена, как эта хорошенькая блондинка. Думая обо всем, чего у него нет и никогда не было, он почувствовал себя очень одиноким.

По пути домой они остановились возле хозяйственного магазина, где она купила электролампы и новую метлу, а также контейнер для завтрака, чтобы Сэм мог брать с собой еду в дневной лагерь. Она высадила его у дома, сказала что-то Уиллу, подошедшему к машине, чтобы взять брата, потом повезла Эшли в балетную студию. А после того как она забрала из студии Эшли, поехала на очередную игру Уилла. Вся ее жизнь крутилась вокруг них. К концу недели Питер понял, что она только и занята тем, что отвозит их в школу и привозит обратно, возит Эшли в балетную студию и присутствует на играх Уилла. Ничем другим она не занималась. Выходя в очередной раз на связь с Эдисоном, он упомянул, что у нее нет прислуги. Это показалось ему странным для человека с такими средствами.

— Какая разница? — раздраженно сказал Эдисон. — Может, она мало платит.

— А может, она разорилась? — высказал предположение Питер.

Фернанда показалась ему человеком серьезным. Оставаясь одна, она казалась грустной, но в присутствии детей улыбалась, смеялась и часто обнимала их. В то же время он видел, как она каждую ночь плакала у окна в своей спальне. В такие моменты ему хотелось обнять ее и успокоить, как она это делала со своими детьми. Ей это было нужно, но некому было утешить ее.

— Никто не может израсходовать полмиллиарда долларов за один год, — равнодушно сказал в ответ Филипп.

— Согласен, но вполне можно спустить такую сумму или даже больше, делая необдуманные инвестиции, особенно в такое время, когда на рынке наблюдается спад, — сказал Питер.

Филипп это и сам отлично знал. Но то, что потерял он, было бы, наверное, каплей в море для такого человека, как Аллан Барнс.

— Я нигде не читал о том, что у Барнса были неудачи в делах. Поверь мне, Морган, у них есть деньги. Вернее, у него были, а у нее имеются сейчас. Возможно, она просто не любит их транжирить. Ты продолжаешь следить за ней? — спросил Эдисон, довольный тем, как идут дела.

Питеру удалось быстро набрать команду, и он сказал, что в конце недели едет на озеро Тахо, чтобы подыскать дом. Маленький домик где-нибудь в малонаселенном районе, где они будут держать детей, пока она не заплатит выкуп. На взгляд Эдисона, это была самая обычная деловая операция, в которой не было ничего личного и которая не затрагивала никаких чувств. Питер же, понаблюдав, как Фернанда без конца отвозит, привозит, целует и обнимает детей, не говоря уже о том, как она плачет у окна по ночам, принимал ситуацию гораздо ближе к сердцу.

— Да, я продолжаю следить за ней, — коротко ответил он. — Она только и делает, что развозит своих детишек да проезжает на красный свет.

— Отлично. Будем надеяться, что она их не укокошит до похищения. Может, она пьет?

— Не знаю. По ней не скажешь. Думаю, что она просто невнимательна или чем-то расстроена, — сказал Питер.

Накануне он видел, как она чуть не сбила с ног женщину на пешеходной дорожке. Все вокруг сигналили ей, но она выскочила из машины и долго извинялась перед женщиной и при этом, как он заметил, плакала сама. Фернанда сводила его с ума. Теперь он только о ней и думал, причем не только потому, что они готовили ей неприятный сюрприз, а и потому, что, если бы все было по-другому, он мог бы разговаривать с ней, проводить с ней время. В других обстоятельствах он захотел бы узнать ее получше. Она казалась ему идеальной женщиной. Он полюбил наблюдать за ней и пытался представить себе, какой она была в юности, когда Барнс женился на ней. Он буквально сходил с ума, представляя ее себе юной девушкой.

Почему он не встретил ее тогда? Почему жизнь так жестоко обошлась с ним? Пока он упорно коверкал свою жизнь и жизнь своей бывшей жены, Фернанда была замужем за одним везучим парнем и строила семью. Она была очень хороша собой. А Сэм с первого взгляда покорил его сердце. Эшли была настоящей красавицей. А Уилл был таким сыном, какого хотел бы иметь любой мужчина. Питер понимал, что даже если бы Аллан Барнс не был знаменитостью в деловом мире, он оставил после себя великолепную семью. Наблюдая за ней, Питер ощущал себя каким-то любопытным Томом*, и, возвратившись к себе в гостиницу, чтобы выспаться, он продолжал думать о ней и с нетерпением ждал утра, чтобы увидеть ее снова. Она была для него как бы напоминанием о том мире, к которому он всегда хотел принадлежать и некоторое время принадлежал, но который потерял безвозвратно, и обо всех бездумно упущенных возможностях. Она была олицетворением всего, что он всегда хотел иметь, но уже никогда иметь не будет.

В субботу, отправляясь на озеро Тахо, он с большой неохотой передал наблюдение за ней Карлтону Уотерсу. Он раздобыл через Интернет список домов, сдаваемых в аренду в этом районе. Он не хотел иметь дело с агентами по недви-

---

* Портной, согласно легенде, подглядывавший за леди Годивой и внезапно ослепший. *Здесь.* человек с нездоровым любопытством *Здесь и далее примеч. пер.*

жимости. Пока никто не увидел Карла и его дружков, проблем не будет. А если что-нибудь случится, Питер всегда сможет сказать, что эти люди без разрешения проникли в дом, когда он находился в Сан-Франциско. Все они старались сделать так, чтобы не прослеживалась связь между отдельными этапами операции, и пока это им удавалось. В Модесто никто, кроме Старка и Фри, не знал, что Карл бывает в городе. К комендантскому часу он всегда был на месте.

В тот вечер следить за Фернандой после шести часов было некому, так как Питер должен был возвратиться из Тахо только около десяти. Если у нее все пойдет как обычно, она к этому времени давно будет дома со своими детьми. Она выезжала из дома вечером только в тех редких случаях, когда отвозила Эшли или Уилла в гости к друзьям или привозила их домой после вечеринки. Она не любила, когда Уилл садился за руль в вечернее время, хотя он не раз говорил ей — и Питер мог бы подтвердить это, — что она водит машину гораздо хуже, чем он. Судя по тому, что видел Питер, она была опасным водителем.

— Чем она будет заниматься сегодня? — спросил у Питера Карл, когда тот передал ему ключи от машины.

Бейсбольная кепочка, прикрывавшая физиономию Карлтона, и темные очки несколько изменили его внешность. Когда наблюдение вел Питер, он выглядел как обычно, и, если на улице было слишком много народу, он объезжал разок-другой вокруг квартала и возвращался назад. Однако пока его, кажется, никто не засек, тем более Фернанда.

— Возможно, она отвезет старшего сына на игру в Марину. Или девочку в балетную студию. Малыша по субботам она обычно возит с собой. Наверное, несмотря на уик-энд, хлопот особых не будет. — Погода стояла великолепная, однако Фернанда редко выходила из дома. Вернее, почти никогда не выходила. — Посмотришь хорошенько на ребятишек. Она почти все время находится с ними, а младшего парнишку вообще редко отпускает от себя. — У Питера появилось ощущение, что он будто предает их.

Уотерс кивнул. Он не собирался завязывать с ними дружеские отношения. Для него это было всего лишь предварительное прощупывание обстановки, и ничего больше. Для него это был бизнес. Для Питера же это стало превращаться в наваждение. Но Карлтон Уотерс об этом не знал. Он взял ключи, сел в машину и поехал по адресу, который дал ему Морган. В десять часов солнечного субботнего майского утра Питер отправился на озеро Тахо.

Он всю дорогу думал о ней и о том, что произошло бы, если бы он вышел из игры. Все очень просто. Эдисон приказал бы убить его дочерей, а потом и самого Питера. А если бы он признался во всем полиции и получил за это срок, то Эдисон приказал бы убить его в тюрьме. Все просто. Назад пути не было.

Питер наконец добрался до Траки, а Уотерс тем временем следовал за ней в Марину, на очередную игру Уилла в лакросс. К тому времени он уже увидел всех ее троих детишек, да и она выглядела примерно так, как он ожидал. На его взгляд, она смотрелась как обычная домашняя хозяйка из предместья. Его такие не интересовали. Питеру же казалось, что она само совершенство. Уотерс не понимал, что он в ней нашел. Ему нравились женщины гораздо более яркие, чем Фернанда. Он считал, что она миловидная, но слишком простенькая. Даже косметикой не пользуется. По крайней мере тогда, когда выходит из дома с детьми.

По правде говоря, она действительно не пользовалась косметикой после смерти Аллана. Ей это стало безразлично. Как и нарядные платья, туфли на высоком каблуке или драгоценности, которые он ей дарил. Она уже продала большую их часть, а остальные с января хранились в сейфе. Для того, чем она занималась, и для той жизни, которую теперь вела, ей не нужны были ни драгоценности, ни наряды.

Отправившись по первому адресу в его списке, Питер увидел, что дом с трех сторон окружен другими домами, каждый из которых расположен в двух футах от него. Этот дом явно не подходил для их целей Следующие четыре дома тоже

За аренду шестого заломили безумную цену. Следующие четыре тоже не отвечали требованиям. К его большому облегчению, последний оказался именно таким, какой был нужен. Во всех отношениях. Подъездная дорожка к обветшалому дому заросла сорняками, а зелень вокруг него разрослась настолько, что сквозь окна почти ничего не было видно. На окнах имелись ставни, что было еще одним плюсом. В доме было четыре спальни, кухня, которая видала лучшие дни, но функционировала, и просторная гостиная с камином такого размера, что Питер мог бы встать там во весь рост. Позади дома находилась отвесная скала.

Владелец дома, показывая его Питеру, сказал, что больше им не пользуется. Строением пользовались его сыновья, но они давно уехали отсюда. Он сохранял его, считая разумным вложением капитала. Однако поскольку его дочери дом тоже был не нужен, он его сдавал. Оба его сына жили в Аризоне, а сам он обычно проводил лето в Колорадо, у дочери.

Питер снял дом в аренду на шесть месяцев и спросил хозяина, не будет ли тот возражать, если он произведет здесь небольшую уборку и приведет в порядок заросший двор, потому что намерен развлекать здесь клиентов. Хозяин явно обрадовался, считая, что ему крупно повезло с арендатором. Питер даже не торговался. Он подписал договор об аренде, заплатил за три месяца вперед наличными и к четырем часам освободился. Он уже возвращался домой, когда ему позвонил по сотовому телефону Карлтон Уотерс.

— Что-нибудь случилось? — встревоженно спросил Питер.

Может быть, Уотерса засекли? Или, возможно, он напугал Фернанду или кого-нибудь из детей?

— С ней все в порядке. Они все сейчас на стадионе, болеют за старшего парнишку. Мне кое-что пришло в голову. У нас будет оружие?

— Наверное, — ответил Питер, помедлив. — Я могу спросить, но он, я думаю, не захочет сам снабжать нас оружием, чтобы не было возможности выйти на него как на источник Ты умеешь обращаться с оружием? — спросил он.

Питер знал, что у Эдисона есть каналы, по которым можно раздобыть оружие. Но он также знал, что Эдисон не захочет, чтобы что-нибудь связывало его с таким проектом.

— Может, и умею. Я хочу автоматическое ружье, — без обиняков заявил Уотерс.

— Ты имеешь в виду автоматы? — удивился Питер. — Зачем? — Дети будут не вооружены. Она тоже. Но если дело дойдет до столкновения с полицией, то полицейские наверняка будут вооружены.

Питеру казалось, что вооружаться автоматами излишне.

— Это позволяет все держать под контролем и упрощает дело, — уклончиво объяснил Уотерс, и Питер кивнул соглашаясь. Зачем спорить с профессионалом? Именно таких людей и хотел нанять Эдисон.

— Вот ты и позаботься об этом, — сказал Питер. Потом он рассказал ему о доме, и Уотерс выразил одобрение. Это было то, что надо.

Теперь все готово. Оставалось лишь выбрать дату в июле. И сделать все, что запланировано. Все это казалось проще простого, но как только Питер закончил разговор, он тут же ощутил уже знакомую щемящую боль. Он уж начал подумывать, что это его мучает совесть. Ездить следом за Фернандой то в балетную студию, то на бейсбольные матчи — это одно, а выкрасть ее детей с помощью автоматов и потребовать за них выкуп в размере ста миллионов долларов — совсем другое. Питер понимал разницу.

Глава 11

На первую неделю июня приходился последний день занятий в школе, и у Фернанды было много хлопот. И у Эшли, и у Сэма устраивались торжественные собрания, а после этого надо было помочь им забрать домой все их поделки и книги У Уил ла был прощальный матч для его бейсбольной команды, а ближе к вечеру — игра в лакросс, которую ей придется пропустить, чтобы присутствовать на концерте в балетной студии, в котором участвовала Эшли. Она чувствовала себя как белка в колесе. И как всегда, некому было помочь ей. Даже если бы был жив Аллан, он бы тоже не помогал. Но до января у нее была приходящая нянюшка. А теперь не осталось никого. Семьи у нее не было, а даже с самыми близкими друзьями она по целому ряду причин утратила связь. Лишь сейчас она поняла, что находилась в полной зависимости от Аллана. Теперь у нее никого не осталось, кроме детей. А обстоятельства, в которых она оказалась, были слишком тяжелы и не располагали к возобновлению контактов со старыми друзьями. Поэтому она жила со своими детьми, словно на необитаемом острове. И чувствовала себя в полной изоляции.

К тому времени Питер дважды разговаривал с ней: один раз в супермаркете в первый день, а второй — в книжном магазине, где она взглянула на него и улыбнулась, потому что он показался ей смутно знакомым. Она уронила книжки, которые были у нее в руках, и он, улыбнувшись, поднял их и передал ей. После этого он стоял и издали наблюдал за ней. Однажды на одной из игр Уилла в Пресидио он сидел на стадионе позади нее, но она его не видела. Он же не сводил с нее глаз.

Он заметил, что она перестала плакать у окна своей спальни. Иногда он видел, как она рассеянно смотрит на улицу, словно ждет кого-то. Видя ее у окна ночью, он как будто заглядывал ей в душу. Ему казалось, что он знает, о чем она думает. Он был почти уверен, что она вспоминает Аллана. Повезло этому счастливчику, что у него такая жена. Интересно, понимал ли он это? Иногда люди не понимают своего счастья. Питер одобрял каждый ее поступок. Она была именно такой матерью, какую ему самому всегда хотелось иметь. Но ему не повезло: его мать пила. Она превратила их жизнь в кошмар и в конце концов умерла, оставив его — нелюбимого, нежеланного и заброшенного. Вот детей Фернанды никто не назвал бы нелюбимыми и заброшенными.

Питер даже завидовал им. Когда он видел ее ночью, он думал лишь о том, с какой любовью обнял бы ее и утешил, но он понимал, что никогда не сможет этого сделать. Его функции ограничены наблюдением за ней, он обречен на то, чтобы причинить ей еще больше боли и горя, — и все это по воле человека, который пригрозил ему в случае неподчинения убить его детей. Какая злая ирония! Для того чтобы спасти собственных детей, он вынужден рисковать ее детьми и обречь на мучения женщину, которой стал восхищаться и которая возбуждала в нем массу мощных чувств, горьких и сладких одновременно, причем некоторые из них ставили в тупик его самого. Его тянуло к ней как магнитом.

В тот вечер он последовал за ней на концерт, в котором участвовала Эшли, и стоял позади нее в цветочном магазине, где она заказала букет розовых роз на длинных стеблях. Она купила второй букет — для преподавателя хореографии — и вышла из магазина с двумя букетами в руках. Эшли была уже в студии, а Сэм остался на стадионе, где играл Уилл под присмотром матери одного из приятелей Уилла, у которой второй сын был ровесником Сэма и которая сама вызвалась забрать Сэма после игры. В тот день Сэм заявил, что балет — развлечение для маменькиных сынков. Заметив изменение в «расстановке сил», Питер понял, что если Уотерс и его дружки планируют провернуть операцию нынче вечером, то им, пожалуй, удалось бы схватить если не Эшли, то обоих мальчиков.

Уотерс к тому времени купил автоматы через приятеля Джима Фри. Человек, у которого купили автоматы, доставил их на быстроходном океанском пароходе из Лос-Анджелеса в сумках для гольфа Они прибыли в полном порядке, и было видно, что никто их не проверял. Когда Питер отправился получать их, его била дрожь, которая не прекратилась и после того, как он, получив оружие, оставил его в багажнике своей машины Он не хотел рисковать и побоялся оставлять их в гостиничном номере. Согласно правилам, помещение, в котором он проживает, могли в любой момент обыскать без ордера и без предупреждения, если бы это взбрело в голову его уполномоченного по условному освобождению. Правда, пока такого не случалось. Уполномоченный, узнав, что Питер устроился на работу, больше за него не беспокоился. Но ведь чем черт не шутит! До сих пор все шло гладко, однако рисковать не стоило.

Питер, ожидавший в тот вечер Фернанду и Эшли перед зданием балетной студии, увидел, как вышла сияющая Эшли с букетом розовых роз. Фернанда невероятно гордилась дочерью, и после концерта они встретились с Уиллом и Сэмом и все вместе отправились в кафе «У Мэл» на Ломбард-стрит, чтобы отпраздновать это событие. Как только они уселись за стол, Питер незаметно проскользнул в угловую кабинку и заказал чашечку кофе. Он находился так близко, что мог бы, наверное, прикоснуться к ним. Когда Фернанда прошла мимо, он почувствовал запах ее духов. Сегодня на ней были надеты юбка цвета хаки и белый кашемировый свитер с удлиненным вырезом. Он впервые видел ее в туфлях на высоком каблуке. Волосы у нее были распущены, губы подкрашены. Она выглядела радостной и очень хорошенькой. На личике Эшли все еще был макияж, наложенный перед ее выходом на сцену. На Уилле была спортивная форма игрока в лакросс. Сэм делился со всеми своими впечатлениями от игры. Команда Уилла выиграла, а до этого выиграла матч-реванш его бейсбольная команда. В тот вечер у них было сразу несколько побед, так что поводов для праздника было предостаточно. Наблюдая за ними, Питер загрустил и почувствовал себя очень одиноко. Он знал, что им предстояло испытать. И очень переживал за Фернанду. Он ощущал себя каким-то призраком, который знает будущее и предстоящие им страдания, но который не может их предотвратить. Для того чтобы спасти собственных детей, он вынужден молчать и должен был заставить замолчать свою совесть.

Весь конец июня они провели дома. Приезжали и уезжали друзья, Фернанда ездила по делам и брала с собой Сэма, потом она ездила по магазинам с Эшли, чтобы купить кое-какие вещи для поездки на озеро Тахо. Однажды она даже отправилась по магазинам одна, но купила всего пару сандалий. Еще в январе она пообещала Джеку Уотерману не покупать ничего или почти ничего. Он пригласил ее с детьми в Напу, чтобы провести вместе День поминовения*, но они не смогли поехать, потому что у Уилла была игра в лакросс и его мамочке хотелось непременно самой отвезти его на стадион. Ей не хотелось, чтобы он сам вел машину в Марину в праздничный день. Джек перенес приглашение на Четвертое июля, когда Уилл будет в спортивном лагере, а Эшли — на озере Тахо. Фернанда пообещала, что они с Сэмом приедут на праздничный пикник. Она и Сэм с нетерпением ждали этой поездки. Но она и понятия не имела о том, с каким нетерпением ждал этого события Джек. Их дружба всегда казалась ей невинной, да она и на самом деле была такой. Но так считала она, а он думал по-другому. В понимании Джека она была женщиной одинокой. Узнав о приглашении на пикник, более проницательная, несмотря на юный возраст, Эшли поддразнила ее, заявив, что Джек влюбился в Фернанду.

— Не говори глупости, Эш. Он старый друг. А ты ведешь себя отвратительно, — сказала Фернанда. Но Эшли настаивала на своем, утверждая, что Джек Уотерман к ней неравнодушен.

— Это правда, мама? — с любопытством спросил Сэм, отрываясь от тарелки с блинчиками.

— Нет, неправда. Он был другом папы, — заявила Фернанда, как будто это что-то меняло. Ведь папы больше не было.

— Ну и что из этого? — не унималась Эшли, схватив кусочек блинчика с тарелки Сэма, за что он хлопнул ее по руке салфеткой.

---

* 30 июня.

— Ты выйдешь за него замуж, мама? — грустно взглянув на мать, спросил Сэм.

Он хотел, чтобы мама принадлежала только ему. Он все еще продолжал спать в ее постели. Ему не хватало отца, и от этого он стал еще ближе к матери и не желал ни с кем делить ее.

— Конечно же, нет, — в смятении оправдывалась Фернанда. — Я ни за кого не собираюсь выходить замуж. Я все еще люблю папу.

— Это хорошо, — с довольным видом сказал Сэм, отправляя в рот насаженный на вилку кусок блинчика, с которого на футболку капал сироп.

В последнюю неделю июня Фернанда почти не выходила из дома. Она была слишком занята сборами. Надо было собрать и упаковать все «обмундирование» Уилла для лакросса и вещи, которые Эшли брала с собой на озеро Тахо. Это был бесконечный процесс. Казалось, что всякий раз, когда она что-нибудь упаковывала, кто-нибудь снова вытаскивал из сумки эту вещь и надевал на себя. К концу недели все снова оказывалось грязным и приходилось начинать все сначала. Эшли перемерила весь свой гардероб и позаимствовала половину одежды из гардероба Фернанды. А Сэм вдруг заявил, что не хочет ходить в дневной лагерь.

— Ну-ну, не дури, Сэм. Тебе там понравится, — уговаривала его Фернанда, загружая белье в стиральную машину.

В это время мимо промчалась Эшли в материнских туфлях на высоком каблуке и одном из ее свитеров.

— Сними это немедленно! — приказала Фернанда. Тем временем куда-то ушел Сэм, но появился Уилл, спросивший, не упаковала ли она его зажимы, которые ему потребовались для того, чтобы потренироваться.

— Я предупреждаю, что, если кто-нибудь из вас прикоснется к сумкам, которые я заново упаковала, я вас обоих убью. — Эшли сделала вид, что страшно испугалась, а Уилл побежал наверх, чтобы поискать свои ботинки.

Их мама все утро то и дело раздражалась. По правде говоря, ей было грустно отпускать их обоих. Она теперь больше, чем когда-либо, нуждалась в их обществе и знала, что ей будет их не хватать, когда они с Сэмом останутся дома вдвоем. Она подозревала, что Сэм чувствует то же самое и именно по этой причине отказался ходить в дневной лагерь. Она напомнила ему, что четвертого июля они поедут на пикник в Напу. Она подумала, что это ему доставит удовольствие, но он отнесся к этому с полным безразличием. Ему будет не хватать сестры и брата. Уилл уезжал на три недели, а Эшли — на две. Но Сэму и Фернанде это казалось целой вечностью.

— Не успеешь оглянуться, как они вернутся, — утешала Сэма Фернанда. Но она говорила это, пытаясь утешить не только его, но и себя.

У Питера, сидевшего в машине напротив их дома, были свои причины для грусти. Через шесть дней будет совершено похищение, и его участие в жизни Фернанды закончится навсегда. Возможно, они когда-нибудь где-нибудь встретятся, и, если повезет, она никогда не узнает, какое участие он принимал в том, что должно было со дня на день обрушиться на нее. Он мечтал о том, что случайно встретится с ней или что снова станет следить за ней, лишь бы только увидеть ее. Он следил за ней уже более месяца. И она ни разу не почувствовала этого. Как и дети. Он вел себя осторожно и расчетливо, как и Карлтон Уотерс, который вел наблюдение по уик-эндам. В отличие от Питера Уотерс не был ею очарован. Он считал ее жизнь слишком заурядной и скучной, удивляясь, как она может такое выносить. Она практически никуда не выходила, а когда это случалось, то брала с собой детей. Но именно это и нравилось в ней Питеру.

— Она должна бы быть нам благодарна за то, что мы на недельку-другую снимем с нее заботы о детях, — сказал Уотерс Питеру, сменяющему его на наблюдательном посту. — Боже мой! Эта женщина никуда без них не выходит!

— Это заслуживает восхищения, — сказал Питер. Его самого это восхищало, но Карлтона Уотерса — нет.

— Неудивительно, что ее муж умер. Бедняга, должно быть, скончался от скуки, — пробормотал Карлтон. Он считал слежку самой утомительной частью работы, тогда как Питер обожал наблюдать за ней.

— Возможно, до того как она овдовела, она чаще выходила из дома, — предположил Питер, а Уотерс только пожал плечами и, уступив место в машине Питеру, отправился на автобусную остановку, чтобы вернуться в Модесто.

Он был рад тому, что период наблюдения почти закончился и можно будет перейти к делу. Ему не терпелось получить денежки. Эдисон сдержал слово. Он, Старк и Фри получили по сто тысяч долларов каждый. Деньги были уложены в чемоданы и оставлены в камере хранения на автобусном терминале в Модесто. Когда они отправятся в Тахо, то возьмут деньги с собой. Все было готово. Часы отсчитывали время, оставшееся до похищения.

Пока все шло в соответствии с разработанным графиком, и Питер заверил Эдисона в том, что и дальше сбоев не будет. Но первая проблема неожиданно возникла не по их вине, а со стороны самого Эдисона. Когда он сидел за своим письменным столом и диктовал что-то секретарше, вошли двое людей, которые предъявили ему удостоверения сотрудников ФБР и сказали, что он арестован. Секретарша, вся в слезах, выскочила из комнаты, и никто ее не остановил, но Филипп взглянул на них, презрительно скривив губы.

— Что за шутки вы себе позволяете? — спокойно спросил он, подумав, что этот визит как-то связан с его лабораториями, производящими кристаллический наркотик. Если это так, то его подпольная деятельность впервые пересеклась с его законным бизнесом. Мужчины, все еще державшие в руках удостоверения, были не в полицейской форме, а в клетчатых рубашках и джинсах. Один был, видимо, испанцем, другой — афроамериканцем, и Филипп понятия не имел, что им было нужно. Насколько он знал, в его наркобизнесе все шло гладко. Все было законспирировано так тщательно, что ничто не могло вывести на него, и управляли этими цепочками люди, компетентные во всех отношениях.

— Вы арестованы, Эдисон, — повторил человек испанской внешности, и Филипп Эдисон расхохотался.

— Не смешите меня. Лучше скажите, за что, — спросил он, не проявляя ни малейших признаков беспокойства.

— Очевидно, за какие-то махинации с переброской за границы штата крупных сумм денег. Похоже, вы занимались отмыванием денег, — объяснил испанец, чувствуя себя довольно неловко.

В то утро оба сотрудника осуществляли тайное наблюдение за объектом в связи с другим делом и не успели переодеться, когда их срочно отправили в офис Эдисона. Столкнувшись с таким безразличием с его стороны, они почувствовали себя довольно глупо в этой одежде, как будто если бы они выглядели более официально, то смогли бы испугать его или по меньшей мере произвести на него впечатление. А теперь вот Эдисон просто сидел и потешался над ними, словно они были дурно воспитанными мальчишками.

— Уверен, что мои адвокаты сумели бы разобраться в этом, чтобы избавить вас от необходимости арестовывать меня. Не желает ли кто-нибудь из вас чашечку кофе?

— Нет, спасибо, — вежливо ответил чернокожий.

Оба они были молодыми сотрудниками. Следователь по особо важным делам предупредил их, чтобы они остерегались недооценивать Эдисона, от которого можно ожидать любых неожиданностей. Молодые сотрудники истолковали его слова по-своему: они решили, что он, наверное, вооружен и опасен. А это, как оказалось, явно не соответствовало действительности.

Молодой испанец зачитал ему его права, и Филипп понял, что они не полицейские, а сотрудники ФБР. Это его несколько встревожило, хотя он не подал виду. По правде говоря, для ареста пока не было достаточных оснований, но начальство этих молодых сотрудников надеялось, что в ходе расследования всплывут дополнительные факты и основания появятся. Они давненько следили за ним. Они понимали, что здесь не все чисто, только пока не знали, что именно, а поэтому пользовались тем, что имели.

— Я уверен, что здесь какая-то ошибка, офицер... гм... я хотел сказать, господин следователь по особо важным делам, — с запинкой сказал Эдисон. Даже это звание звучало, на его взгляд, как-то глупо, как будто они играли в «сыщиков и воров».

— Возможно, но мы тем не менее должны доставить вас в управление. Вы арестованы, мистер Эдисон. Вам надеть наручники или вы пойдете добровольно?

Филиппу совсем не хотелось, чтобы его выводили из его офиса в наручниках. Он встал, сердито взглянув на них. Ситуация больше не казалась ему забавной. Как бы молоды ни были эти два агента ФБР, дело свое они, несомненно, знали.

— Вы хоть соображаете, что делаете? Вы понимаете, какой иск я вам вчиню за незаконный арест и диффамацию? — рассвирепел вдруг Филипп.

Насколько ему было известно, у них не было абсолютно никаких оснований для ареста. Во всяком случае, не было таких оснований, о которых бы они знали.

— Мы всего лишь выполняем нашу работу, сэр, — вежливо сказал чернокожий сотрудник ФБР по фамилии Прайс. — А теперь не проследуете ли с нами, сэр?

— Как только позвоню своему адвокату. — Он набрал номер телефона своего адвоката, а оба сотрудника ФБР стояли по другую сторону письменного стола и ждали.

Филипп рассказал, что произошло. Адвокат пообещал встретить Филиппа в управлении ФБР через полчаса и посоветовал ему спокойно отправляться с двумя сотрудниками. Им потребовалось не менее получаса, чтобы добраться из Сан-Матео до города. Ордер на арест Филиппа был выдан Генеральным прокурором США. В официальном обвинении указывалось уклонение от уплаты налогов на какую-то смехотворную сумму. Только этого Филиппу не хватало

— Через три дня я уезжаю в Европу, — сказал он, возмущенно поглядывая на сопровождавших его из офиса молодых людей.

Его секретарша куда-то исчезла, но по лицам людей, наблюдавших, как он уходит, он понял, что она успела растрезвонить о случившемся всем и каждому. Филипп был в ярости.

Когда он пришел в управление ФБР и его приветствовал следователь по особо важным делам Холмквист, Филипп рассвирепел еще больше. Он находился под следствием и обвинялся в уклонении от уплаты налогов, умышленном обмане налоговых органов и незаконной переброске денег через границы штата. Это было весьма тяжелое обвинение, и они не собирались облегчать положение. Потом прибыл его адвокат, который посоветовал Филиппу оказывать следователю всяческое сотрудничество. Официальное обвинение было предъявлено ему Генеральным прокурором США, а проведение расследования поручено ФБР. Его попросили зайти в какую-то комнату вместе с его адвокатом и следователем Холмквистом, которого, как видно, ничуть не позабавил, но и не испугал величественный вид Филиппа. Его заверения в своей невиновности и его возмущение также не произвели на него впечатления. По правде говоря, в Филиппе Эдисоне не было ничего, что нравилось бы следователю Холмквисту, тем более ему не нравилось снисходительное обращение с его сотрудниками.

Следователь Рик Холмквист предоставил возможность адвокату посовещаться со своим клиентом, а после этого он в течение трех часов допрашивал Филиппа и был весьма не удовлетворен его ответами. Холмквист подписал ордер на обыск его офисов, который уже шел полным ходом, пока они разговаривали. Федеральный судья подписал ордер на обыск, затребованный Генеральным прокурором США, так как возник целый ряд серьезных вопросов относительно легитимности бизнеса Эдисона и подозрения в том, что он, возможно, отмывает деньги, причем, возможно, даже в суммах, составляющих многие миллионы. Как обычно, платный информатор сообщил им ценные сведения, и Филиппа чуть кондрашка не хватила, когда он услышал, что в этот самый момент полдюжины сотрудников ФБР ведут обыск в его офисе.

— Сделайте же что-нибудь! Это возмутительно! — орал он своему адвокату, который покачал головой и объяснил ему, что если имеется ордер на обыск, а судя по всему, таковой имеется, то он бессилен его остановить.

— В пятницу я уезжаю в Европу, — сказал он им, как будто ожидал, что они отложат расследование до его возвращения из отпуска.

— Это мы еще посмотрим, мистер Эдисон, — вежливо сказал Холмквист. Ему и раньше приходилось иметь дело с подобными типами, и они всегда производили на него крайне неприятное впечатление. По правде говоря, он всякий раз, когда появлялась такая возможность, обожал поиграть с ними, как кошка с мышью. И у него было твердое намерение помучить Филиппа — естественно, после того как они зарегистрируют его как подозреваемого. Холмквист понимал, что, какую бы сумму залога они за него ни назначили, Филипп, учитывая размеры его состояния, окажется на свободе в считанные минуты. Но пока сумма залога не назначена, у него будет полная возможность допросить Филиппа.

Холмквист допрашивал его до конца рабочего дня. После этого Эдисона официально зарегистрировали и сообщили, что время позднее и федеральный судья не успеет назначить сумму залога. Поэтому ему придется провести ночь в тюрьме, и он сможет быть освобожден только после завтрашнего утреннего заседания, на котором и будет назначена сумма залога.

Филипп Эдисон был вне себя от ярости, и его адвокат не смог ничем ему помочь. Эдисон пока не имел четкого представления о том, чем было вызвано расследование. Судя по всему, речь шла о расхождениях между дебетовыми списаниями со счетов и депонированием средств, а также о переброске денег за пределы штата, в частности в один банк в Неваде, где у него имелся счет на другое имя. Правительству было желательно знать, зачем и что именно он делает с этими деньгами и каков их источник. Он уже понял, что все это не имеет никакого отношения к его лабораториям, производящим кристаллический наркотик. Все деньги, на которые осуществлялось это производство, поступали со счета, который он открыл на чужое имя в банке Мехико, а выручка перечислялась на несколько номерных счетов в Швейцарии. По-видимому, дело и впрямь сводилось к уклонению от уплаты налогов. Следователь Холмквист сказал, что за последние несколько месяцев на банковский счет в Неваде поступало и снималось с него более одиннадцати миллионов долларов, причем главным образом снималось, и, насколько им известно, он не уплатил налоги ни с этой суммы, ни с процентов. Филипп продолжал демонстрировать полное безразличие к происходящему даже тогда, когда его поместили на ночь в камеру, хотя, уходя, бросил взбешенный взгляд на Холмквиста и на своего адвоката.

После этого Холмквист встретился с сотрудниками, которые производили обыск в его офисах, но ничего особенного там не обнаружили. Они облазили компьютеры и файлы в поисках каких-нибудь улик, которые могли бы быть использованы против него. Они вскрыли ящики его письменного стола и нашли в одном из них заряженный пистолет, несколько папок с личными бумагами, а также четыреста тысяч долларов наличными, что показалось Холмквисту весьма интересным фактом. Такая сумма наличными, хранящаяся в ящике стола, была великовата для обычного бизнесмена, а разрешения на ношение оружия, судя по всему, у него не было. Они привезли в двух коробках все, что обнаружили в ящиках стола Филиппа, и один из сотрудников передал их Холмквисту.

— И что, по-вашему, я должен с этим делать? — спросил у них Рик Холмквист. Тот, который передал ему коробки, сказал, что они подумали, что, возможно, ему захочется самому просмотреть их содержимое. Рик хотел было приказать им приобщить коробки к прочим вещественным доказательствам, но потом передумал и унес коробки в свой кабинет

Пистолет лежал в пластиковом пакете для вещественных доказательств. Было там еще несколько пластмассовых конвертов с небольшими клочками бумаги в них, и, сам не зная почему, Рик принялся просматривать их. Среди них были записки с именами и номерами телефонов. На двух из них он заметил имя Питера Моргана, хотя номера телефонов были разные Он уже наполовину просмотрел содержимое второй коробки, когда обнаружил досье на Аллана Барнса, охватывавшее три года его карьеры, которое по толщине могло соперничать с телефонной книгой Сан-Франциско. Холмквисту показалось странным, что в столе хранилось подобное досье, и он отложил его в сторону. Он хотел спросить об этом Эдисона. В папке было несколько фотографий Барнса из старых журнальных и газетных статей и даже одна фотография Барнса с женой и детьми. Можно было предположить, что Эдисон одержим Барнсом или даже завидует ему. Остальное содержимое коробок не представляло для Рика никакого интереса. Однако, возможно, могло заинтересовать офис Генерального прокурора США. Для того чтобы отпереть ящики стола, им пришлось воспользоваться отмычкой, и его сотрудники заверили его, что, когда они уходили, в ящиках стола ничего не осталось. Они все принесли с собой, изъяв в качестве вещественного доказательства даже его сотовый телефон, который он забыл захватить с собой.

— Если в нем есть устройство, фиксирующее номера телефонов, не забудьте их тоже записать.

— Уже сделано, — улыбнувшись, сказал один из сотрудников.

— Есть что-нибудь интересное?

— Когда мы просматривали содержимое ящиков стола, позвонил какой-то парень по имени Питер Морган, но, когда я сказал, что я из ФБР, он сразу же повесил трубку. – Сотрудник рассмеялся. Рассмеялся и Холмквист.

— Еще бы! — сказал он.

Но имя вновь привлекло его внимание. Это имя и номер телефона были записаны на двух клочках бумаги, изъятых из стола Эдисона, причем совершенно очевидно, что они общались регулярно, если он позвонил непосредственно Филиппу. Может быть, в этом ничего не было, но интуиция подсказывала ему, что надо обратить внимание на это имя И он почему-то его запомнил.

В тот вечер Рик Холмквист ушел с работы только в восьмом часу. Филипп Эдисон был оставлен на ночь в камере предварительного заключения. Его адвокат перестал наконец утомлять их просьбами сделать исключение и отпустить его и отбыл восвояси. Большинство сотрудников к тому времени разошлись по домам. Подружки Рика не было в городе, и по дороге домой он решил позвонить Теду Ли. Они были близкими друзьями с тех пор, как вместе учились в полицейской академии, а потом в течение пятнадцати лет были напарниками.

Рик всегда мечтал работать в ФБР, а предельный возраст для приема туда на службу составлял тридцать пять лет. Он едва успел поступить туда в возрасте тридцати трех лет. К настоящему времени он уже четырнадцать лет проработал следователем по особо важным делам. Ему оставалось шесть до выхода в отставку в возрасте пятидесяти трех лет после двадцати лет службы в ФБР. Тед любил напомнить, что ему остался всего год до выхода в отставку после тридцати лет службы в полиции, однако ни тот ни другой в отставку пока не собирались. Они оба любили свое дело, причем Тед даже больше, чем Рик. Многое из того, что делал Рик в ФБР, сводилось к нудной канцелярской работе, а она была ему не по душе. Бывали моменты, как, например, сегодня, когда он хотел бы по-прежнему работать вместе с Тедом в Полицейском департаменте Сан-Франциско. Он терпеть не мог таких людей, как Эдисон. Они отнимали у него время, их ложь была менее убедительной, чем им самим казалось, а их поведение было омерзительным.

Тед с первого звонка ответил по своему сотовому телефону и улыбнулся, услышав голос Рика. Они свято соблюдали традицию еженедельно обедать или ужинать вместе и не изменяли ей в течение последних четырнадцати лет. Это был лучший способ не потерять друг друга из виду.

— Ты что? Скучаешь? — поддразнил Теда Рик. — Уж слишком быстро ты взял телефонную трубку. Наверное, в деловой части города мертвая тишина?

— Сегодня все спокойно, — признался Тед. Иногда было неплохо обойтись без происшествий. Тем более что сегодня его напарник Джефф Стоун заболел. — А у тебя как дела? — Тед разговаривал, положив ноги на стол. Он писал отчет о грабеже, случившемся позавчера. Но в остальном Рик был прав. Ему было скучно.

— У меня был один из таких дней, когда я удивляюсь, зачем покинул полицию. Я как раз собирался уходить. Сегодня я перелопатил столько бумаги, что твой принтер. Мы арестовали одного мерзавца за уклонение от уплаты налогов и отмывание денег. Невероятно самоуверенный тип.

— Может, я его знаю? Нам с такими тоже приходится сталкиваться.

— Только не с такими. По мне, так уж лучше иметь дело с насильником или грабителем, пусть даже вооруженным. Может, ты слышал о нем. Это Филипп Эдисон, глава целого ряда корпораций и один из столпов общества. Его бизнес охватывает более двух сотен различных областей, и все это, возможно, служит лишь прикрытием для того, чтобы уйти от уплаты налогов.

— Видно, это птица высокого полета, — заметил Тед. Его всегда удивляло, если таких людей арестовывали, но иногда такое случалось. — Что ты с ним сделал? Наверное, отпустил под залог? — поддразнил Тед Рика.

У подозреваемых вроде этого типа обычно имелся целый батальон адвокатов или один, но очень хороший. Очень немногие из людей, которых арестовывал Рик, рисковали сбежать, будучи отпущенными под залог, кроме парней, которые перевозили оружие или наркотики через границы штата.

— Он сегодня отдохнет в тюрьме. К тому времени как закончился допрос, судьи уже разошлись и некому было назначить сумму залога. — Рик рассмеялся, Тед тоже усмехнулся. Ирония судьбы, заставившая такого человека, как Эдисон, провести ночь в тюрьме, позабавила их обоих.

— Пег уехала в Нью-Йорк к сестре. Не хочешь чего-нибудь перекусить? Я слишком устал, чтобы готовить ужин, — сказал Рик.

Тед взглянул на часы. Времени еще немного, и, кроме отчетов о грабеже, других дел у него не было. При нем были «пикалка», радиотелефон и сотовый телефон, так что, если он кому-нибудь потребуется, его смогут найти и он сразу же вернется. Не было никаких причин отказываться от ужина с Риком.

— Встретимся у «Гарри» через десять минут, — предложил Тед их излюбленное местечко. Там кормили гамбургерами, и они ходили туда много лет. Их усаживали за столик в глубине зала, где они могли спокойно поговорить. К этому времени в зале было всего несколько припозднившихся посетителей. Самый большой наплыв посетителей в баре был вечером.

Когда пришел Тед, Рик был уже там, наслаждаясь кружкой пива. Он закончил работу, так что мог выпить. Тед не стал пить. Когда он работал, ему нужен незатуманенный разум.

— Выглядишь дерьмово, — усмехнувшись, сказал Тед, хотя Рик выглядел хорошо — просто устал. Он уже отработал долгий рабочий день, а смена Теда только еще начиналась.

— Спасибо, ты тоже, — комплиментом на комплимент ответил Рик. Они уселись за угловой столик и заказали два бифштекса. К тому времени было почти восемь часов. Тед был на дежурстве до полуночи. Они ели бифштексы и болтали о работе до половины десятого. Потом Рик что-то вспомнил.

— Послушай, сделай мне одолжение. Возможно, за этим ничего не кроется, но меня мучает одно из моих дурацких предчувствий. Со мной это иногда случается. Чаще всего оказывается, что это полная чушь, но время от времени предчувствия не обманывают. Сегодня в ящике стола этого типа нашли два клочка бумаги с написанным там именем. Не знаю почему, но это привлекло мое внимание. Тот факт, что имя встретилось дважды, подсказал мне, что это неспроста.

— Только без мистики, — сказал Тед. Рик с глубоким уважением относился к собственной интуиции и иногда оказывался прав. Это случалось не так часто, чтобы Тед стал полностью доверять ей. — Говори, что за имя. Я посмотрю в картотеке, когда вернусь на рабочее место. Если хочешь, можешь пойти со мной.

Они могли узнать, арестовывался ли этот человек и не отбывал ли он срок тюремного заключения.

— Пожалуй. Я побуду где-нибудь рядом, пока ты будешь проверять. Не люблю возвращаться домой, когда Пег уехала. Это плохо, Тед. Я, кажется, к ней привыкаю.

Он говорил это довольно встревоженно. В течение нескольких лет после развода ему удавалось оставаться холостяком, и его это вполне устраивало. Но за последнее время он не раз говорил Теду, что с Пег у него все по-другому. Они даже иногда поговаривали о женитьбе.

— Я тебе говорил, что в конце концов ты женишься на ней. Помяни мое слово, так оно и будет. Она хорошая женщина. Могло быть гораздо хуже, — сказал Тед.

Нередко так и бывало. У Рика была слабость к безнравственным женщинам. А эта такой не была.

— Она говорит то же самое, — усмехнулся Рик. Он оплатил чек, потому что была его очередь, и они вдвоем направились в кабинет Теда.

Рик написал имя и оба номера телефона и передал листок Теду. Он уже проверил, не предъявлялись ли ему обвинения на федеральном уровне, но ничего не обнаружил. Однако иногда то, чего не было у федералов, имелось на уровне штата.

Когда они пришли в кабинет Теда, он запустил данные в компьютер и налил по чашке кофе. Пока они ждали результатов, Рик в самых восторженных выражениях рассказывал о Пег. Тед рад был слышать, что Рик так серьезно к ней относится. Будучи человеком женатым, Тед считал, что каждому следует жениться. А Рику слишком долго удавалось избегать брачных уз.

Они еще не допили кофе, когда компьютер выдал им ответ. Тед взглянул на распечатку, удивленно приподнял брови и передал ее Рику.

— У твоего уклоняемого от налогов типа весьма интересные приятели. Морган всего шесть недель назад освободился из Пеликан-Бей. Он освобожден условно и находится в Сан-Франциско.

— За что он отбывал срок? — Рик взял распечатку и тщательно прочел ее. Там были перечислены все обвинения, предъявленные Питеру Моргану, а также имя его уполномоченного по условному освобождению и адрес общежития в районе Миссии. — Как ты думаешь, что может быть общего у этого самодовольного мистера Фу-Ты Ну-Ты с таким парнем? — произнес Рик скорее для себя, чем для Теда. — Вот вам и еще одна головоломка.

— Трудно сказать. Может быть, этот парень знал его до того, как попал в тюрьму, а теперь, выйдя на свободу, позвонил ему. Может быть, они приятели, — сказал Тед, наливая по второй чашечке кофе.

— Может, и так, — сказал Рик, поглядывая на Теда. Что-то вертелось у него в голове, не давая ему покоя. — В его столе оказалось много странных вещей. Например, заряженный пистолет и четыреста тысяч баксов наличными — как видно, на карманные расходы. А еще досье на одного мужика по имени Аллан Барнс толщиной примерно в три дюйма. Там есть даже фотография жены и детишек Барнса.

На этот раз Тед как-то странно посмотрел на него.

— Интересное совпадение. Я познакомился с ними около месяца назад. Славные ребятишки.

— Можешь не рассказывать. Я видел фотографию. Она тоже очень хороша собой. Каким ветром тебя к ней занесло? — Рик хорошо знал, кто они такие.

Об Аллане Барнсе довольно часто писали на первых страницах газет, восхваляли его предпринимательский гений, позволивший достичь головокружительного успеха. В отличие от Эдисона он не выставлял себя напоказ, появляясь на премьере новой симфонии, чтобы потом его имя мелькнуло в разделе светской хроники. Аллан Барнс был человеком совершенно другой породы, и в связи с его именем никогда не появлялось никаких слухов о каких-либо темных делишках. Судя по всему, он до конца оставался честным бизнесменом. Ничего другого о нем ни Рику, ни Теду не приходилось читать. В связи с его бизнесом никогда не возникало вопроса об уклонении от уплаты налогов, и Рик удивился, услышав, что Тед встречался с его вдовой. Довольно странно, что Теду по службе пришлось встретиться с такими людьми.

— На их улице взорвали автомашину, — объяснил Тед.

— Где они живут? Неужели в Хантерс-Пойнт*?

— Не умничай. Они живут в Пасифик-Хейтс. Примерно через четыре дня после того, как вышел из тюрьмы Карлтон Уотерс, кто-то взорвал машину судьи Макинтайра. — Тут Тед как-то странно посмотрел на Рика. Его тоже что-то насторожило. — Дай-ка мне еще разок взглянуть на распечатку. — Рик протянул ему распечатку, и Тед перечитал текст. Питер Морган тоже отбывал срок в Пеликан-Бей и вышел на свободу в одно время с Карлтоном Уотерсом. — Опять какая-то мистика. Если Уотерс сидел в Пеликан-Бей, то,

* Район злачных мест в Сан-Франциско.

возможно, эти два парня знали друг друга. Не было ли в столе у твоего типа еще бумажки с именем Уотерса? — спросил Тед. Это, конечно, было бы уж слишком большим совпадением.

Рик покачал головой.

Тед взглянул на дату освобождения Питера Моргана и ввел что-то еще в компьютер. Получив ответ, он взглянул на приятеля.

— Уотерс и Морган освободились из тюрьмы в один и тот же день.

Наверное, это ничего не означало, но совпадение было, несомненно, весьма интересным.

— Мне не хотелось бы огорчать тебя, но, это, наверное, ничего не значит, — разумно заметил Рик.

Тед понимал, что он, по всей вероятности, прав. Копу не следует соблазняться совпадениями. В кои-то веки они могли дать результаты, но чаще всего не приводили ни к чему.

— Так что было дальше в связи со взрывом машины?

— Ничего. Пока нет никаких результатов. Я съездил к Уотерсу в Модесто — просто для того, чтобы он знал, что мы с него глаз не спускаем. Не думаю, что он имел к этому какое-нибудь отношение. Он не так глуп.

— Это еще неизвестно. Случаются и более странные вещи. Ты не покопался в компьютере, чтобы узнать, не вышли ли из тюрьмы в ближайшее время еще какие-нибудь «поклонники» этого судьи?

Но, зная Теда, Рик был уверен, что он это уже сделал. Другого столь же скрупулезного и упорного в работе человека Рик не встречал. Он не раз жалел, что не уговорил в свое время Теда перейти вместе с ним на работу в ФБР. Некоторые люди, с которыми приходилось работать там Рику, выводили его из себя. И он все еще скучал по совместной работе с Тедом. Они частенько обменивались информацией и советовались друг с другом в сложных случаях. Не раз, а вернее, много раз им удавалось совместными усилиями распутать какое-нибудь сложное хитросплетение. И даже теперь, как это было сегодня, они, прислушиваясь друг к другу, как к камертону, проверяли свои догадки, и это всегда им помогало.

— Ты так и не сказал мне, какое отношение вдова Барнса имеет к взрыву машины. Надеюсь, ты ее не подозреваешь? — улыбнувшись, спросил Рик, и Тед, оценив шутку, покачал головой.

Они обожали поддразнивать друг друга.

— Она живет в том же квартале, что и судья Макинтайр. Один из ее детишек смотрел из окна, и я на следующий день показал ему фотографию Уотерса. Безрезультатно. Он не узнал его. Нам ничего не удалось обнаружить. Никаких зацепок.

— Надеюсь, она не является «зацепкой», — снова поддразнил его Рик, бросив на Теда многозначительный взгляд.

Он очень любил поддразнивать Теда. Тед не оставался в долгу, подтрунивая над ним насчет Пег. За многие годы она была первой женщиной, которой Рик увлекся так серьезно. Возможно, даже единственной за всю жизнь. Тед не разбирался в таких вещах. Он был верен Шерли с тех пор, как они были подростками, и Рик не раз говорил, что он ненормальный. Тем не менее он восхищался этим его качеством, хотя, исходя из того, что говорил и о чем умалчивал Тед, догадывался, что их брак уже не такой, каким был раньше. Но они по крайней мере все еще были вместе и по-своему любили друг друга. Вряд ли можно ожидать, что после двадцати восьми лет совместной жизни отношения между супругами останутся такими же волнующими. Вот и их отношения пылкими больше не были.

— Я ничего о ней не говорил, — напомнил Тед. — Я сказал, что ребятишки славные.

— Значит, насколько я понимаю, у тебя нет подозреваемого во взрыве машины? — произнес Рик, и Тед покачал головой.

— Ни одного. Хотя увидеть Уотерса было интересно. Крутой тип. Но похоже, старается вести себя хорошо. По крайней мере пока. Он не очень обрадовался моему визиту.

— Крутое дерьмо, — грубо сказал Рик.

К освобожденным из тюрьмы преступникам он не испытывал уважения. Он знал, что это за тип, и то, что он о нем читал, ему не нравилось.

— Вот и я о нем такого же мнения, — сказал Тед, и Рик снова взглянул на него.

Что-то его беспокоило. Он никак не мог уловить связь между Питером Морганом и Филиппом Эдисоном. И тот факт, что Карлтон Уотерс освободился из тюрьмы в тот же день, что и Морган, возможно, ничего не означает. Но ему вдруг пришло в голову, что не помешало бы к нему заглянуть. Тем более что Питер Морган, как условно освобожденный, находился под юрисдикцией Теда.

— Не окажешь ли мне услугу? У меня нет оснований посылать к Моргану одного из моих парней. Не мог бы ты завтра направить кого-нибудь в общежитие Моргана? Он условно освобожденный, и тебе не нужен ордер на обыск его пожитков. Тебе даже не нужно согласовывать это с его уполномоченным по условному освобождению. Ты можешь произвести обыск, когда тебе будет угодно. Я просто хочу узнать, нет ли у него чего-нибудь такого, что связывало бы его с Эдисоном или с каким-нибудь другим типом, представляющим для нас интерес. Не знаю почему, но меня к этому парню тянет, как пчелу к меду.

— О Господи! Только не говори мне, что работа в ФБР заставила тебя стать геем! — рассмеялся Тед. Но выполнить его просьбу согласился. Он с немалым уважением относился к интуиции Рика. Раньше она не раз помогала им обоим. Может быть, поможет и на этот раз. — Я побываю там завтра с утра, и если что-нибудь обнаружу, позвоню тебе, — пообещал Тед. Утром у него не было других дел, и, если повезет, Моргана в общежитии уже не будет, что существенно облегчит обыск.

— Спасибо огромное, — поблагодарил Рик и, взяв распечатку с данными Моргана, сложил ее и сунул в карман. Она может пригодиться потом, особенно если завтра Теду удастся найти что-нибудь в общежитии.

Но единственным, что нашел Тед, когда пришел в общежитие, был его новый адрес. Человек за конторкой сказал ему, что Морган съехал. Уполномоченный Питера, очевидно, не удосужился занести в компьютер его новый адрес, что было небрежностью, но все они были сильно перегружены работой. Взглянув на адрес, Тед увидел, что это гостиница в Злачном квартале, и отправился туда, твердо намеренный выполнить обещание, данное вчера Рику. Дежурный администратор сказал ему, что Морган вышел. Тед показал ему свою звезду и попросил дать ключ. Администратор поинтересовался, не натворил ли чего-нибудь постоялец, но Тед сказал, что это обычная проверка условно освобожденного, и администратор успокоился. Такие постояльцы останавливались здесь и раньше. Он пожал плечами и протянул Теду ключ. Тед поднялся по лестнице.

Комната была обставлена самой необходимой мебелью и выглядела опрятно. Одежда, висевшая в стенном шкафу, была новой. Бумаги на столе были аккуратно сложены. Ничего примечательного в комнате не было. Ни наркотиков, ни оружия, ни контрабандных товаров. Морган даже не курил. На столе лежала записная книжка, перетянутая резинкой. Тед перелистал ее и под буквой «Э» обнаружил адрес и номер телефона Эдисона. Обыскивая ящик стола, Тед наткнулся на два клочка бумаги. Прочитав, что на них написано, он замер на месте. На одном был записан номер телефона Карлтона Уотерса в Модесто, а написанное на другой заставило его похолодеть от ужаса. Там был записан адрес Фернанды. Ни номера телефона, ни имени — только адрес, но он и без имени сразу же узнал его. Он захлопнул книжку, снова надел на нее резинку, закрыл ящик стола и, последний раз окинув взглядом комнату, вышел за дверь. Сев в свою машину, он сразу же позвонил Рику.

— Я что-то учуял. Пока не знаю, что именно. Но подозреваю, что это что-то важное.

Тед был явно обеспокоен. Зачем у такого парня, как Морган, записан адрес Фернанды? Как он связан с Уотерсом? Или они просто познакомились в тюрьме? Но если так, то зачем ему записывать номер телефона Уотерса в Модесто? И зачем понадобился Эдисону номер телефона Моргана? Почему у Моргана есть номер телефона Эдисона? Зачем Эдисону досье на Аллана Барнса толщиной в три дюйма, а также фотография Фернанды и детишек? Неожиданно оказалось, что вопросов слишком много, а ответов на них — мало. А тут еще двое заключенных, один из которых был осужден за убийство, освобождаются из тюрьмы в один и тот же день. Не слишком ли много совпадений? Рик услышал в голосе друга то, чего не слышал многие годы. Тед был в панике и сам не знал почему.

— Я только что был в комнате Моргана, — продолжал он. — Он больше не живет в общежитии. Он обитает в гостинице в Злачном квартале, и его стенной шкаф полон новенькой одежды. Я собираюсь позвонить его уполномоченному и узнать, устроился ли он на работу.

— Как ты думаешь, откуда он знает Эдисона? — поинтересовался Рик.

Он только что вернулся с судебного заседания, где была назначена сумма залога: двести пятьдесят тысяч долларов. Заплатить такую сумму для Моргана — раз плюнуть. Так что можно считать, что он вышел сухим из воды. Судья разрешил ему через два дня отбыть с семьей в Европу. Федеральное расследование все еще продолжается, но его адвокат сказал, что оно может продолжаться и в его отсутствие, потому что это проблема не его, а ФБР, и судья признал, что у них нет причин сомневаться в том, что Эдисон через четыре недели вернется в Сан-Франциско. Ему надо управлять империей. Рик сам видел, как Эдисон уезжал вместе со своим адвокатом. Услышав, что обнаружил Тед в комнате Моргана, он был заинтригован.

— Может быть, они старые друзья. Имя и номер телефона Эдисона в записной книжке написаны давно, — объяснил Тед.

Но при чем тут номер телефона Карла Уотерса в Модесто? И адрес Фернанды Барнс на клочке бумаги? Номера телефона нет, только адрес. Почему?

— Почему? — словно эхо, повторил это слово Рик, хотя Тед не произносил этого слова вслух.

— Вот и я о том же. Мне все это не нравится, и я даже не смог бы объяснить почему. Что-то затевается, я это чую нутром, но не знаю, что именно. — Он чуть помедлил. — Можно, я зайду взглянуть на досье Барнса, которое вы нашли у Эдисона? И сделай мне еще одно одолжение, — сказал Тед, поворачивая ключ зажигания.

Он решил сразу же отправиться в офис Рика и посмотреть не только досье, но и все остальное, что имелось у Рика. Теперь все это его очень интересовало. Он понятия не имел, каким образом связана с этим Фернанда, но интуиция подсказывала ему, что она оказалась в центре какой-то интриги. Тед пока не знал, в чем заключалась интрига и кто в ней участвовал. Почему оказалась втянутой Фернанда, он тоже не знал. Может быть, он найдет ответ в этом досье.

— О каком одолжении ты говорил? — напомнил ему Рик.

Тед казался очень рассеянным. Так и было на самом деле. Он пытался сложить отдельные кусочки головоломки, но пока ничего не получалось. Морган. Уотерс. Эдисон. Фернанда. Взрыв машины. Никакой видимой связи между ними не прослеживалось. Пока.

— Проверь для меня финансовое положение Эдисона. Копни как можно глубже и посмотри, что обнаружишь, — попросил Тед, трогая автомобиль с места. Он знал, что Рик все равно этим займется, но теперь Теду не терпелось получить сведения как можно скорее и по возможности самые подробные.

— Это мы уже проверили, правда, пока лишь поверхностно. Поэтому его вчера и арестовали. Есть там что-то подозрительное в Неваде. Какие-то неуплаченные налоги. Через границы штата курсируют в обе стороны огромные суммы денег.

В Неваде не приходилось платить налог в казну штата, так что это был настоящий рай для таких, как Эдисон, у которых на руках имелись деньги, нажитые незаконным путем.

— Боюсь, что на этот раз ему удастся отделаться самое большее крупным штрафом. Не думаю, что ему грозит тюремное заключение. Тем более что у него хорошие адвокаты, — сказал с явным разочарованием Рик. — Но мы продолжаем проверку.

Оба они знали, что на это требуется время.

— Я хочу сказать, что нужно поискать как следует. Закатать ковры. Если нужно, приподнять днище машины.

— В буквальном смысле? — изумился Рик. Он не мог понять, что хотел найти Тед. Пока Тед и сам этого не знал. Но мощное шестое чувство подсказывало ему, что надо искать.

— Нет, не в буквальном смысле. Я просто хочу, чтобы его тщательно проверили. Я хочу знать, что за деньги у этого парня и нет ли у него каких-нибудь неприятностей. Направь на него луч прожектора. Найди все, что сможешь, сейчас. Что бы ты ни раскопал, сразу же дай мне знать.

Он понимал, что расследование может сильно затянуться, особенно если речь шла о деньгах и на карту не были поставлены человеческие жизни. Но в данном случае, возможно, под угрозой могли оказаться люди. А может быть, затевалось что-то еще.

— Буду у тебя через десять минут, — сказал он и, прибавив скорость, устремился к центру города.

— На это потребуется время, — извиняющимся тоном сказал Рик.

— Сколько? — с нетерпением спросил Тед.

— Пара часов. Может, день или два. Я постараюсь раздобыть тебе все, что смогу, сегодня.

Он собирался заставить своих сотрудников связаться с группой компьютерного анализа в Вашингтоне и с их информаторами из подпольной финансовой сети. Но на это потребуется время.

— Господи, ну и неторопливые у тебя парни работают! Сделай все, что сможешь. Я уже на полпути. Буду через пять минут.

— Дай мне только начать. Можешь почитать досье на Аллана Барнса, а мы постараемся покопаться и найти что-нибудь еще. Увидимся, — сказал Рик и повесил трубку.

Когда Тед входил в кабинет Рика, досье Барнса лежало на его столе, а трое сотрудников не отрываясь сидели за компьютерами, связывались с другими учреждениями и самыми надежными информаторами, чтобы узнать, нет ли у них дополнительной информации. Так или иначе, они все равно планировали провести эту работу в связи с Эдисоном. Он просто ускорил ее. Значительно. И три часа спустя, когда Тед и Рик беседовали, подкрепляясь сандвичами, появились результаты. Все три сотрудника одновременно вошли в кабинет и протянули стопку бумаг.

— Ну, каков результат? — спросил Рик, окидывая их взглядом.

Тед к тому времени закончил читать досье Барнса. Там не было ничего, кроме газетных статей и журнальных вырезок о победах и достижениях Аллана Барнса и фотографии Фернанды и ребятишек.

— У Эдисона тридцать миллионов долга. «Титаник» идет ко дну, — сказал один из сотрудников. Его самый надежный информатор оказался настоящей золотой жилой.

— Ну и ну! — удивился Рик и взглянул на Теда. — Ничего себе должок!

— Его холдинг-компания на грани банкротства, — пояснил другой сотрудник, — но пока ему удавалось скрывать это, хотя теперь это вот-вот станет достоянием гласности. Он осуществил ловкий трюк, достойный иллюзионистов из цирка братьев Ринглинг. Мы думаем, что он инвестировал в операции средства своих южноамериканских партнеров. Дело провалилось, он потерял деньги. Он стал заимствовать средства в других компаниях и, чтобы залатать дыры, влез в огромные долги. Кредиторы наседали на него и, чтобы покрыть самые неотложные долги, он не брезговал различными махинациями. Всплыли факты мошенничества с кредитными картами. Но как утверждает мой информатор, положение его настолько серьезно, что ему никогда не выпутаться. Чтобы удержаться на плаву, ему требуется огромная сумма денег, а ему никто не желает давать в долг. По словам другого моего информатора, он годами занимался отмыванием денег. Для этой цели была создана целая система в Неваде, а мы-то ломали головы, пытаясь догадаться, зачем она нужна. Если вы хотите знать, каково сейчас его положение, то я отвечу: он по уши в дерьме. А если вам требуется узнать, почему и каким образом так произошло и в чьи операции он вкладывал деньги, то для этого потребуется время. И придется задействовать значительно больше народу. Я вам дал черновой отчет. Еще многое предстоит проверить. Но можно с уверенностью сказать, что дела у него очень и очень плохи.

— Думаю, пока этого достаточно, — спокойно сказал Рик и поблагодарил всех сотрудников за оперативную работу. Как только они ушли, он повернулся к Теду: — Итак, что ты обо всем этом думаешь?

— Я думаю, что у нас имеется парень, который задолжал не менее тридцати миллионов долларов, а может быть, и того больше. Есть женщина, чей муж оставил ей примерно полмиллиарда долларов, если верить газетам, которым я лично не верю. Но даже если ее состояние составляет половину этой суммы, она является беззащитной жертвой вместе со своими тремя детишками. Мы имеем двух негодяев, совершивших тяжкие преступления, которые всего шесть недель назад были выпущены из тюрьмы и теперь разгуливают на свободе. Оба они каким-то образом связаны с Эдисоном и друг с другом. Мы имеем взрыв машины на той же улице, где живет наша беззащитная жертва. У меня нет сомнений в том, что она намечена жертвой, как и ее ребятишки. И знаешь что еще? Я думаю, что жертвой ее наметил Эдисон. Для этого ему и понадобилось заводить это досье. Конечно, к суду его за это привлечь невозможно, но я чувствую, что что-то затевается, и думаю, что Эдисон использовал Моргана для того, чтобы выйти на Уотерса. Возможно, они оба в деле, но может быть, и нет. Думаю, что Уотерс следил за ней, когда подложил взрывное устройство под машину судьи Макинтайра. Теперь я не сомневаюсь, что это его рук дело. Слишком уж невероятное совпадение, что они оказались соседями, проживающими на одной улице. Наверное, он решил, что если уж он все равно находится там, то у него есть возможность убить одним выстрелом двух зайцев. Почему бы и нет? Чистая случайность, что сынишка Барнсов не опознал его, и этому мерзавцу просто повезло. Я думаю, что мы здесь имеем дело с преступным сговором против Фернанды Барнс. Ты, конечно, можешь подумать, что я спятил, потому что у меня пока нет никаких доказательств, но я нутром чую, что прав.

С годами они оба научились доверять своей интуиции, и она их почти никогда не подводила. Более того, они научились доверять интуиции друг друга, как это сделал сейчас Рик. Все, что сказал ему только что Тед, имело для него смысл. В криминальном мире именно так размышляли люди и так делались дела. Но между пониманием того, что происходит, и возможностью доказать это лежала глубокая пропасть, через которую нужно было сделать головокружительный прыжок, и на это нередко требовалось много времени. Иногда время, которое требовалось для того, чтобы подтвердить догадку, могло стоить человеческих жизней. Если Тед прав, то в данном случае так оно и было. Сейчас же они могли опираться только на интуицию и ничем не могли помочь Фернанде, пока не будут предприняты какие-нибудь действия против нее или ребятишек. А у них существовали только догадки, основанные на интуиции.

— Какого рода преступный сговор? — с самым серьезным видом спросил Рик. Он верил всему, что было только что сказано Тедом. Слишком долго проработали они копами, чтобы полностью ошибаться. — Чтобы вымогать у нее деньги?

Тед покачал головой.

— Только не тогда, когда в этом замешан такой тип, как Уотерс. Речь идет не о «чистом» преступлении. Думаю, что она и ее дети являются потенциальными жертвами похищения. Эдисону позарез нужны тридцать миллионов долларов, причем нужны быстро. Ее состояние составляет пятьсот миллионов или около того. Мне не нравится, что эти факты так хорошо соответствуют друг другу. Не нравится и то, что в этом как-то замешан Уотерс. Но даже если он и не замешан, то это не меняет того факта, что у Эдисона имеется досье на Барнса размером с телефонный справочник Манхэттена. И фотография ее и детишек.

Рику это тоже не нравилось, но он вдруг вспомнил еще кое-что.

— Через два дня он уезжает в Европу. Зачем, черт возьми, он это делает, если обанкротился?

— Возможно, его жена не знает об этом. К тому же его отъезд из страны ничего не меняет — ведь он не собирается делать это своими руками. По-моему, это будет делать кто-то другой. Если его не будет в стране, когда все произойдет, то это обеспечит ему надежное алиби. По крайней мере могу поклясться, что он так думает. Если я прав, то возникает вопрос: кто будет это делать и когда, — сказал Тед.

Они пока еще не знали наверняка, что именно подразумевается под словом «это». Но что бы это ни означало, оба они были уверены, что ничего хорошего ждать не приходится.

— Ты собираешься задержать Моргана и побеседовать с ним? — с интересом спросил Рик. — Или Уотерса?

Тед покачал головой.

— Боюсь их спугнуть. Я хочу подождать и посмотреть, что они будут делать, и предупредить ее. Я обязан это сделать.

— Думаешь, тебе позволят направить парней для ее охраны?

— Возможно. Я собираюсь сегодня поговорить с шефом. Но сначала я хочу поговорить с ней. Может быть, она что-то видела или знает что-то такое, чего мы не знаем. Что-то такое, чего она и сама не знает, что знает.

Им обоим не раз приходилось с этим сталкиваться. Хотя Тед подозревал, что шеф может подумать, будто он спятил.

Раньше он положительно относился к тому, что подсказывала интуиция Теда, потому что подсказки эти чаще всего бывали правильными. Это было похоже на деньги, лежащие на счете в банке, и Тед был намерен сейчас ими воспользоваться. Он был абсолютно уверен в своей правоте. Рик тоже был уверен в том, что Тед прав. Он предложил бы ему в помощь сотрудников ФБР, но оснований для этого еще недостаточно. Пока это дело не выходило за рамки компетенции Полицейского департамента Сан-Франциско. Хотя на Эдисона было заведено дело, Рик не думал, что генеральный прокурор США позволит ему направить сотрудников для защиты семьи Барнсов, однако он намеревался в любом случае позвонить ему, чтобы держать в курсе дела. У них было слишком мало улик, чтобы выдвинуть против Эдисона обвинение в сговоре с целью похищения людей. Но Рик полагал, что это лишь дело времени. Тед поднялся с места, вид у него был испуганный. Он терпеть не мог подобные ситуации. Кто-нибудь непременно пострадает, если они не примут мер. Но какие это должны быть меры, он и сам еще не знал. Он хотел обсудить это с шефом, после того как поговорит с миссис Барнс. Уже собравшись уходить, он взглянул на Рика.

— Не хочешь пойти со мной? Просто так, ради интереса? Может, какие-нибудь новые мысли появятся после того, как мы с ней поговорим. Мне бы очень хотелось услышать твое мнение, — сказал Тед.

Рик кивнул и следом за ним вышел из кабинета.

За последние два дня работа граничила с безумием. Все началось с клочка бумаги в ящике письменного стола Эдисона с каким-то именем, нацарапанным на нем, и с досье на Аллана Барнса, которое вообще было лишено всякого смысла. Все было лишено смысла. Но мало-помалу картина начала проясняться. Рик и Тед слишком давно занимались распутыванием подобных ситуаций. И вместе, и поодиночке. Они знали, как работает мозг преступника. Надо было представить себе, как думает преступник, и все время на шаг опережать его. Тед надеялся, что сейчас они опережают мысли преступника.

Как только они с Риком сели в машину, Тед позвонил Фернанде по сотовому телефону. Рик предупредил своих в офисе, что уходит на пару часиков. Он скучал по совместной работе с Тедом. Он получал от нее удовольствие. Но сказать об этом Теду он не осмеливался. Тед сейчас был слишком встревожен, чтобы наслаждаться работой. Фернанда была дома и ответила по телефону, запыхавшись. Она объяснила, что упаковывает вещи сына, который уезжает в спортивный лагерь.

— Вы снова по поводу взрыва машины? — спросила она встревоженно.

Из трубки доносилась громкая музыка, так что он понял, что кто-то из детей дома. Тед надеялся, что они все дома. Ему не хотелось пугать их, но ее нужно было предупредить. Даже если это ее испугает, она должна быть предупреждена.

— Нет, непосредственного отношения мой визит к взрыву машины не имеет, — уклончиво сказал Тед. — Косвенно он с ним связан, но на самом деле речь пойдет совсем о другом.

Она сказала, что будет дома.

Тед припарковал машину на подъездной аллее и направился к входной двери, внимательно оглядываясь вокруг, нет ли где-нибудь Уотерса или Моргана, наблюдающих за ней с противоположной стороны улицы. Несмотря на такую возможность, он умышленно решил войти в дом, не скрываясь, через парадное. Питер Морган едва ли узнал бы его, а если бы даже он или Уотерс узнали, то Тед всегда был сторонником теории, согласно которой явное присутствие полиции в подобных обстоятельствах следует рассматривать как фактор устрашения. ФБР обычно предпочитало не лезть на глаза, что, как казалось Теду, ставило жертву в положение живой приманки.

Питер Морган видел, как они входили в дом. На мгновение ему показалось, что это копы, но потом он решил, что у него сдают нервы. Зачем бы копам появляться в ее доме? Видимо, из-за того, что назначенный день был теперь совсем близко, у него развилась паранойя. Он знал также, что накануне был арестован Эдисон, которому предъявили какие-то смехотворные обвинения в связи с неуплатой налогов. Эдисон сказал, что это его ничуть не беспокоит Планы относительно его поездки в Европу не нарушились, не изменились и их планы. Все было в полном порядке, и кем бы ни были двое мужчин, которые вошли в ее дом, Фернанда их, судя по всему, знала. Она радостно улыбнулась мужчине азиатской внешности, который нажал кнопку звонка. Питер подумал, что это, может быть, биржевые маклеры, или адвокаты, или те, которые управляют ее капиталами. Иногда люди, связанные с деньгами, сами походили на полицейских. Питер даже не потрудился позвонить Эдисону и сказать ему об этом. Для этого не было причин. А главное, Эдисон предупредил Питера, чтобы тот некоторое время звонил ему только в том случае, если возникнет какая-нибудь проблема, хотя сам утверждал, что звонок на его сотовый телефон невозможно проследить, тогда как телефон Питера вполне можно было взять под контроль. У него пока не нашлось времени купить один из телефонов, рекомендованных Эдисоном, и он собирался сделать это на следующей неделе.

В то время как Питер, сидя в машине напротив ее дома, обдумывал все это, Тед уселся в предложенное ему кресло в ее гостиной. Она понятия не имела, зачем он пришел. И уж конечно, не знала, что в ближайшие пять минут Тед Ли скажет ей нечто такое, что навсегда изменит ее жизнь.

Глава 12

Открыв дверь Теду и Рику, Фернанда улыбнулась и, отступив в сторону, пропустила их в дом. Она заметила, что на этот раз у Теда другой напарник и что между этими двумя мужчинами существуют теплые, дружеские отношения, которые, казалось, распространялись и на нее. И еще она сразу же заметила, что Тед чем-то встревожен.

— Дети дома? — спросил он, проходя вместе с Риком следом за ней в гостиную. Она рассмеялась. Музыка наверху грохотала так сильно, что дрожала люстра.

— Для собственного удовольствия я обычно подобное не слушаю, — улыбнулась она и предложила им что-нибудь выпить. Они отказались.

Второй мужчина, судя по всему, привык отдавать приказания, и она подумала, что это, возможно, какой-нибудь начальник Теда или просто человек, заменяющий его напарника, который приходил с ним раньше. Заметив, что она взглянула на Рика, Тед объяснил, что это специальный агент ФБР и его старый друг. Она не поняла, при чем здесь ФБР, и взглянула на него с озадаченным видом, а Тед снова спросил, все ли дети дома. Она кивнула.

— Уилл завтра уезжает в спортивный лагерь, если, конечно, мне удастся удержать его вещи упакованными в сумки до его отъезда, — сказала она. Наверное, проще было бы упаковать вещи команды, отправляющейся на Олимпийские игры. Она и не подозревала, что для одного мальчишки требуется такое количество всякого снаряжения. — Эшли послезавтра уезжает на озеро Тахо. Мы с Сэмом на пару недель остаемся вдвоем, — продолжила объяснение Фернанда.

Дети еще не успели уехать, а она уже скучала по Эшли и Уиллу. После смерти Аллана они разлучались впервые, и она переживала разлуку тяжелее, чем когда-либо. Так и не поняв, в чем дело, она взглянула на мужчин, ожидая дальнейших объяснений.

— Миссис Барнс, меня привела сюда одна догадка, — осторожно начал Тед. — Интуиция старого полицейского — и ничего больше. Но я думаю, что это важно. Поэтому я и пришел. Я, конечно, могу ошибаться, но не думаю, что ошибаюсь сейчас.

— Все это звучит серьезно, — сказала она и, нахмурившись, перевела взгляд с одного на другого.

Она представить себе не могла, в чем тут дело. Но всего два часа назад они тоже не могли себе этого представить.

— Я думаю, что это действительно серьезно. Работа полицейского похожа на разгадывание головоломки, которую надо сложить из тысячи кусочков, из которых около восьми сотен представляют собой небо, а остальные — воду. Очень долго кажется, что это полная бессмыслица, потом мало-помалу вдруг складывается кусочек неба или небольшой участок поверхности океана, и вскоре отдельные части начинают подходить друг к другу, и ты вдруг понимаешь то, что видишь перед собой. В данный момент у нас сложился только кусочек неба, причем кусочек очень маленький, но то, что вырисовывается, мне очень не нравится, — сказал Тед.

На какое-то мгновение ей вдруг показалось, что, возможно, она или кто-нибудь из детей совершили какой-нибудь проступок, хотя понимала, что это не так. Тем не менее она ощутила какую-то щемящую боль внутри и внимательно посмотрела на Теда. Он показался ей таким серьезным, таким встревоженным и таким искренним. Она заметила, что Рик наблюдает за ней.

— Мы что-нибудь натворили? — прямо спросила она, вглядываясь в лицо Теда.

Он покачал головой.

— Нет. Но я боюсь, что кое-кто может что-то сделать вам, поэтому мы и пришли. Это всего лишь интуиция, но меня она встревожила. Возможно, это пустяк, но, может быть, и нечто очень серьезное, — продолжал Тед.

Она слушала его очень внимательно, и вдруг он увидел, как вся она напряглась и насторожилась, как будто услышав сигнал тревоги. Именно этого он и добивался.

— Почему кому-то хочется причинить нам зло? — с озадаченным видом спросила она, и Тед понял, что она очень наивна.

Всю свою жизнь, особенно последние годы, она жила защищенная от воздействий внешнего мира. В ее окружении люди не совершали дурных поступков, тем более таких, с которыми приходилось иметь дело ему и Рику. И людей, способных их совершать, она никогда не знала. Зато они ее знали.

— Ваш муж был преуспевающим бизнесменом. В том мире есть очень опасные люди. Это люди без совести, без моральных устоев. Они стараются поживиться за счет таких, как вы. Вы и не поверите, насколько они опасны. Мне кажется, что кое-кто из них, возможно, наблюдает за вами или что-нибудь замышляет против вас. И не только замышляет. Пока я ничего не могу с уверенностью сказать, но несколько часов назад кусочки головоломки начали складываться у меня в картину. И я хочу поговорить с вами об этом. Я расскажу вам, что знаю и что думаю, а потом мы решим, что делать дальше.

Рик с восхищением наблюдал за тем, как работает его старый напарник, с какой деликатностью он обращается с ней. Он говорил с ней откровенно, но старался не слишком испугать ее. Он понимал, что Тед намерен рассказать ей правду так, как он ее понимает. Он всегда это делал, считая, что жертву следует предостеречь и потом все силы бросить на ее защиту. И Рик его за это любил. Тед был человеком, преданным своему делу, благородным и честным.

— Вы меня пугаете, — тихо сказала Фернанда, заглядывая в глаза Теду, чтобы понять, насколько все это серьезно. В его глазах она увидела тревогу.

— Я это знаю и прошу извинить меня за это, — мягко сказал он. Ему хотелось протянуть руку и прикоснуться к ней, чтобы приободрить, но он этого не сделал. — Специальный агент Холмквист арестовал вчера одного человека. — Говоря это, Тед взглянул на Рика, и тот кивнул, подтверждая его слова. — Его предпринимательская деятельность имеет гигантские масштабы. Судя по всему, дела у него идут успешно, хотя он пытался обойти закон, уклоняясь от уплаты налогов, и подозревается в отмывании денег, в связи с чем у него и возникли неприятности с законом. Не думаю, что пока об этом человеке кому-нибудь известно все. Он имеет вес в обществе и кажется весьма респектабельным. У него есть жена и дети, и окружающие считают его чрезвычайно удачливым бизнесменом, — продолжал Тед. Она внимательно слушала его, вникая в каждое слово. — Сегодня утром мы произвели кое-какую проверку, и все оказалось не таким, как представлялось. Он задолжал тридцать миллионов долларов. И возможно, что эти деньги принадлежат другим людям. Вполне вероятно, что это люди нечестные, нарушающие закон. Они не любят терять деньги и не оставят его в покое. Они взяли его за горло. Согласно полученной нами информации, он в отчаянии.

— Он в тюрьме? — спросила она, вспомнив начало разговора, когда Тед сказал ей, что этого человека вчера арестовали.

— Выпущен под залог. Для того чтобы привлечь его к суду, потребуется, наверное, много времени. У него хорошие адвокаты, мощные связи, и он свое дело знает. Однако если копнуть глубже, то там царит полный хаос. Возможно, положение даже хуже, чем мы думаем. Ему позарез нужны деньги, чтобы не пойти ко дну, возможно даже, чтобы остаться живым. И нужны они срочно. Люди, доведенные до крайности, способны на безумные поступки.

— Какое отношение он имеет ко мне? — спросила она, не улавливая во всем этом смысла.

— Этого я пока не знаю. Его зовут Филипп Эдисон. Это имя что-нибудь вам говорит? — спросил он, вглядываясь в ее лицо. Но она покачала головой.

— Думаю, что я видела его имя в газетах. Но я с ним никогда не встречалась. Может быть, Аллан был с ним знаком или знал, кто он такой. Он был со многими знаком. Но я никогда не видела этого человека. Я его не знаю.

Тед задумчиво кивнул и продолжил:

— В его письменном столе нашли досье. Большое досье, толщиной примерно в три или четыре дюйма, а в нем масса вырезок из газет о вашем муже. На первый взгляд могло показаться, что он одержим вашим мужем и его успехами. Может быть, он им восхищался или считал его героем. Но я подозреваю, что он следил за всем, что делал ваш муж.

— Я думаю, что многие это делали, — сказала Фернанда с печальной улыбкой. — Его успех был мечтой каждого мужчины. Большинству людей казалось, что ему просто повезло. Но, кроме удачи, требовалось еще и большое мастерство. Этого большинство людей не сознает. В бизнесе и коммерческих операциях, связанных с высокой степенью риска, он руководствовался неким шестым чувством. Он часто рисковал, — сказала она печально, — но большинство людей, не замечая этого, приписывали его успех исключительно везению.

Она не хотела предавать его, раскрывая его неудачи, масштаб которых был не меньше, а под конец даже больше, чем успех. Однако для тех, кто читал то, что писали о нем, Аллан Барнс был олицетворением американской мечты.

— Я не могу с уверенностью сказать, зачем Эдисон хранил это досье на Барнса, которое собирал много лет. Объяснение может быть вполне невинным, но может и не быть таковым. Слишком уж тщательно оно собиралось. Там даже есть фотографии вашего мужа, печатавшиеся в журналах и газетах, а также ваша фотография с детьми.

— Вы из-за этого так встревожились?

— Отчасти. Пока это маленький кусочек головоломки — кусочек неба. Возможно, два кусочка. В его письменном столе мы нашли также одно имя. Вернее, его нашел специальный агент Холмквист. У старых копов хорошо развита интуиция. Иногда они видят что-нибудь, что, казалось бы, не заслуживает внимания, но в голове вдруг начинают звенеть колокольчики. Вот и у него они зазвенели. Мы проверили того парня, имя которого написано на клочке бумаги. Его зовут Питер Морган. Он бывший заключенный. Освобожден из тюрьмы всего несколько недель назад. Он мелкая сошка, но показался нам интересным типом: выпускник Университета Дьюка, имеет гарвардскую степень бакалавра, а до этого учился в соответствующих престижных школах. Его мать вышла замуж за человека с большими деньгами или что-то в этом роде. — Тед все это узнал из отчета, хранящегося в офисе уполномоченного по условному освобождению. Прежде чем идти к Фернанде, Тед прочел все об этом парне. — После Гарвардского университета он работал в брокерской фирме, но там у него случились какие-то неприятности. Потом он оказался в инвестиционном банке и удачно женился на дочери главы фирмы. У них родились двое детишек, а потом снова начались неприятности. Он связался с наркодельцами и занялся сбытом наркотиков или, возможно, пристрастился к наркотикам и в результате занялся их сбытом. Он прикарманил какую-то сумму денег, наделал множество всяких глупостей, его жена ушла от него, его лишили права опекунства и запретили видеться с детишками. Он натворил еще худших дел, и в конце концов его арестовали за сбыт наркотиков. Он был мелким дельцом, который прикрывал крупную рыбу, и все взял на себя. И получил по заслугам. Похоже, что эта история умного парнишки, который пошел по плохой дорожке. Такое случается. Иногда люди, обладающие блестящими возможностями, делают все, что могут, чтобы упустить их. Вот и он это сделал. Он провел в тюрьме чуть больше четырех лет. Там он работал в конторе тюремного надзирателя, который дал о нем отличные отзывы. Я понятия не имею, как он связан с Эдисоном, но у того дважды записано имя Моргана. И я не знаю, с какой целью. А имя Эдисона записано в записной книжке Моргана. Причем, судя по всему, запись сделана давно.

Несколько недель назад Морган жил в общежитии без гроша в кармане. Теперь он поселился во второразрядной гостинице в Злачном квартале, и гардероб у него набит новой одеждой. Я не назвал бы это неожиданно свалившимся богатством, но, судя по всему, дела у него идут неплохо. Мы проверили: он приобрел машину, платит за жилье, не попадал ни в какие неприятные истории после выхода из тюрьмы и устроился на работу Нам ничего не известно о его связи с Эдисоном. Возможно, они были знакомы до того, как Морган попал в тюрьму, или, может быть, Морган познакомился с ним позднее. Но что-то в этой связи настораживает и меня, и специального агента Холмквиста.

Мне не нравится еще одно обстоятельство: Морган вышел из тюрьмы в тот же самый день, что и человек по имени Карлтон Уотерс. Он с семнадцатилетнего возраста отбывал в тюрьме срок за убийство. Он написал ряд статей, доказывая свою невиновность, а несколько лет назад подавал прошение о помиловании, но ему отказали. Он еще несколько раз подавал прошения, но получал отказ. Наконец, отбыв двадцать четыре года тюремного заключения, он был выпущен на свободу. Он и Морган в одно и то же время отбывали сроки в тюрьме Пеликан-Бей и вышли на свободу в один день. Мы не обнаружили связи между Эдисоном и Уотерсом, но в комнате Моргана нашли номер телефона Уотерса. Между этими людьми существует связь. Возможно, связь очень слабая, но мы не можем ее игнорировать.

— Не тот ли это человек, фотографию которого вы нам показывали после взрыва? — спросила Фернанда. Имя показалось ей знакомым.

Тед кивнул:

— Он самый. Я ездил, чтобы посмотреть на него, в Модесто, где он живет в общежитии. Возможно, за этим ничего не кроется, но мне не нравится тот факт, что вы проживаете на той самой улице, на которой, как я подозреваю, он заложил взрывное устройство под машину судьи Макинтайра. У меня нет никаких доказательств, но есть интуиция. А моя интуиция подсказывает мне, что это его рук дело. Зачем он был здесь? Из-за судьи или из-за вас? Возможно, он решил убить одним выстрелом двух зайцев. Вы не заметили, что кто-нибудь наблюдает или следует за вами? Какое-нибудь лицо, которое мелькнуло несколько раз? Не сталкивались ли вы с кем-нибудь по чистой случайности несколько раз подряд? — Фернанда покачала головой, а Тед напомнил себе, что надо бы показать ей фотографии Моргана. — Я не уверен, но моя интуиция подсказывает, что вы каким-то образом со всем этим связаны. В гостиничном номере Моргана был найден ваш адрес, записанный на клочке бумаги. Эдисон восхищался вашим мужем, а возможно, и вами тоже. Меня беспокоит это досье. Эдисон связан с Морганом. А Морган связан с Уотерсом. И у Моргана есть ваш адрес. Это плохие люди. А Уотерс хуже всех. Что бы он там ни говорил, он со своим дружком убил двух людей за две сотни долларов и какую-то мелочь. Он опасен. Эдисону отчаянно нужны деньги, а Морган — мелкий мошенник, который, возможно, является связующим звеном между этими двумя мерзавцами. В деле о взрыве машины у нас нет ни одного подозреваемого, но я думаю, что это сделал Уотерс, хотя и не могу этого доказать, — сказал Тед.

Высказанные вслух, его подозрения показались натянутыми даже ему самому, и он боялся, что она сочтет его сумасшедшим. Но он нутром чуял: что-то назревает, причем что-то очень плохое. И он хотел, чтобы она почувствовала, насколько серьезна ситуация.

— Я думаю, что в основе всего лежит тот факт, что Эдисону нужны деньги, — продолжил Тед. Много денег. Тридцать миллионов долларов за очень короткое время, пока его корабль не пошел ко дну. И меня беспокоит то, что он и другие могут сделать, чтобы раздобыть для него эти деньги. Мне не нравится, что у него имеются досье на вашего мужа и ваша фотография с детьми.

— Зачем охотиться за мной, если ему нужны деньги? — наивно спросила Фернанда, вызвав улыбку на лице Рика Холмквиста.

Эта миловидная женщина понравилась ему; она, по-видимому, была добрым и искренним человеком, и к Теду она явно прониклась доверием, но она всю свою жизнь была настолько защищена, что и понятия не имела о том, в какой опасности может оказаться Ей никогда в жизни не приходилось сталкиваться с такими людьми, как Уотерс, Эдисон и Морган.

— Вы для них словно ценный приз, — объяснил Тед. — Для таких беспринципных людей, как они, вы — золотая жила. Ваш муж оставил вам огромные деньги, и вас некому защитить. Я думаю, что они считают вас денежным мешком, который можно украсть и решить все свои проблемы. Они, возможно, прикинули, что если выкрасть вас или ваших детей, то за освобождение можно получить тридцать, а то и все пятьдесят тысяч долларов, а для вас такая сумма — сущий пустяк. Такие люди тешат себя несбыточными мечтами и даже верят своим фантазиям и сказкам. Разговаривая друг с другом в тюрьме, они начинают верить, что стоит им выйти на волю, как они смогут осуществить свои бредовые планы. Кто знает, что им сказал Эдисон и что они наговорили друг другу. Об этом можно лишь догадываться. Возможно, они считают, что для вас это пустяк и что в их поступке нет ничего плохого. Единственное, что они знают, — это насилие, и если они решат, что получить то, что хочется, можно только с помощью насилия, они, не задумываясь, его применят. Они думают по-другому, не так, как вы или я. Может быть, Эдисон даже не знает о том, что у них на уме. Во всей этой картине меня кое-что очень настораживает, хотя никаких конкретных подтверждений моим догадкам у меня нет.

Но еще больше, чем эта ситуация, его настораживало то, что он в связи с этим чувствовал.

— Вы хотите сказать, что думаете, будто мне и моим детям угрожает опасность? — спросила она, желая получить прямой и четкий ответ на прямой вопрос.

Все это казалось ей настолько немыслимым, что она, прежде чем задать этот вопрос, целую минуту сидела молча, пытаясь осознать сказанное, а мужчины наблюдали за ней.

— Да, — просто ответил Тед. — Я думаю, что один из этих людей или все они вместе, а может быть, даже и еще кто-нибудь охотятся за вами. Возможно, они следят за вами, и я очень боюсь, что может произойти что-нибудь страшное. На карту поставлены огромные деньги, и эти люди способны на все, чтобы отобрать их у вас.

Фернанда поняла его.

Посмотрев Теду прямо в глаза, она отчетливо произнесла:

— Ничего нет.

— Ничего? Вы хотите сказать, что нет опасности? — Тед ужасно расстроился, подумав, что ему не удалось убедить ее. Наверное, она решила, что он сумасшедший.

— Денег нет, — просто сказала она.

— Не понимаю. Что вы имеете в виду, говоря «денег нет»? — растерялся Тед.

У нее наверняка много денег. Хотя бы это они знают точно.

— У меня нет денег. Совсем. Ничего. Нам удалось держать это в тайне от прессы ради памяти моего мужа, но мы не можем скрывать это вечно. Он потерял все, что имел. Более того, он задолжал несколько сотен миллионов долларов. Мы никогда не узнаем, как это произошло, но в Мексике он совершил самоубийство, потому что не мог вынести того, что случилось. Весь его мир готов был рухнуть и рухнул. У нас ничего не осталось. После его смерти я продала все: самолет, яхту, дома, апартаменты, мои драгоценности, произведения искусства. В августе я выставляю на продажу этот дом. У нас ничего нет. Денег на моем счете в банке не хватит, чтобы прожить до конца года. Возможно, мне придется забрать детей из тех школ, где они учатся, — сказала она, спокойно глядя на Теда.

Она так долго переживала все случившееся, что после пяти месяцев пребывания в непрерывной панике теперь словно оцепенела. Да, такой стала ее жизнь. Ей приходилось хочешь не хочешь приспосабливаться к тому положению, в котором оставил ее Аллан. Но она горевала не о деньгах, которые он потерял, а о нем самом. Однако обстоятельства, в которых она оказалась, были действительно ужасны. Тед был ошеломлен.

— Вы хотите сказать, что у вас нет денег? Ни в виде инвестиций, ни сбережений на черный день вроде нескольких миллионов на каком-нибудь счете в швейцарском банке? — Ему это казалось столь же невероятным, как некогда и ей.

— Я хочу сказать, что нам не на что купить обувь. Я хочу сказать, что к ноябрю мне будет не на что купить продукты. После того как я более или менее приведу дела в порядок, мне придется искать работу. А пока я занята целый день тем, что решаю, что еще можно продать и каким образом это сделать, и обдумываю, как изловчиться, чтобы заплатить налоги и расплатиться с долгами, и все такое прочее. Я хочу сказать вам, детектив Ли, что у нас ничего нет. Остался только этот дом, и если повезет, то с помощью того, что я выручу от его продажи, мне, возможно, удастся заплатить оставшиеся личные долги моего мужа, если, конечно, нам дадут хорошую цену за дом и все, что в нем находится. Его адвокаты намерены объявить о банкротстве, что несколько облегчит наше положение, но даже в этом случае для того, чтобы выкопать нас из-под обломков, мне потребуются многие годы и целая армия умных адвокатов, нанимать которых мне больше не по карману. Если мистер Эдисон надеется получить с меня тридцать миллионов долларов или даже тридцать тысяч, его ждет большое разочарование. Может быть, следовало бы сказать ему об этом, — с достоинством сказала эта миниатюрная женщина.

Не было в ней ни патетики, ни смущения. Она вела себя очень естественно. Как и на Теда, на Рика Холмквиста она произвела большое впечатление. Видно, зря говорят, что при стремительном переходе от бедности к богатству и от богатства к бедности люди могут сломаться. Она вела себя в данной ситуации с достоинством. Муж оставил ее ни с чем, а она тем не менее и слова худого о нем не сказала. Она даже не упрекнула его ни в чем. Тед, например, считал, что она святая. Особенно если то, что она говорит, правда, и ей действительно едва хватает денег, чтобы прокормить детей. У них с Шерли положение было значительно лучше, к тому же у обоих была работа, и они всегда могли опереться друг на друга. Но больше всего его расстроило то, что положение ее было даже еще более опасным, чем он предполагал первоначально. В глазах всего мира она была обладательницей сотен миллионов долларов, что автоматически превращало ее в мишень, словно бычий глаз, нарисованный на воротах амбара, но, как только обнаружится, что у нее ничего нет, кое-кого это может толкнуть на безумный поступок и заставить жестоко расправиться с ней или с детьми, если кто-нибудь из них окажется в их руках.

— Если кто-нибудь похитит меня или детей, они не получат и десяти центов, — просто сказала она. — Платить нечем. И некому. Ни у Аллана, ни у меня практически не было родственников, кроме друг друга, и денег взять просто неоткуда. Поверьте, я искала везде. Они могут забрать дом, но больше ничего нет. Никакой наличности.

Она не делала из этого трагедии и не пыталась оправдаться, говорила об этом с достоинством и трогательным благородством, что особенно нравилось в ней Теду.

— Наверное, мы оказали сами себе плохую услугу, сохранив это в тайне от прессы, — продолжила Фернанда. — Но мне казалось, что это нужно сделать ради памяти Аллана. Судя по письму, которое он оставил, он был в отчаянии и ему было очень стыдно. Я хотела, насколько хватит сил, сохранить легенду о нем. Но в конце концов это, конечно, станет достоянием гласности. И полагаю, очень скоро. Навсегда утаить это от других не удастся. Ведь он потерял все состояние. Он вложил все в рискованные сделки, основываясь на абсолютно неправильных предположениях и расчетах. Я не знаю, что произошло. Может быть, он потерял разум, или утратил дар предвидения, или успех ударил ему в голову и он стал считать себя непобедимым. Но он не был непобедимым. И никто не бывает. Он наделал множество ужасных ошибок.

Все это было слишком мягко сказано, если учесть, что он оставил жену и детей практически без гроша, да еще и долги на сотни миллионов долларов. Это был настоящий крах. А расплачиваться за все это должны были теперь только она и дети. Теду потребовалось несколько минут, чтобы оценить ситуацию и последствия для нее, особенно в свете всего происходящего.

— А как насчет детей? — спросил Тед, стараясь не показать, что его охватила паника. — Есть ли у них или у вас какой-нибудь страховой полис на случай, если дети будут похищены?

Он знал, что такая страховка существует, и предполагал, что этим занимается «Лондонский Ллойд». Знал, что люди, подобные Аллану, обычно имеют такую страховку на случай похищения их или членов их семей. Существует даже страхование от вымогательства.

— Ничего подобного у нас нет. Все наши полисы просрочены. У нас теперь нет даже страхования от болезней и несчастных случаев, хотя мой адвокат пытается получить его для нас. Наша страховая компания отказывается выплатить деньги по полису страхования жизни Аллана. Судя по письму, которое он оставил, он совершил самоубийство. Мы полагаем, что так оно и было. Письмо нашла полиция. А страхования на случай похищения, я думаю, у нас вообще не было. Наверное, мой муж думал, что нам это не грозит, — сказала она.

«А следовало бы», — подумал Тед. И Рик подумал то же самое, хотя не сказал ни слова. С такими деньгами, какие Аллан сделал, и с той известностью, которую возымели его успехи, все они подвергались всем возможным рискам. Особенно Фернанда и дети. Как и у любого человека, занимающего такое положение, его семья была его ахиллесовой пятой. Очевидно, он не придавал этому значения, и Тед вдруг разозлился, хотя постарался не показать этого. По целому ряду причин ему не нравилось то, что он услышал, как и Рику Холмквисту.

— Миссис Барнс, — спокойно сказал Тед, — я думаю, вы в таком случае подвергаетесь еще большему риску. Насколько известно этим или любым другим людям, вы выглядите так, как будто имеете много денег. Это может предположить любой. А на самом деле их у вас нет. Я думаю, что чем скорее об этом узнают, тем лучше для вас. Хотя этому могут не поверить. Думаю даже, что не поверит большинство. В настоящий момент вы оказались в наихудшем положении во всех отношениях — вы кажетесь призовой мишенью: попади в яблочко — и выигрыш в руках! А приза-то и нет. Мне кажется, что опасность этого положения очень реальна. Эти люди что-то затевают, хотя я пока не знаю, что именно. Мне даже неизвестно, сколько их участвует в этом, но уверен, что они что-то затевают. В этом участвуют трое очень опасных типов, и кто знает, кого они еще привлекли к участию. Мне не хотелось бы запугивать вас, но, по-моему, вам и детям угрожает серьезная опасность, — сказал Тед.

Фернанда спокойно слушала его, пытаясь держать себя в руках, но и у нее в конце концов на глазах появились слезы.

— Что мне делать? — прошептала она.

Наверху по-прежнему громыхала музыка. Мужчины смотрели на нее, испытывая неловкость, потому что не знали, как помочь ей. Она оказалась в ужасном положении. Благодаря своему мужу.

— Что мне делать, чтобы защитить детей?

Тед глубоко вздохнул. Он понимал, что берет на себя больше, чем следует, потому что пока еще не поговорил об этом со своим шефом, но ему было безумно жаль ее, и он верил своей интуиции.

— Это наша забота. Правда, я пока еще не поговорил со своим шефом. Мы с Риком приехали сюда прямо из управления ФБР. Но я хотел бы оставить здесь на недельку-другую парочку своих людей, пока мы не проверим все более тщательно и не узнаем, чем эти типы занимаются. Кто знает, может быть, это всего лишь моя фантазия. Однако мне кажется, за вами не мешает приглядывать. Посмотрим, что скажет на это шеф полиции, но, по-моему, мы сможем выделить для этой цели парочку копов. Что-то мне подсказывает, что за вами следят, — сказал Тед.

Рик кивнул в знак согласия.

— А ты что скажешь? — спросил Тед, поворачиваясь к Рику. — Эдисон — твой парень.

ФБР расследовало его дело, что давало Рику определенные полномочия. Они оба это знали.

— Ты сможешь выделить нам сотрудника на недельку или две, чтобы понаблюдать за домом и детьми? — спросил Тед.

Рик, чуть помедлив, кивнул. В его случае решения принимал он сам. И вполне мог выделить одного сотрудника. А может быть, даже двоих.

— Только не больше, чем на одну-две недели. Посмотрим, как будут развиваться события, — сказал Рик.

Было бы очень неплохо, если бы им удалось поймать Эдисона на участии в каком-то сговоре. За долгую службу в качестве детективов у Теда и Рика случались и более удивительные вещи. Тем более что Тед был уверен в том, что интуиция его не обманывает. Рик тоже.

— Я хочу убедиться, что за вами или за детьми никто не следит, — сказал Тед.

Она кивнула. Ее жизнь вдруг превратилась в еще худший кошмар, чем тот, в котором она жила после смерти Аллана. Аллана больше не было. Какие-то страшные люди охотились за ней. Дети оказались под угрозой похищения. Даже когда умер Аллан, она не чувствовала себя такой растерянной и уязвимой. Ее вдруг охватило чувство надвигающейся опасности, от которой она не могла защитить свою семью, и была в ужасе оттого, что кто-нибудь из детей может пострадать или еще того хуже. Она изо всех сил старалась взять себя в руки, но, несмотря на все усилия, по щекам ее катились слезы. Тед смотрел на нее с глубоким сочувствием.

— Что делать с отъездом Уилла в спортивный лагерь? — спросила она сквозь слезы. — Можно его отпустить?

— Кто-нибудь знает, куда он уезжает? — спокойно спросил Тед.

— Только его друзья и один из учителей.

— В газетах об этом ничего не писали?

Она покачала головой. О них больше незачем было писать. За пять месяцев она почти никогда не уезжала из дома. А потрясающая карьера Аллана закончилась. Они вообще никого больше не интересовали, и она была рада этому. Популярность ей никогда не доставляла удовольствия, а теперь тем более. Джек Уотерман предупредил ее, что, как только станет известно о финансовом крахе Аллана, следует ждать неприятных заметок в газетах и проявления любопытства по отношению к ним, и она готовилась к этому, призвав на помощь всю свою храбрость. Он предполагал, что это произойдет осенью. А теперь еще новая напасть.

— Я думаю, он может туда поехать, — ответил Тед на ее вопрос о поездке Уилла в лагерь. — Только придется предупредить его и всех остальных в лагере о том, чтобы проявляли осторожность. Если кто-нибудь станет расспрашивать о нем или появятся незнакомые люди, утверждающие, что они его родственники или друзья, надо сказать, что его там нет, и немедленно позвонить нам. Вам придется перед отъездом поговорить с Уиллом.

Она кивнула, вытащила из кармана бумажный платок и высморкалась.

Теперь при ней всегда был запас бумажных носовых платков, потому что то в ящике стола, то в буфете она то и дело находила какие-нибудь вещи, напоминавшие ей об Аллане. Например, его ботинки для гольфа. Или записная книжка. Или письмо, которое он написал несколько лет назад. В доме было полным-полно поводов, чтобы всплакнуть.

— А как насчет поездки вашей дочери на озеро Тахо? С кем она едет?

— С подругой из школы и ее семьей. Я знакома с родителями. Они хорошие люди.

— Прекрасно. В таком случае пусть едет. Мы возложим на местных блюстителей правопорядка в том районе обязанность наблюдать за их домом. Думаю, что одного человека в машине напротив их дома будет достаточно. Наверное, даже лучше, что она уедет отсюда на время. Одной потенциальной жертвой у нас будет меньше.

Услышав это слово, Фернанда вздрогнула всем телом. Тед почувствовал себя виноватым. В его понимании она сама была теперь потенциальной жертвой противоправного деяния. Мысли Рика текли в аналогичном направлении. Если найти против Филиппа Эдисона неопровержимые улики, то откроется возможность упрятать его за решетку. Для Фернанды же речь шла только о ее детях. О себе она даже не думала. И была испугана, как никогда в жизни. Взглянув на нее, Тед это понял.

— Когда они уезжают? — спросил он, лихорадочно обдумывая, какие шаги следует предпринять в первую очередь.

Он хотел, чтобы двое его людей, как только появятся здесь, сразу же прочесали всю улицу. Он хотел знать, не сидят ли где-нибудь в припаркованных машинах какие-нибудь люди и если сидят, то кто они такие.

— А как насчет вас с Сэмом? Вы тоже куда-нибудь уезжаете? Есть какие-нибудь планы?

— Он будет посещать дневной лагерь, — ответила Фернанда.

Большего она не могла себе позволить. Она едва наскребла денег на поездку Уилла в спортивный лагерь, но ей не хотелось отказывать ему в этом. Пока никто из детей не знал всей глубины финансовой пропасти, в которой они оказались, хотя они уже понимали, что такого расточительного расходования денег, как прежде, допускать нельзя. Она все еще не объяснила им, каково их финансовое положение в действительности, откладывая этот разговор до того момента, когда дом будет выставлен на продажу. Вот тогда-то и произойдет настоящий обвал. Фактически он уже произошел. Только дети пока этого не знали.

— Мне это не очень нравится, — осторожно сказал Тед. — Когда уезжают остальные?

— Уилл уезжает завтра. Эшли — послезавтра.

— Это хорошо, — откровенно признался Тед.

Ему не терпелось, чтобы они уехали и тем самым сократили число потенциальных жертв. Значит, половина их уезжает. Тед взглянул на Рика:

— Думаю, мои парни будут в гражданской одежде. Или лучше пусть они будут в полицейской форме?

Он сразу же понял, что зря задал этот вопрос Рику. Относительно концепции защиты потенциальных жертв мнения у них всегда расходились. Но в этом конкретном случае Тед хотел увидеть, что намерены предпринять подозреваемые, а поэтому был склонен согласиться — в разумных пределах — с мнением Рика.

— А это имеет значение? — спросила Фернанда, совершенно сбитая с толку всем происходящим.

— Имеет, — спокойно ответил Тед. — Если наши люди будут в гражданской одежде, их действия станут неожиданностью.

— Потому что никто не будет знать, что они копы? — догадалась она.

Тед кивнул.

— Я хотел бы, чтобы никто из вас никуда не выходил, пока мои люди не приступят к выполнению своего задания. Вы собирались куда-нибудь выходить сегодня?

— Я хотела сводить детей в пиццерию. Но мы можем остаться дома.

— Именно этого я и хочу, — решительно сказал Тед. — Я позвоню вам, как только поговорю с шефом. Если повезет, то двое моих людей будут здесь к полуночи, — сказал Тед. Он был явно настроен по-деловому.

— Они будут спать здесь? — испуганно спросила она, удивившись, когда Тед рассмеялся, а Рик улыбнулся.

— Надеюсь, что нет. Нам надо, чтобы они бодрствовали и замечали все, что происходит. Мы не хотим, чтобы кто-нибудь забрался в дом через окно, пока все спят. Кстати, у вас есть сигнализация? — спросил Тед, хотя было ясно, что сигнализация в доме имеется. Она кивнула. — Пусть остается включенной, пока они не пришли. — Потом он обернулся к Рику:

— А ты что скажешь?

— Я пришлю двоих сотрудников утром, — сказал Рик.

Если с ней будут люди Теда, то до тех пор его парни ей не понадобятся. А ему потребуется некоторое время, чтобы освободить двух человек от других дел и заменить их. Он с сочувствием взглянул на Фернанду. Судя по всему, она была хорошей женщиной, и ему, как и Теду, было искренне жаль ее. Он понимал, в каком непростом положении она оказалась. Ему приходилось не раз сталкиваться с подобными ситуациями и тогда, когда он работал в полиции, и тогда, когда стал работать в ФБР. С защитой потенциальных жертв. И защитой свидетелей. Иногда, и даже довольно часто, дело кончалось плохо. Он надеялся, что с ней все будет по-другому. Однако риск всегда присутствовал.

— Значит, с вами будут находиться четверо людей: двое из Полицейского департамента Сан-Франциско и двое из ФБР. Это позволит уберечь вас. И я думаю, что детектив Ли прав относительно двоих других детей. Отправить их отсюда — это очень удачная мысль.

Она кивнула, а потом задала вопрос, мучивший ее последние полчаса:

— Что случится, если они попытаются похитить нас? Как они это сделают?

Тед вздохнул. Ему очень не хотелось отвечать на этот вопрос. Одно он знал наверняка: если они хотят получить с нее деньги, то ее не станут убивать, чтобы она могла заплатить выкуп.

— Они могут попытаться взять вас силой, устроить засаду, когда вы за рулем, и захватить ребенка, если он будет с вами. Или могут забраться в дом. Но это маловероятно, если с вами все время будут находиться четверо людей, — объяснил Тед.

Однако по собственному опыту он знал, что если такое происходило, то кого-нибудь убивали — либо из копов, либо из похитителей, либо из тех и других. Он лишь надеялся, что не убьют ни ее, ни ребенка. Профессионалы, которым это поручено, полностью сознают, что идут на риск. Для них это часть их работы, этим они зарабатывают на жизнь.

Рик взглянул на Теда.

— Прежде чем дети уедут, нужно взять отпечатки их пальцев и образцы волос. — Он сказал это с максимальной осторожностью, но то, что он сказал, было так страшно, что Фернанда запаниковала.

— Зачем? — спросила она, хотя уже знала ответ. Это было ясно даже ей.

— Это нужно для того, чтобы опознать детей, если их похитят. Нам потребуются также и ваши отпечатки пальцев и образец волос, — сказал Рик извиняющимся тоном.

И тут вмешался Тед.

— Я пришлю кого-нибудь сегодня, чтобы сделать это, — спокойно сказал он.

Фернанда была в шоке. Неужели все это действительно происходит с ней и ее детьми? Она пока еще не понимала до конца всего происходящего и сомневалась, что когда-либо поймет. Может, это всего лишь игра их воображения? Может, они оба сошли с ума, потому что слишком долго занимались этим? Или еще того хуже: может, все это действительно происходит и они правы?

— Я собираюсь сразу же отправить кого-нибудь на улицу, чтобы проверить номерные знаки припаркованных машин, — сказал Тед, обращаясь скорее к Рику, чем к ней. — Я хочу узнать, кто находится возле дома.

Рик кивнул. А Фернанда подумала: неужели какие-то люди действительно следят за ней или за домом? Она ничего такого не замечала.

Вскоре оба мужчины поднялись. Тед, взглянув на нее, заметил, как сильно она напряжена.

— Я скоро позвоню вам и расскажу, что происходит и кого вам следует ожидать. А вы тем временем заприте двери, включите сигнализацию и не позволяйте детям выходить из дома. Ни по какой надобности. — Говоря это, он протянул ей свою визитную карточку.

Он уже давал ей однажды свою карточку, но понимал, что она могла потерять ее, а именно это и случилось. Визитка лежала где-то в ящике стола, но найти ее она не смогла. Она не думала, что карточка может ей понадобиться.

— Если что-нибудь произойдет, — сказал Тед, — немедленно звоните мне. Там записаны номера моего сотового телефона и моего пейджера. Через несколько часов я сам свяжусь с вами.

Она кивнула, будучи не в состоянии ответить, и проводила их до входной двери.

Оба мужчины обменялись с ней рукопожатиями, а Тед оглянулся и окинул ее ободряющим взглядом. Ему не хотелось уходить, не сказав ей что-нибудь на прощание.

— Все будет в порядке, — тихо произнес он и последовал за Риком вниз по ступеням лестницы, а она заперла за ними дверь и включила сигнализацию.

Питер Морган видел, как они вышли из дома, но не придал этому никакого значения. Уотерс бы учуял неладное через несколько секунд после того, как увидел их. Но Питер не почувствовал ничего.

Рик снова сел в машину Теда и задумчиво взглянул на своего старого напарника.

— Боже мой! Просто не верится, что кто-то мог потерять такую уйму денег! В газетах писали, что его состояние составляет полмиллиарда долларов, и было это не так уж давно — всего год или два назад. Этот мужик, должно быть, сумасшедший.

— Возможно, — сказал Тед, — а может быть, он просто безответственный мерзавец. Если все, что она говорит, правда — а у меня нет никаких причин думать, что она лжет, — то она оказалась в самой отвратительной ситуации. Особенно если за ней охотятся Эдисон и его парни. Они ни за что не поверят, что у нее нет денег.

— И что будет потом? — спросил Рик.

— А потом положение станет угрожающим.

Они оба знали, что потом за дело возьмутся команды «СУОТ»*, будут переговоры об условиях освобождения заложников и начнет применяться тактика десантно-диверсионных войск. Он лишь надеялся что до этого дело не дойдет. И если действительно что-то подобное затевается, то он, Тед Ли, сделает все, что в его силах, чтобы остановить это.

— Мой шеф, наверное, подумает, что мы оба спятили, — усмехнувшись, сказал он Холмквисту. — Похоже, что всякий раз, когда мы бываем с тобой вместе, мы оказываемся в эпицентре каких-нибудь событий.

— Что касается меня, то мне этого очень не хватает, — улыбнулся Рик, и Тед поблагодарил его за то, что он дал ему двух своих агентов.

Тед понимал, что если ничего не произойдет, то охранников придется через некоторое время отпустить. Но интуиция подсказывала ему, что что-то должно произойти в самое ближайшее время. Может быть, позавчерашний арест Эдисона заставит злоумышленников запаниковать и подтолкнет к действиям. Интуиция также подсказывала ему, что отъезд Эдисона из страны тоже имеет к этому какое-то отношение. Если это так, то что-то должно произойти в ближайшие два дня. Возможно, даже раньше.

---

* Группа специального назначения, хорошо обученные участники которой используются для борьбы с террористами, освобождения заложников и т.п. — *Примеч. ред.*

Тед отвез Рика к нему в управление и полчаса спустя уже входил в свою контору.

— Шеф у себя? — спросил он у секретарши старшего офицера, миловидной девушки в синей униформе.

Она кивнула.

— Он в отвратительном настроении, — шепотом предупредила она.

— Отлично. Я тоже, — усмехнувшись, ответил ей Тед и вошел в кабинет начальника.

Уилл выскочил из своей комнаты и быстро пронесся вниз по лестнице, направляясь к входной двери. Фернанда, сидевшая за письменным столом, немедленно остановила его.

— Стой! Включена сигнализация! — крикнула она громче, чем нужно, и он, остановившись, испуганно взглянул на нее.

— Мне нужно выйти всего на минутку. Хочу взять из машины свои наколенники, — объяснил он.

— Нельзя, — строго сказала она.

— Что-нибудь случилось, мама? — спросил Уилл, понимая, что что-то произошло, потому что заметил на глазах у матери слезы.

— Да... то есть нет... вернее, да, произошло. Мне нужно поговорить с тобой, Эшли и Сэмом.

Она сидела за столом, пытаясь обдумать, что сказать им и когда. Она и сама еще не осознала полностью то, что услышала от Теда и Рика, а детям тем более будет трудно это осознать. За последние четыре месяца им и без того пришлось многое пережить, как и ей. Она посмотрела на Уилла. Не было смысла откладывать этот разговор. Она должна это сделать. Наверное, сейчас наступил самый подходящий момент, потому что Уилл уже почувствовал неладное.

— Сходи, пожалуйста, наверх, дорогой, и приведи их. Нам нужно устроить семейный совет, — мрачно сказала она, чуть не поперхнувшись словами.

Последний раз они устраивали семейный совет, когда погиб их отец и ей пришлось сообщить им об этом. Уилл немедленно отреагировал на сказанное. С испугом взглянув на нее, он, не говоря ни слова, повернулся и помчался вверх по лестнице за остальными, а Фернанда, не в силах унять охватившую ее дрожь, осталась сидеть за столом. Сейчас у нее была единственная цель: обеспечить безопасность своих детей. И она молила Бога, чтобы полиция и ФБР смогли это сделать.

Глава 13

Успев наскоро посовещаться в комнате Сэма о том, что происходит, Уилл через пять минут сказал, что пора спускаться, и они отправились вниз по лестнице в порядке старшинства. Уилл возглавлял шествие. Все трое были встревожены, как и поджидавшая их мать.

Эш и Сэм уселись на кушетку, а Уилл удобно расположился в любимом кресле отца. С тех пор как не стало Аллана, это кресло занимал Уилл. Как-никак он теперь стал главой семьи и старался, насколько это возможно, заменить отца.

— Что случилось, мама? — тихо спросил Уилл, и Фернанда окинула их взглядом, не зная, с чего начать.

— Мы пока не уверены, — честно призналась она.

Она хотела рассказать им по возможности всю правду. Им нужно было это знать, по крайней мере Тед так сказал. И наверное, он был прав. Ведь если не предупредить их о возможной опасности, они не будут остерегаться и могут подвергнуть себя риску.

— Возможно, это всего лишь ложная тревога, — попыталась она успокоить детей, но Эшли, услышав эти слова, вдруг запаниковала: ей показалось, что мать заболела и скрывает это. А ведь теперь у них, кроме нее, никого не было. Но когда Фернанда продолжила говорить, они поняли, что речь идет не об этом, а о чем-то таком, что казалось Фернанде еще страшнее. — Возможно, дело тем и кончится, — снова начала она, — но здесь только что была полиция. Кажется, вчера они арестовали какого-то очень плохого человека, мошенника. А у него нашли огромное досье на вашего отца с фотографиями всех нас. Его, кажется, очень интересовали успехи, достигнутые вашим отцом, — она помедлила, — и наши деньги.

Она не хотела пока говорить им, что у них больше нет денег. Успеется. Сейчас у них и без того хватает проблем.

— В ящике его стола нашли также имя и номер телефона человека, который недавно выпущен из тюрьмы. Ни ваш отец, ни я таких людей не знали, — заверила она детей.

Даже ей самой такое предположение казалось бредом. Дети, вытаращив глаза, слушали ее, не говоря ни слова. Вся эта история не могла иметь отношения к ним.

— Когда обыскали гостиничный номер человека, который вышел из тюрьмы, — продолжала Фернанда, — нашли имя и номер телефона еще одного человека, который тоже только что выпущен из тюрьмы и считается очень опасным. Они не знают, какая связь существует между этими тремя людьми. Но судя по всему, человек, арестованный вчера ФБР, крайне нуждается в большой сумме денег. А в гостиничном номере одного из этих людей был найден наш адрес. И полиция опасается, что человек, которого арестовали, может попытаться организовать похищение одного из нас, чтобы получить необходимые ему деньги.

Вкратце это было все. Дети долго молча смотрели на нее.

— Из-за этого включена сигнализация? — спросил Уилл, удивленно взглянув на нее. Вся эта история казалась невероятной.

— Да. Полиция собирается направить двух полицейских, чтобы защищать нас. ФБР тоже. Всего на несколько недель. На тот случай, если что-нибудь произойдет. Может быть, они вообще ошиблись в предположениях, и нам никто не намерен причинить вред. Но на всякий случай они хотят, чтобы мы были очень осторожны, и некоторое время они намерены побыть у нас.

— В доме? — в ужасе спросила Эшли, и Фернанда кивнула. — А я могу поехать на озеро Тахо?

Фернанда улыбнулась, услышав вопрос.

По крайней мере никто из них не плакал. Она была права: они до конца не поняли серьезности ситуации. Даже ей самой все происходящее казалось плохим кинофильмом. Она кивнула Эшли:

— Сможешь. По правде говоря, полиция одобряет твой отъезд из города. Просто тебе придется быть более осторожной и посматривать, нет ли поблизости каких-нибудь незнакомцев.

Но Фернанда знала семью, с которой ехала Эшли. Это были люди осторожные и внимательные, иначе она не отпустила бы с ними дочь. Она была намерена позвонить им до отъезда и предупредить о том, что происходит.

— Я не поеду в спортивный лагерь, — вдруг решительно заявил Уилл, бросив на мать страдальческий взгляд.

До него дошло. Скорее, чем до других. Но ведь он был старше. К тому же после смерти отца он теперь исполнял роль защитника. Фернанде не хотелось, чтобы он взваливал такую обузу на свои плечи. В шестнадцать лет ему надо было наслаждаться последними днями детства и мальчишеской беззаботностью.

— Поедешь, — строго сказала она. — Я думаю, тебе следует это сделать. Если что-нибудь произойдет, я тебе позвоню. Там ты будешь в большей безопасности. А сидя здесь, дома, со мной и Сэмом, ты просто с ума сойдешь. Не думаю, что в течение последующих нескольких недель нам удастся часто выбираться из дома, пока все не прояснится или пока они не поймут, что на самом деле происходит. Уж лучше тебе провести это время в лагере, играя в лакросс.

Уилл не ответил, размышляя над сказанным. А Сэм тем временем во все глаза глядел на мать, наблюдая за ее реакцией.

— Ты боишься, мама? — прямо спросил он.

Она кивнула.

— Немного, — сказала она в ответ. Это была явно заниженная оценка ее состояния. — Но полиция нас защитит, Сэм. Они защитят всех нас. Ничего не случится. — Ей хотелось приободрить их, хотя сама она такой уверенности не чувствовала.

— Когда полицейские будут в доме, они будут вооружены? — с интересом спросил Сэм.

— Думаю, что да. — Она не стала объяснять ему, чем отличается защита полицейских в униформе от защиты полицейских в гражданской одежде, а также то, что их станут использовать как живую приманку, чтобы скорее поймать преступников. — Они прибудут к полуночи. До тех пор нам совсем нельзя выходить из дома. И сигнализация будет включена. Надо проявлять осторожность.

— А как же мне ходить в дневной лагерь? — спросил Сэм, надеясь, что этого делать не придется.

Ему все равно не хотелось туда ходить, а теперь, когда в доме будет полно людей с оружием, пропустить такое развлечение было бы совсем глупо.

— Думаю, тебе не придется ходить в дневной лагерь, Сэм. Мы с тобой и без него найдем чем заняться, — сказала она.

Можно ходить в музеи, в зоопарк, можно было что-нибудь мастерить или побывать в мастерских Музея изящных искусств, лишь бы он был рядом с ней. Судя по всему, Сэм был доволен такой перспективой.

Издав торжествующий вопль, он затанцевал по комнате. Уилл сердито взглянул на него и приказал сесть на место.

— Неужели вы не понимаете, что все это означает? Вас беспокоит только поездка на Тахо и дневной лагерь. А кто-то хочет похитить нас или маму! Неужели вы не понимаете, как это страшно? — сказал Уилл.

Он был очень расстроен. После того как брат и сестра ушли наверх, Уилл, несколько смущенный своей резкостью, снова принялся спорить с матерью.

— Я не поеду в лагерь, мама. Я не оставлю тебя здесь ради того, чтобы три недели играть в лакросс.

Ему было почти семнадцать лет, и она могла говорить с ним откровенно.

— Ты будешь там в большей безопасности, Уилл, — сказала она со слезами на глазах. — Они хотят, чтобы ты поехал туда. А Эш — на Тахо. Со мной и Сэмом ничего не случится под защитой четверых мужчин. Я предпочла бы, чтобы ты уехал, чтобы не нужно было беспокоиться еще и о тебе.

Это был откровенный разговор, и это была правда. В лагере он затеряется среди остальных мальчишек и будет в безопасности. А Эшли найдет безопасность на Тахо. С ней останется только Сэм. Один ребенок вместо троих.

— А как же ты? — Он искренне беспокоился за маму, и у нее на глазах снова появились слезы. Он обнял ее за плечи, и они стали подниматься по лестнице в его комнату.

— Со мной будет все в порядке. Никто мне ничего не сделает. — Она сказала это так уверенно, что он удивился.

— Почему?

— Они хотят, чтобы я заплатила выкуп, а если схватят меня, то платить будет некому, — сказала она.

Думать об этом было страшно, но они оба понимали, что это правда.

— А с Сэмом тоже будет все в порядке?

— Что с ним может случиться, если его будут охранять четверо полицейских? — Она попыталась храбро улыбнуться, чтоб успокоить Уилла.

— Как это произошло, мама?

— Не знаю. Наверное, просто не повезло. Успехи вашего отца внушили кому-то безумные мысли.

— Вся эта история — безумие, — сказал Уилл. Ему все еще было страшно.

Ей не хотелось бы пугать их, но, поскольку это касалось их непосредственно, они должны были узнать все. Другого выбора не было. И она гордилась тем, как они это восприняли. Особенно Уилл.

— Да, это безумие, — согласилась она. — В мире, мне кажется, полно безумных людей. И плохих. Надеюсь лишь, что эти люди быстро утратят интерес к нам или решат, что из-за нас не стоит лезть на рожон. А может быть, полиция ошибается. Они ни в чем не уверены полностью. На данный момент у них имеются только предположения и подозрения, но мы не можем и это оставить без внимания. Ты не видел кого-нибудь, кто следил бы за нами, Уилл? — спросила она скорее для того, чтобы соблюсти формальность, и была очень удивлена, когда он, подумав минутку, кивнул.

— Думаю, что видел... Но не уверен... Раза два я видел мужчину в машине, припаркованной на противоположной стороне улицы. Но его вид не вызывал опасений. Скорее, он даже производил приятное впечатление. Он показался мне самым обычным человеком. Он улыбнулся мне. Я думаю, что обратил на него внимание, потому что... — Уилл смущенно замялся, — потому что он показался мне немного похожим на папу.

Его слова вызвали какое-то смутное воспоминание, но ничего конкретного она не могла припомнить.

— Ты помнишь, как он выглядел? — встревожилась Фернанда.

Может быть, полицейские правы и за ними действительно кто-то наблюдает. Но она все-таки продолжала надеяться, что они ошиблись.

— Кажется, помню, — сказал Уилл. — Он немного похож на папу, только волосы у него белокурые. И одет он тоже как папа. Однажды на нем была синяя рубашка, а в другой раз он был в блейзере. Я подумал, что он кого-то ждет Он совсем не показался мне подозрительным, — сказал Уилл.

«Может быть, он оделся таким образом намеренно, чтобы раствориться среди населения этого квартала?» — подумала Фернанда. Они еще немного поговорили об этом, потом Уилл ушел в свою комнату чтобы попрощаться по телефону со своими друзьями перед отъездом в лагерь. Фернанда уже предупредила его, чтобы он никому не говорил об угрозе похищения. Тед сказал, что об этом следует помалкивать, иначе новость может дойти до представителей прессы и они начнут одолевать их своим вниманием. Все дети обещали помалкивать. Она была намерена рассказать о том, что происходит, только семейству, которое станет опекать Эшли во время ее пребывания на Тахо.

После этого Фернанда сразу же позвонила Теду, чтобы сообщить ему о том, что рассказал Уилл. Секретарша сказала, что он на совещании у шефа и перезвонит ей, как только освободится. Она постояла возле окна, обдумывая происходящее. Может быть, и в данный момент где-то там находятся люди, которых она не видит, но которые следят за ней.

А тем временем Тед и его начальник орали друг на друга. Шеф утверждал, что это не их проблема, а ФБР. Главный подозреваемый был арестован ФБР, в основном в связи с финансовыми вопросами, а это не имеет никакого отношения к Полицейскому департаменту Сан-Франциско, и он не намерен отрывать от дела своих людей, чтобы нянчиться с какой-то домохозяйкой с Пасифик-Хайтс и ее тремя отпрысками!

— Дай мне хоть слово сказать! — орал в ответ Тед.

Они хорошо знали друг друга и были старыми друзьями. В академии шеф был на два курса старше, и им приходилось работать вместе над бесконечным числом дел. Он с глубоким уважением относился к методам работы Теда, но на этот раз он считал, что Тед не в своем уме.

— А что, если одного из них похитят? Чья тогда это будет проблема? — Они оба понимали, что тогда это будет общая проблема. И ФБР, и ПДСФ.

— Я здесь кое-что нащупал. Я в этом уверен. Поверь мне. Просто дай мне несколько дней, может быть, неделю или две, позволь мне убедиться, что я прав. Если я ничего не обнаружу, то в течение целого года буду чистить тебе сапоги.

— Я не хочу, чтобы мне чистили сапоги, но не хочу также, чтобы деньги налогоплательщиков выбрасывались на содержание полиции, которая предоставляет услуги нянюшки. Почему, черт возьми, тебе кажется, что в этом замешан Карл Уотерс? У тебя нет никаких доказательств, и ты это знаешь.

Тед бесстрашно посмотрел ему в глаза.

— Все доказательства у меня здесь, — сказал он, приложив руку к груди.

Он уже отправил по собственной инициативе женщину-полицейского под видом сборщицы показателей счетчиков на платных автостоянках, поручив ей проверить машины, припаркованные по обе стороны улицы, на которой проживала Фернанда. Счетчиков там не было, но, если машина оставалась припаркованной дольше чем два часа, надо было наклеивать специальные талончики, разрешающие более продолжительную парковку, так что присутствие сборщицы показателей счетчиков никому не могло бы показаться подозрительным. Теду не терпелось узнать, что она там обнаружит: кто сидит в припаркованных машинах, как они выглядят? Он просил ее также проверить все номерные знаки этих машин. Она позвонила, когда Тед и шеф все еще обсуждали эту проблему. В кабинет вошла секретарша шефа и сказала, что у инспектора Джемисон есть кое-что для Теда, причем она считает, что это срочно. Шеф раздраженно пожал плечами, а Тед взял трубку. Он довольно долго слушал то, что ему говорили, сделал несколько невразумительных замечаний, поблагодарил ее и, глядя на шефа, повесил трубку.

— А теперь, я полагаю, ты намерен сказать мне, что Карлтон Уотерс и этот парень, которого арестовало ФБР, стоят у ее дверей, вооруженные автоматами, — саркастически произнес шеф.

Но Тед был серьезен и смотрел ему прямо в глаза.

— Нет, я намерен сказать, что Питер Морган, условно освобожденный из тюрьмы, у которого в комнате был найден номер телефона Уотерса, сидит в припаркованной машине напротив дома Барнсов. По крайней мере судя по описанию, это он. Машина зарегистрирована на его имя. И один из соседей утверждает, что он сидит то там, то в другом конце квартала уже несколько недель. Соседи говорят, что он выглядит приличным человеком и никаких подозрений у них не вызвал.

— Пропади все пропадом, — пробормотал шеф и, взъерошив рукой волосы, взглянул на Теда. — Только этого мне и не хватало. Если они похитят эту женщину, газеты напишут, что мы палец о палец не ударили, чтобы предотвратить это. Ладно, ладно. Кого ты уже задействовал?

— Пока никого, — улыбнулся ему Тед.

Он не хотел подчеркивать свою правоту, но знал, что прав. То, что Джемисон обнаружила Моргана сидящим в машине, было счастливой случайностью. Надо будет предупредить своих людей, чтобы его не трогали. Он не хотел вспугнуть его. Тед хотел поймать их всех, кем бы они ни были и сколько бы их ни было, независимо от того, участвует в этом Карлтон Уотерс или не участвует. В чем бы ни заключался сговор против Фернанды, Тед хотел не оставить от него камня на камне, хотел арестовать всех участников и обеспечить безопасность ее и ее детей. Вот это была бы настоящая победа.

— Сколько их там всего? Я имею в виду эту женщину Барнс и ее детей? — ворчливо спросил шеф. Но Тед слишком хорошо его знал, чтобы обращать внимание на ворчливый тон.

— У нее трое детей. Один завтра уезжает в спортивный лагерь. Другая послезавтра — на озеро Тахо, и мы организуем там наблюдение за ней через шерифа района озера Тахо. После этого останется только мать с шестилетним парнишкой.

Шеф кивнул.

— Приставь к ней двоих людей круглосуточно. Этого должно хватить. А твой приятель Холмквист дает нам кого-нибудь?

— Думаю, что даст, — осторожно сказал Тед.

Ему было немного неудобно, что он рассказал обо всем Рику до того, как отправился к шефу, но иногда такое уже случалось. Когда они обменивались информацией, это позволяло скорее добиваться положительных результатов.

— Расскажи ему то, что тебе только что стало известно о Моргане, и скажи, чтобы дал нам двух своих парней, иначе в следующий раз я ему тоже дам от ворот поворот.

— Спасибо, шеф, — улыбнувшись, поблагодарил его Тед и вышел из кабинета.

Ему предстояло сделать несколько телефонных звонков, чтобы организовать защиту Фернанды и Сэма. Он позвонил Рику и рассказал ему о Моргане. Потом приказал младшему офицеру переснять фотографию Моргана, чтобы показать ее Фернанде и детям. Затем он достал из стола папку и написал на ней номер дела, чтобы придать ему официальный характер. Он написал на папке крупными буквами: СГОВОР С ЦЕЛЬЮ СОВЕРШЕНИЯ ПОХИЩЕНИЯ, потом написал имена Фернанды и всех ее детей. Там, где следовало перечислить подозреваемых, он написал имя Моргана. Остальные имена пока смутно маячили на горизонте, хотя имя Филиппа Эдисона он написал наряду с кратким описанием найденного у него досье на Аллана Барнса.

Это было всего лишь начало. Тед знал, что постепенно придет и остальное. Маленькие кусочки неба становились на свои места. Пока это был только Питер Морган. Но интуиция подсказывала Теду, что скоро и другие частички головоломки встанут на свои места.

В шесть часов вечера Тед поехал к Фернанде. Он решил, что, как и прежде, войдет в дом, не скрываясь, с самым непринужденным видом, как положено гостю. Галстук он снял, на нем была надета бейсбольная куртка Полицейский, которого он привел с собой, был в бейсбольной кепочке, пуловере и джинсах. Он мог сойти за приятеля Уилла, а Тед — за отца этого приятеля. Когда они пришли, Фернанда и дети сидели за столом на кухне и ели пиццу. Увидев Теда в дверной глазок, они сразу же открыли ему дверь. Молодой человек, которого он привел с собой, принес что-то в спортив ной сумке, висевшей у него на плече, которая хорошо сочеталась с его атлетическим телосложением. Тед спокойно предложил ему располагаться на кухне, а сам уселся за стол вместе с Фернандой и детьми. Он принес с собой конверт.

— Вы принесли еще какие-нибудь фотографии? — поинтересовался Сэм, когда Тед ему улыбнулся.

— Принес.

— Кто это на сей раз? — серьезно спросил Сэм, как положено официальному помощнику, которым Тед назначил его в прошлый раз.

Он попытался казаться несколько утомленным делами. Заметив это, мать улыбнулась. Хотя, откровенно говоря, сейчас было не до улыбок. Тед позвонил ей и рассказал о Моргане. Очевидно, он вел наблюдение уже несколько недель, а она его ни разу не заметила. Это говорило о том, что она не слишком наблюдательна. Тед сказал, что в доме около полуночи появятся четверо людей: двое из полиции и двое из ФБР. Сэм был очень взволнован и хотел узнать у самого Теда, будут ли эти люди вооружены. Он уже спрашивал об этом мать, но хотел получить подтверждение от Теда.

— Да, они будут при оружии, — ответил на его вопрос Тед и, вынув фотографию из конверта, передал ее Уиллу. — Не этого ли человека ты видел в машине напротив дома?

Уилл, взглянув на фотографию, кивнул и передал ее Теду. Ни Эшли, ни Сэм его не узнали, но когда фотографию взяла Фернанда, она долго сидела, задумчиво глядя на нее. Она знала, что где-то видела его, но не могла вспомнить, где именно. Потом она неожиданно вспомнила его. Это было либо в супермаркете, либо в книжном магазине. Она что-то уронила, а он поднял, и ей, как и Уиллу, тоже показалось, что он похож на Аллана.

— Вы помните, когда это произошло? — спокойно спросил Тед, и она ответила, что точно не помнит, но, очевидно, это произошло на прошлой или позапрошлой неделе, а это подтверждало предположение о том, что он довольно давно ведет наблюдение за ними. — Он и сейчас сидит там, — спокойно объяснил Тед детям, и Эшли тихо охнула. — Но мы не примем никаких мер. Мы хотим узнать, кто остановится и заговорит с ним, кто его сменяет на этом посту и что они затевают. Когда вы будете выходить из дома, не ищите его глазами, не замечайте его и не узнавайте. Мы не хотим его спугнуть. Просто ведите себя так, как будто ничего об этом не знаете, — сказал Тед.

— Он и сейчас там? — спросила Эшли, и Тед кивнул.

Он теперь знал его машину по описанию инспектора Джемисон и знал, где она припаркована. Но он сделал вид, что даже не заметил ее. Он припарковал свою машину, вышел из нее и, смеясь и болтая с молодым копом, которого привез с собой, направился к дому, делая вид, что привез своего сына в гости к друзьям. Они выглядели очень убедительно. Молодой полицейский вполне сходил за ровесника ее старшего сына, да и на самом деле был не намного старше его.

— Думаете, он догадывается, что вы коп? — спросил его Уилл.

— Надеюсь, что нет. Но уверенно сказать нельзя. Всякое бывает. Однако я все-таки надеюсь, что он сочтет меня приятелем вашей мамы. По крайней мере пока.

Но потом, когда в доме разместятся четверо мужчин, это неизбежно привлечет внимание Моргана и его сообщников и насторожит их. И как только это произойдет, полиция утратит преимущество, заключавшееся в ее анонимности, а похитители будут продолжать свое дело с еще большей осторожностью или со страху бросят эту затею и скроются, хотя Теду это казалось маловероятным. Но выбора у них не было. Фернанда и ее семейство нуждались в защите. И если этот человек, испугавшись, исчезнет навсегда, это тоже неплохо. Но прежде всего присутствие в доме полиции было необходимо для защиты Фернанды и ее детей. Наверное, в операции будут участвовать и женщины-полицейские, а это позволит отвлечь внимание преступников, и они не сразу поймут, что в доме находится полиция. Но рано или поздно тот факт, что в доме дважды в день появляются четверо взрослых, которые повсюду сопровождают Фернанду и ее детей, привлечет их внимание и, естественно, насторожит.

Тед понимал, что пока они ничего другого сделать не могут. Шеф предложил было поставить перед домом машину без опознавательных знаков с полицейскими в гражданской одежде, но Тед решил: пока будет достаточно того, что местная патрульная машина станет время от времени проезжать по улице и вести наблюдение.

К тому времени как они закончили разговор, офицер, которого он привел с собой, приготовил все необходимое. Постелив бумажные полотенца, он разложил на них свои приспособления. Его дипломат был открыт, и рядом с раковиной лежали наготове два полных набора для снятия отпечатков пальцев. Один был заряжен красными чернилами, другой — черными. Тед попросил их всех подойти к раковине. Первым он пригласил Уилла.

— Зачем вы снимаете наши отпечатки пальцев? — поинтересовался Сэм.

Его рост уже позволял ему видеть то, что делают Уилл и молодой полицейский. Это была тонкая работа. Сначала он умело нажал каждым пальцем Уилла на подушечку с чернилами, потом так же тщательно приложил каждый палец к диаграмме, на которой было указано место каждого пальца. Уилл очень удивился, заметив, что чернила не оставили следов на его пальцах. Сначала сделали красные отпечатки, потом черные. Уилл понимал, зачем снимают отпечатки. Понимали это также Эшли и Фернанда, но никто не хотел объяснить это Сэму. Процедура нужна для того, чтобы можно было опознать их тела в том случае, если они будут похищены и убиты. Не слишком радостная перспектива.

— Полиции просто нужно знать, кто ты такой, — объяснил Тед. — Узнать это можно и по-другому. Но это самый надежный способ. Твои отпечатки останутся неизменными до конца твоей жизни.

Необходимости в такой информации не было, однако это сработало. Потом взяли отпечатки пальцев у Эшли, затем у Фернанды, и наконец очередь дошла до Сэма. Его отпечатки выглядели такими крошечными.

— Зачем их делают красными и черными? — спросил Сэм.

— Черные — для ПДСФ, — объяснил Тед, — а красные — для ФБР. Они любят все более броское, — улыбнулся Сэму Тед.

Все остальные стояли рядом и наблюдали. Они тесно прижались друг к другу, будто черпали силу в этом единении, а Фернанда словно оберегала их, как наседка цыплят.

— Почему ФБР любит красные? — спросила Фернанда.

— Думаю, просто для того, чтобы отличаться от других, – сказал полицейский, снимавший отпечатки.

Другого разумного объяснения этому не было. Но отпечатки, сделанные красным, всегда принадлежали ФБР.

Закончив с отпечатками пальцев, он достал маленькие ножницы и, улыбнувшись Сэму, спросил:

— Можно я отрежу маленькую прядку твоих волос, сынок?

— Зачем? — спросил Сэм, вытаращив глаза.

— По волосам людей можно узнать многое. Это называется проба на ДНК.

Это тоже была информация, без которой они могли бы обойтись, но у них не было выбора.

— Вы имеете в виду — если меня похитят? — Сэм, кажется, испугался, и полицейский в нерешительности остановился. Тут вмешалась Фернанда:

— Просто они хотят, чтобы мы это сделали, Сэм. Я сделаю это сама.

Фернанда взяла ножницы из рук офицера и отстригла крошечную прядку волос Сэма. Потом отстригла прядку своих волос, а затем — Эшли и Уилла. Она не суетилась, но решила сделать это сама, чтобы не придавать этой процедуре какой-то зловещий характер. Вскоре после этого дети, тихо разговаривая между собой, поднялись наверх. Сэм хотел остаться с мамой, но Уилл взял его за руку и сказал, что хочет пообщаться с ним. Ему показалось, что матери нужно поговорить с Тедом о том, что происходит, и он правильно сообразил, что это может испугать Сэма. За очень короткое время с ними столько всего произошло. Фернанда понимала, что, когда после полуночи в их доме будут круглосуточно дежурить четверо вооруженных полицейских, их жизнь коренным образом переменится.

— Нам потребуются их фотографии, — спокойно сказал Фернанде Тед, когда все вышли из комнаты. — И описания: рост, вес, особые приметы — все, что вы сможете сообщить нам.

— Неужели это все может пригодиться, если их похитят? — Ей не хотелось даже говорить об этом, но она должна была знать. Ее мысли были заняты одним: что будет, если у нее отнимут одного из ее детей? Думать об этом было страшно.

— Это очень может пригодиться, особенно если коснется такого малыша, как Сэм.

Он не хотел рассказывать ей, что иногда украденных в таком возрасте детей находят лет десять спустя, когда они прожили другую жизнь, с другими людьми, когда их держали в плену в другой стране или в другом штате. Вот тогда отпечатки их пальцев и образчики волос помогают властям опознать их — живых или мертвых. Что касается Уилла и Эшли, то обстоятельства, в которых могут потребоваться отпечатки их пальцев и образчики волос, могут оказаться еще более зловещими. Если, как в данном случае, речь идет о выкупе, детей будут держать, пока выкуп не будет заплачен, а потом вернут. Тед лишь надеялся, что вернут их, если это случится, в целости и сохранности или что похитители хотя бы оставят их в живых. Он был намерен сделать все возможное, чтобы с ними ничего не случилось. Но они должны быть готовы к любым непредвиденным случайностям, поэтому и важно иметь отпечатки пальцев, образчики волос. Он попросил Фернанду как можно скорее сообщить ему остальные необходимые сведения, и вскоре они уехали.

После этого она некоторое время сидела на кухне в одиночестве за столом, на котором стояла пустая коробка из-под пиццы, думая о том, как могло все это случиться и скоро ли все кончится. Она надеялась лишь, что люди, затевающие это преступление — если только это не плод воображения, — будут пойманы. Ей очень хотелось надеяться, что все это плод воображения, настолько страшно было думать, что все это происходит с ними на самом деле. Если думать, то можно впасть в истерику, а этого нельзя допустить, потому что это испугает детей. Ей показалось, что она держит себя в руках и сохраняет спокойствие, пока она не заметила, что поставила в холодильник пустую коробку из-под пиццы, налила апельсиновый сок в чашку чая и бросила в мусорное ведро чистые полотенца.

— Ну, ну, успокойся, — вслух приказала она себе, — все будет хорошо.

Однако, убирая на место полотенца, она обратила внимание на то, что у нее дрожат руки. Все происходящее было так страшно, что она не могла не вспомнить об Аллане и не пожалеть, что его нет рядом. Интересно, что сделал бы он, случись такое при нем? Он бы, наверное, справился с этой ситуацией более умело и вел бы себя гораздо спокойнее, чем она.

— С тобой все в порядке, мама? — спросил Уилл, который пришел на кухню за мороженым.

— Надеюсь, что все в порядке, — честно призналась она. У нее был очень усталый вид. — Не нравится мне все это.

Уилл стал есть мороженое, а она опустилась на стул рядом с ним.

— Ты не передумала и все еще хочешь, чтобы я поехал в спортивный лагерь? — спросил он с озабоченным видом.

Она кивнула:

— Да, дорогой.

Ей бы очень хотелось, чтобы Сэм тоже поехал с ним и чтобы никто из них не ждал вместе с ней каких-то страшных событий в доме. Но Сэм еще слишком мал, и ей придется держать его при себе. Тед посоветовал им как можно реже выходить из дома. Ему не нравилось, что в машине она может попасть в засаду. Они уже обсуждали возможность того, чтобы кто-нибудь из полицейских ездил вместе с ней или сопровождал ее машину. Рик и шеф считали, что за ней следует установить наружное наблюдение. Но в таком случае она вновь становилась живой приманкой. В результате Тед предложил, чтобы она по возможности совсем не выходила из дома.

В тот вечер Фернанда позвонила людям, у которых должна была жить Эшли на озере Тахо, и под строжайшим секретом объяснила им ситуацию. Они выразили ей сочувствие и заверили, что не спустят глаз с Эшли. Фернанда их поблагодарила. Они с пониманием отнеслись к тому, что шериф установит наружное наблюдение, и сказали, что им будет спокойнее, если там будут люди, обеспечивающие безопасность Эшли. Ни Тед, ни Рик не думали, что преступники последуют за ней на озеро Тахо, но оба считали, что меры предосторожности не помешают. Убедившись, что Эшли будет в безопасности, Фернанда вздохнула с облегчением.

В полночь, когда Фернанда уже лежала в постели, раздался звонок в дверь. Это прибыли сразу все четверо офицеров.

Питер Морган к тому времени уже уехал домой и их так и не увидел. Изучив ее распорядок дня, он знал, что после этого времени она из дома не выходит Он обычно покидал свой пост в половине десятого или в десять часов и редко задерживался позднее. Это бывало только в тех случаях, когда она с детьми ходила в кино. Но в тот вечер он уехал домой рано. И она, и дети весь вечер были дома, поэтому он уехал к себе в гостиницу. Он почти сожалел, что все это подошло к концу. Ему нравилось находиться неподалеку от нее и ее детей, и он любил представлять себе, чем они занимаются, когда время от времени они подходили к окнам.

В тот вечер Фернанда предполагала позвонить Джеку Уотерману, чтобы рассказать, что происходит, но слишком устала. Да и что могла она рассказать ему? Что какая-то шайка плохих людей завела на них досье и что один из них уже несколько недель сидит в машине, припаркованной напротив дома, и ведет за ними наблюдение? И что дальше? До сих пор нет никаких конкретных доказательств того, что кто-то замышляет их похищение, — только бесконечные подозрения. Даже ей все это казалось безумием. Да и он все равно ничего не смог бы сделать. Она решила подождать несколько дней и посмотреть, как будут развиваться события, а уж потом позвонить ему. У него и без того хватает забот с катастрофическим положением ее финансовых дел. К тому же они с Сэмом все равно увидятся с ним в ближайший уик-энд. На следующий день после отъезда Эшли он пригласил их в Напу. У нее там будет достаточно времени, чтобы поговорить с ним. Поэтому в тот вечер она так и не позвонила ему.

Прибывшие в полночь офицеры были чрезвычайно вежливы и, осмотрев дом, решили дислоцироваться на кухне. Там был кофе и была еда. Она предложила приготовить для них сандвичи, но они сказали, что в этом нет необходимости, хотя поблагодарили ее за заботу.

Как и предупреждал Тед, их было четверо: двое из ПДСФ и двое из ФБР. Они, добродушно перешучиваясь, уселись за столом, и она приготовила им кофе. Они знали, что включена сигнализация, и она показала им, как она работает. Двое из них сняли пиджаки, и она увидела, что у каждого их них имеется один пистолет в наплечной кобуре, а другой — в кобуре на поясе. Она вдруг почувствовала себя участницей какого-то движения сопротивления, что делало ее одновременно и уязвимой, и защищенной. Какими бы дружелюбными они ни были, само их присутствие в доме казалось зловещим. Только было она собралась подняться к себе наверх, как раздался звонок в дверь. Двое офицеров быстро вышли из кухни, чтобы открыть дверь. Фернанда с удивлением увидела, что это Тед.

— Что-то случилось? — испуганно спросила она, чувствуя, как бешено заколотилось сердце. На хорошие новости она даже не надеялась. Если бы это были хорошие новости, то он, наверное, позвонил бы ей.

— Нет, все в порядке. Просто я решил заглянуть к вам по дороге домой, чтобы узнать, как идут дела.

Офицеры к тому времени снова ушли на кухню. Она знала, что они предполагали пробыть там до полудня. Следующая смена будет находиться в доме с полудня до полуночи. А это означало, что на следующий день ее дети будут завтракать в обществе вооруженных людей. Это напомнило ей кинофильм «Крестный отец» с той лишь разницей, что это была ее жизнь, а не кино. А если это было кино, то кино плохое.

— Мальчики ведут себя хорошо? — спросил Тед, глядя на нее. Она выглядела такой усталой, что ему захотелось обнять ее и успокоить — в порядке дружеского участия. Но он этого не сделал.

— Они были очень любезны со мной, — сказала она слабым голосом, и он почувствовал, что она плакала. Сейчас она казалась очень испуганной, хотя совсем недавно он восхищался ее спокойствием в присутствии детей.

— Им положено быть с вами любезными, — с улыбкой сказал он. — Я не хочу быть навязчивым. Просто решил проверить, как они здесь. Это никогда делу не мешает. Если возникнут какие-нибудь проблемы, звоните мне. — Он говорил о своих людях как о детях, да в некотором роде так оно и было.

У него в основном работала молодежь, и он смотрел на них как на ребятишек. Это он попросил, чтобы на дежурство назначили также женщин-полицейских. Он подумал, что Фернанде и детям с ними будет не так страшно. Но первая смена была сплошь мужской, и пока Тед разговаривал с Фернандой в коридоре, они сидели и тихо беседовали на кухне.

— Вы сами-то хорошо себя чувствуете?

— Более или менее, — сказала она. Ожидая, что вот-вот что-то должно случиться, она жила в страшном напряжении.

— Будем надеяться, что все это скоро кончится. Мы подстережем, когда эти парни совершат какой-нибудь промах. Они всегда совершают какие-нибудь глупости. Например, грабят винный магазин, перед тем как провернуть какое-нибудь более важное дело. Вы должны помнить, что все эти парни побывали в тюрьме, а это значит, что они не слишком умело делали то, чем занимались раньше. Мы на это очень рассчитываем. Некоторые из них даже мечтают о том, чтобы их поймали. Быть на воле и зарабатывать на жизнь честным трудом нелегко. Уж лучше вернуться в тюрьму, где три раза в день кормят и есть крыша над головой за счет налогоплательщиков. Мы не допустим, чтобы с вами и с детьми случилось что-нибудь плохое, Фернанда. — Он впервые назвал ее по имени, и она улыбнулась. Даже от того, что она его слушала, ей стало легче. Он был такой спокойный и надежный.

— Я просто испугалась. Страшно подумать, что есть люди, которые хотят причинить нам зло. Спасибо за все, что вы для нас делаете, — искренне поблагодарила она.

— Все это действительно страшно. И не надо меня благодарить. Мне платят за то, что я делаю, — сказал Тед.

Фернанда давно поняла, что он очень хорошо знает свое дело. Рик Холмквист тоже произвел на нее большое впечатление. А также молодой офицер, который так тщательно снимал отпечатки пальцев, да и те четверо вооруженных людей, которые расположились на кухне. Все они со спокойной уверенностью, как положено профессионалам, делали свое дело.

— Все происходит как в кинофильме, — с печальной улыбкой сказала она, опускаясь на ступеньку лестницы под венской люстрой. Он сел рядом с ней. Они оказались в темноте и разговаривали шепотом, словно двое подростков. — Я рада, что Уилл завтра уезжает. Хорошо бы, если бы они все уехали отсюда, а не только Уилл и Эшли. Сэму будет страшно.

Тед понимал, что страшно не только Сэму, а и ей тоже.

— Я сегодня подумал вот о чем. Нет ли где-нибудь безопасного дома, куда вы с Сэмом могли бы уехать на несколько дней? Не обязательно делать это немедленно, пока нам достаточно плана нашей защиты, который выполняется сейчас. Но если, например, один из наших информаторов сообщит о том, что преступники увеличивают число людей, или если ситуация неожиданно выйдет из-под контроля, такое место может понадобиться. Оно должно быть расположено там, где никому не придет в голову вас искать, — сказал Тед.

В некоторых отношениях им было бы значительно проще охранять ее там, чем в городе, хотя ее пребывание в городе имело свои немалые преимущества: здесь в случае вооруженного нападения или захвата заложников они могли бы получить подкрепление в считанные минуты. Это был важный фактор, но Тед всегда предпочитал иметь запасной вариант. В ответ на его вопрос Фернанда покачала головой.

— Я продала все наши дома, — сказала она.

Это напомнило ему о невероятной истории, которую она сегодня ему рассказала, о том, что Аллан потерял все свои деньги. Ему все еще было трудно поверить, что можно быть таким неосмотрительным и безответственным, чтобы потерять полмиллиарда долларов. Но очевидно, Аллан Барнс был именно таким. Он потерял деньги и оставил жену и детишек буквально без гроша.

— Может быть, у вас есть друзья или родственники, у которых можно было бы пожить какое-то время?

Она снова покачала головой. Не было у нее ни достаточно близких друзей, у которых можно было бы погостить в такой ситуации, ни родственников.

— Мне не хотелось бы подвергать риску еще кого-нибудь, — сказала она, хотя ей все равно никто не приходил в голову, тем более что пришлось бы сказать правду этому человеку об их финансовом положении и рассказать о возможном похищении.

Аллан каким-то образом умудрился отстраниться от всех их близких друзей, а его невероятный успех в бизнесе и открытая демонстрация огромного богатства заставили даже хороших друзей чувствовать себя с ними не в своей тарелке и избегать общения. А когда, достигнув вершины успеха, он покатился вниз и понял, что крах неминуем, он и сам не хотел, чтобы об этом узнали окружающие. И теперь, после его смерти, у нее остались просто знакомые, с которыми ей совсем не хотелось делиться своими бедами. И еще остался Джек Уотерман, их старый друг и адвокат. Она предполагала рассказать ему обо всем, что происходит, во время уик-энда, но безопасного дома у него тоже не было. У него была небольшая квартирка в городе и еще время от времени он выезжал на уик-энд в Напу, где останавливался в гостинице.

— Вам было бы неплохо ненадолго уехать отсюда, — задумчиво произнес Тед.

— Мы с Сэмом приглашены на денек в Напу, но это, наверное, будет сложно организовать. Не брать же с собой полицейских! — Она представила себе, какое удовольствие получат от поездки она, Джек и Сэм, если в машине вместе с ними будут сидеть полицейские.

— Посмотрим, что произойдет до этого, — сказал Тед, и она кивнула.

Он прошел на кухню, чтобы проверить, как там его люди, поболтал с ними несколько минут и ушел в час ночи. А Фернанда медленно побрела в свою спальню. Этот день показался ей бесконечным. Она приняла горячую ванну и улеглась в постель рядом с Сэмом, как вдруг увидела, как мимо ее комнаты прошел мужчина. Вздрогнув всем телом, она вскочила на ноги и встала рядом с кроватью в одной ночной рубашке. Мужчина появился в дверном проеме. Это был один из полицейских.

— Я делаю обход, — спокойно сказал он. — С вами все в порядке?

— Все в порядке. Спасибо, — вежливо ответила она.

Он кивнул и стал спускаться по лестнице, а она, все еще дрожа, снова улеглась в постель. Странно, когда в доме вооруженные полицейские. Когда она наконец заснула, ей приснилось, что в доме полно мужчин с пистолетами в руках. Это была сцена из кинофильма. Из «Крестного отца». Потому что она видела Марлона Брандо. И Аль Пачино. И Теда. И всех своих детей. Потом она увидела Аллана, который шел к ней. После смерти он очень редко снился ей, и, проснувшись утром, она отчетливо помнила этот сон.

Глава 14

Когда на следующий день Уилл и Сэм спустились к завтраку, Фернанда готовила яичницу с беконом для двух агентов ФБР и двух полицейских, сидящих за кухонным столом. Она поставила перед ними тарелки, и Уилл с Сэмом разместились между ними. Она заметила, что Сэм с любопытством поглядывает на их пистолеты.

— А в них есть пули? — спросил он одного из мужчин, и полицейский кивнул с улыбкой.

Было что-то сюрреалистическое в том, что четверо вооруженных мужчин завтракают вместе с ее детьми. Она себя чувствовала какой-то любовницей гангстера.

Сэм хотел блинчиков, а Уилл хотел яичницу с беконом, как все остальные мужчины, поэтому она приготовила и то и другое. Эшли еще не проснулась. Было довольно рано. Уилл должен был успеть на десятичасовой автобус, и Фернанда уже обсудила с двумя офицерами вопрос о том, следует ли ей проводить его. Они считали, что этого делать не следует, потому что это привлекло бы ненужное внимание к его отъезду. Если за ней следят, то ей лучше оставаться дома с детьми.

Один из офицеров отвезет Уилла к автобусу. Он предложил Уиллу сесть в машину в гараже и лечь на заднее сиденье, так чтобы никто не заметил, что он уезжает. Ситуация была, конечно, несколько надуманной, но Фернанда не могла не признать, что она не лишена здравого смысла. Поэтому в половине десятого она попрощалась в гараже с Уиллом, он лег на заднее сиденье, и несколько мгновений спустя офицер выехал из гаража, как будто был в машине один. Он разрешил Уиллу сесть только тогда, когда они отъехали на достаточное расстояние от дома, и после этого они всю дорогу до автобусной остановки оживленно болтали. Он посадил Уилла в автобус, помог втащить его спортивную сумку и принадлежности для лакросса, подождал, пока автобус тронулся, и помахал ему рукой на прощание, как будто провожал собственного сына. Час спустя он вернулся в дом.

Питер к тому времени находился на своем наблюдательном посту и видел, как какой-то мужчина ставит в гараж машину Фернанды. Он видел, как этот мужчина уезжал некоторое время назад, но не видел, чтобы он приходил накануне вечером, так как ночная смена прибыла в дом после того, как Питер уехал. Пока что, кроме этого мужчины, он никого не видел. Питер слегка удивился, увидев там мужчину так рано утром. Раньше ему не приходилось такого наблюдать. Но ему и в голову не пришло, что мужчина, только что въехавший в гараж, был полицейским. В доме не было заметно никакой суеты, все было как обычно. И Питер сам немного удивился, почувствовав раздражение из-за того, что у нее в доме вместе с ее детьми был мужчина. Он надеялся лишь, что это был друг, который приехал рано утром, чтобы помочь ей, и ничего больше. В полдень мужчина уехал, и Сэм помахал ему рукой на прощание, как другу.

Когда после полудня прибыла следующая смена, там были двое сотрудников ФБР мужского пола, а офицерами полиции были две женщины, поэтому все выглядело так, как будто две пары приехали с визитом. Питер не заметил, как другие трое мужчин вышли из дома через боковую дверь и прошли по участку, принадлежащему соседям, чтобы никто не заметил, как они уходят.

В тот вечер он уехал до того, как гости отправились по домам. Питеру надоело их ждать, и он не видел причин оставаться на посту до их отъезда. Он уже знал о ней все, что ему было необходимо. Он знал, например, что она почти никогда не включает сигнализацию. А если вдруг включит, то Уотерс, прежде чем войти в дом, перережет провода. На этот раз Питер явился на свой наблюдательный пункт скорее по привычке, выработавшейся у него за последние несколько недель, чем для того, чтобы выяснить что-нибудь новое о ее распорядке дня. Он знал, куда и с кем она ездила и сколько времени ей на это требовалось. Откровенно говоря, сейчас он следил за ней ради собственного удовольствия, а также потому, что обещал это сделать Эдисону. Ему это не составляло труда. Ему нравилось находиться рядом с ней и наблюдать за ней и ее детьми. Но сегодня, когда у нее целый день были в гостях две какие-то пары, сидеть здесь было просто бессмысленно. Обе пары приехали в одной машине. Судя по всему, это были приятные, милые люди, они болтали и смеялись, выходя из машины. Тед лично отобрал их и объяснил, что следует надеть, чтобы выглядеть ее друзьями. Хотя до этого Питер ни разу не видел, чтобы Фернанда принимала гостей, она с такой радостью приветствовала их, что ему и в голову не пришло, что это сотрудники ФБР и ПДСФ. Ничто не подсказало ему, что обстановка изменилась. По правде говоря, он даже с некоторым облегчением уехал от дома раньше, чем ушли гости. Он устал, а в доме ничего не происходило. Встретив гостей, ни Фернанда, ни дети больше не показывались из дома. Он видел только Сэма, который играл у окна, да Фернанду на кухне, которая что-то готовила для своих друзей.

На следующий день он должен был вести наблюдение последний раз. В ту ночь Карлтон Уотерс, Малькольм Старк и Джим Фри должны были остаться с ним. Утром ему нужно было еще кое-что раздобыть для них, поэтому к дому Фернанды он приехал поздно. Эшли уже уехала с друзьями на озеро Тахо, а на дежурство в доме заступила новая смена. По счастливой случайности он так и не увидел, как в полдень дом покидали полицейские из предыдущей смены и как туда входила следующая смена. Естественно, выходили и входили они через боковую дверь. Покидая в тот вечер свой наблюдательный пост в десять часов, он и не догадывался, что в доме с ней находится кто-то еще. Его уже не было, когда в полночь одна смена уходила, а другая входила в дом. Он вообще целый день не видел ни Фернанду, ни детей. Может, она устала, принимая вчера гостей или была занята чем-нибудь? Поскольку школьников распустили на каникулы и им не нужно было никуда ехать, они, наверное, наслаждались возможностью просто полениться.

Днем он видел ее через окна и заметил, что на ночь она задернула шторы. Он всегда ощущал одиночество, когда не мог видеть ее, и, уезжая от дома в последний раз, понимал, что будет очень скучать без нее. Он уже скучал. И надеялся, что когда-нибудь увидит ее снова. Он представить себе не мог, как будет теперь жить без нее. Это его расстраивало так же сильно, как и то, что они собирались сделать с ней. От одной мысли об этом ему становилось не по себе. Занятый своими переживаниями, он даже не подумал о том, что ее и детей кто-то может защищать. Никаких подозрений у него не возникало, поэтому и Эдисону он ничего не сказал. Он совершенно не был знаком даже с основами наружного наблюдения.

Наконец ему удалось заставить себя не думать о том, что будет с ней, когда его сообщники похитят одного или всех ее детей. Он не мог позволить себе продолжать думать об этом и, возвращаясь в тот вечер к себе в гостиницу, переключился на более приятные темы. Когда он приехал, Старк, Уотерс и Фри уже ждали его там и жаждали узнать, почему он так задержался. Они были голодны и хотели пойти куда-нибудь поужинать. Он совсем не хотел признаваться им, что ему было очень тяжело уезжать от нее, пусть даже это означало всего лишь отъезд с парковки на улице, где она жила. Он никогда не говорил никому из них, что стал с уважением относиться к Фернанде и полюбил и ее, и ребятишек.

Как только Питер приехал, они вчетвером отправились ужинать. Они пошли в кафе в районе Миссии, где кормили «тако». Все четверо накануне отметились у своих уполномоченных, и, поскольку теперь им нужно было отмечаться раз в две недели, никто не заметит их отсутствия, пока они не окажутся за пределами страны. Эдисон заверил Питера, а Питер, в свою очередь, всех остальных, что Фернанда быстро заплатит выкуп за своих детей. Предположительно в течение нескольких дней. У троих мужчин, которым предстояло выполнить этот план, не было причин ему не верить. Им нужно было одно: получить свои деньги. Им абсолютно не было дела ни до нее, ни до ее детей. Им ведь безразлично, кого похищать и зачем, — лишь бы получить деньги. Им уже заплатили по сто тысяч каждому наличными. Остальное все четверо должны были получить после того, как будет заплачен выкуп.

Питер получил от Эдисона подробные инструкции относительно того, куда она должна была перевести деньги. А их следовало перевести на пять счетов на Каймановых островах, а потом с этих счетов — на два счета в Швейцарии для него и Эдисона и три — в Коста-Рику для всех остальных. Детей предполагалось удерживать до тех пор, пока не будут переведены деньги, и Уотерс должен был предупредить ее с самого начала о том, что, если она обратится в полицию, они убьют детей, хотя Питер был намерен не допустить этого. В соответствии с инструкциями, полученными от Питера, потребовать выкуп должен был Уотерс.

Ни о каком кодексе чести в отношениях между этими людьми и речи не было. Трое из них по-прежнему не знали Филиппа Эдисона. А если кто-нибудь из них донесет на других, то он не только потеряет свою долю, но будет убит, и каждый из них

это знал. План должен был сработать безотказно. Питеру предстояло уехать из гостиницы на следующее утро, а остальным — похитить столько детей, сколько удастся, и отвезти их в дом, арендованный на озере Тахо. Питер под другим именем уже снял номер в отеле на Ломбард-стрит.

Единственный контакт Питера с остальными тремя сообщниками состоялся за ужином накануне похищения, после которого они спали в его гостиничном номере, для чего привезли с собой спальные мешки и расположились на полу. Рано утром Питер встал, оделся и ушел отдельно от них.

Фургончик, уже заправленный бензином, ждал их. Они забрали его в гараже, но еще не решили точно, в какое время начнут операцию. Они хотели какое-то время понаблюдать и выбрать момент, пока в доме еще тихо. Они не планировали операцию по минутам и не спешили.

Питер прибыл в свой номер в мотеле на Ломбард-стрит в то время, когда они добрались до гаража, чтобы забрать фургончик. Он так и не выписался из гостиницы, чтобы не вызвать подозрений. Все было готово. Они перенесли из машины в фургончик сумки для гольфа, в которых находились автоматы. Еще там были веревка, большой запас клейкой ленты и устрашающее количество боеприпасов. По пути в гараж они закупили продукты, причем в таком количестве, что можно было продержаться несколько дней, хотя и надеялись, что операция продлится недолго. То, что им придется кормить детей, их нисколько не тревожило. Они полагали, что долго держать детей у себя им не придется, так что и беспокоиться незачем. Они купили арахисовое масло, мармелад и хлеб для детей и немного молока. Остальное купили для себя, в том числе ром, текилу, огромное количество пива, а также консервированные и замороженные продукты быстрого приготовления, поскольку никто из них не любил готовить. В тюрьме им никогда не приходилось этого делать.

Шел третий день пребывания в доме копов и сотрудников ФБР. Рано утром Фернанда позвонила Джеку Уотерману и сказала, что они с Сэмом заболели гриппом и не смогут поехать в Напу. Ей по-прежнему хотелось поговорить с ним о том, что происходит, но все это еще казалось ей нереальным. Как, например, объяснить присутствие мужчин, разбивших лагерь в ее гостиной или сидящих за столом в кухне с пистолетами в наплечных кобурах? Она чувствовала себя ужасно глупо. Тем более если окажется, что во всем этом не было необходимости. Она надеялась, что ей никогда не придется рассказывать ему об этом. Джек выразил сожаление в связи с тем, что они оба заболели гриппом, и предложил заехать к ним по дороге в Напу, но она сказала, что они отвратительно чувствуют себя и что она не хотела бы заразить его.

Потом она взяла к себе в постель Сэма и включила какой-то фильм. К тому времени она покормила мужчин завтраком, и они с Сэмом, прижавшись друг к другу, стали смотреть фильм. Вдруг она услышала внизу какие-то незнакомые звуки. Сигнализация не была включена. Да и зачем ее включать, если в доме находятся двое полицейских и два сотрудника ФБР? В присутствии таких квалифицированных и хорошо вооруженных защитников сигнализация казалась излишней мерой предосторожности, поэтому вчера она ее не включила, как, по правде говоря, не включала с тех пор, как они здесь обосновались. Тед сказал, что они могут нечаянно включить ее, когда входят и выходят через боковой вход, чтобы проверить, все ли в порядке снаружи. Ей показалось, что в кухне что-то упало — стул, может быть, или что-нибудь в этом роде. Зная, что в доме четверо мужчин, она не встревожилась, а продолжала лежать с Сэмом, задремавшим у нее на плече. Они оба плохо спали по ночам и иногда днем хотелось вздремнуть.

Потом она услышала приглушенные голоса и шаги по лестнице. Она предположила, что охранники поднимаются наверх, чтобы проверить, все ли у них в порядке, но вставать с постели не стала, боясь потревожить Сэма. Неожиданно в ее спальню ворвались трое мужчин в натянутых на лица лыжных шапочках с прорезями для глаз. Остановившись в изножье ее кровати, они направили на них автоматы с глушителями. Сэм, вытаращив глазенки, буквально застыл в руках матери. Один из мужчин подошел ближе. Сэм и Фернанда в ужасе смотрели на него, и Фернанда молила Бога, чтобы он не застрелил их. Даже она, не разбиравшаяся в оружии, видела, что они вооружены автоматами.

— Все в порядке, Сэм... все в порядке, — тихо сказала она дрожащим голосом, сама не зная, что говорит.

Она понятия не имела, где находятся ее защитники, но их не было видно, и снизу не доносилось ни звука. Она прижала к себе Сэма и прислонилась к спинке кровати, как будто это могло спасти ее и Сэма. И тут один из них, не произнеся ни звука, вырвал Сэма из ее рук. Она вскрикнула.

— Не берите его, — жалобно умоляла она.

Момент, которого все они боялись, настал, и ей оставалось лишь умолять их. Она разрыдалась, когда один из них нацелил на нее автомат, а другой залепил клейкой лентой рот Сэма и связал ему руки. Ее сын в ужасе беспомощно смотрел на нее широко распахнутыми глазами.

— О Боже! — вскрикнула она, увидев, как связанного по рукам и ногам Сэма засунули в рогожный мешок, словно грязное белье, приготовленное в стирку. Сэм испуганно стонал. Она вскрикнула, когда человек, стоящий ближе всех к ней, схватил ее одной рукой за волосы, как будто хотел оторвать их.

— Еще один звук — и мы убьем его. Ты ведь не хочешь, чтобы его убили? — сказал он.

Это был человек мощного телосложения, в грубой куртке и джинсах и рабочих башмаках. Из-под лыжной шапки выбивалась прядь светлых волос. Другой, более приземистый мужчина, тоже был сильным, судя по тому, с какой легкостью он забросил на плечо рогожный мешок. Фернанда не осмеливалась пошевелиться из опасения, что Сэма убьют.

— Возьмите меня с ним, — дрожащим голосом попросила она, но мужчины ничего не ответили.

Им было приказано не разговаривать, и они выполняли указание. Она должна была остаться, чтобы заплатить выкуп. Кроме нее, некому было это сделать.

— Прошу вас... только не причиняйте ему боли, — умоляла она, упав на колени.

Но все трое выбежали из комнаты и протопали вниз по лестнице, унося с собой Сэма. Тогда она поднялась с колен и помчалась за ними по лестнице. И тут вдруг увидела на ступенях кровавые следы.

— Если сообщите копам или расскажете кому-нибудь об этом, мы его убьем, — сказал один из них. Голос его был приглушен маской. Она кивнула в знак согласия.

— Где дверь в гараж? — спросил один из них, и она заметила брызги крови на штанине его брюк и руках. Но она не слышала ни единого выстрела. Она указала рукой на дверь, ведущую в гараж.

Один из них нацелил на нее автомат, а другой перебросил мешок с Сэмом третьему. Тот взвалил мешок на плечо, но оттуда не донеслось ни звука, хотя она знала, что пока они не причинили мальчику серьезного вреда. Человек мощного телосложения снова заговорил с ней. Прежде чем прийти в ее спальню, они побывали в комнатах Уилла и Эшли и не обнаружили их.

— Где остальные?

— Уехали, — сказала она.

Они кивнули и побежали вниз по черной лестнице, а она с удивлением подумала: где же полицейские?

Похитители подогнали свой фургончик задним ходом к гаражу, и никто их не заметил. Одетые в рабочую одежду, они выглядели совершенно безобидно. Обойдя дом, они с помощью полотенца разбили оконное стекло и влезли внутрь. Сигнализацию они предварительно вывели из строя, перерезав провода. Они знали свое дело, их мастерство оттачивалось годами. Никто не заметил их до сих пор, и теперь никто не увидел, как они открыли дверь гаража, потом заднюю дверцу фургончика, стоявшего возле гаража, и швырнули Сэма в машину. Если бы у нее был пистолет, она стала бы стрелять в них, но сейчас ей было нечем остановить их, и она это понимала. Она боялась даже крикнуть своим защитникам, потому что похитители могли убить Сэма.

Человек, несший мешок с Сэмом, влез внутрь машины и втащил мешок поглубже, ударив Сэма о бампер. Остальные побросали в машину оружие и, обогнув ее, залезли внутрь сквозь переднюю дверцу. Задняя дверца захлопнулась. Прошло еще несколько секунд, и машина отъехала, а всхлипывающая Фернанда осталась стоять на пешеходной дорожке. Она с ужасом поняла, что никто ничего не видел и не слышал. Стекла фургончика были сильно тонированы, а к тому времени, как похитители сняли с себя лыжные шапочки, машина уже повернула за угол, и она ничего не увидела. Она лишь потом вспомнила, что даже не посмотрела на номерной знак машины. Она думала лишь о том, что они увозят ее сына, и молила Бога, чтобы его не убили.

Продолжая всхлипывать, она вбежала в дом, поднялась по черной лестнице и бросилась по забрызганному кровью ковру на кухню, к полицейским. Кухня представляла собой сцену кровавой бойни. Один из полицейских лежал с разбитой головой, другой был убит выстрелом в голову из «М-16». Его мозги были разбрызганы по стенам ее кухни. Ничего более ужасного она в жизни не видела и была так напугана, что даже не имела сил кричать. Они могли сделать то же самое с ней и Сэмом и все еще могут сделать это. Двое сотрудников ФБР были убиты выстрелами в грудь и сердце. Один из них распластался на кухонном столе с зияющей раной в спине величиной с обеденную тарелку, другой лежал на спине на кухонном полу. В руках у сотрудников ФБР были «зауэры», в руках полицейских были полуавтоматические «глоки-4», но ни один из них не успел дать очередь, прежде чем похитители их застрелили.

Их застали врасплох, когда они на какое-то мгновение расслабились, пили кофе и разговаривали. Все были мертвы.

Она выскочила из кухни и побежала к телефону, чтобы позвонить кому-нибудь. Она нашла карточку, которую дал ей Тед, и набрала номер его сотового телефона. Она была в такой панике, что даже не подумала позвонить по девять один один. К тому же она помнила предупреждение похитителей «не говорить никому». Теперь, когда у нее в доме находятся четверо убитых офицеров, это требование едва ли можно выполнить.

Тед был дома: приводил в порядок кое-какие документы и наконец почистил свой «глок» 40-го калибра. Он ответил с первого гудка. Он услышал лишь странные утробные стоны, словно выл раненый дикий зверь. Она не могла произнести ни слова и лишь жалобно всхлипывала.

— Кто это? — резко спросил он. Но уже понял, кто это. Что-то сразу же подсказало ему, что это Фернанда. — Не молчи, поговори со мной. — Она стиснула зубы и втянула сквозь них воздух. — Скажи мне, где ты находишься?

— Они... взя... ли его... — наконец смогла она произнести, трясясь всем телом.

— Фернанда... — Где все остальные?

Она понимала, что он имеет в виду полицейских, но не могла сказать ему. Она снова разрыдалась. Она хотела лишь одного: чтобы ей вернули сына.

— Погибли... все погибли, — с трудом произнесла она.

Он не осмелился спросить ее, погиб ли также и Сэм, но этого не должно было случиться. Какая им польза, если они убьют его на глазах у матери?

— Они сказали, что убьют его, если я расскажу... — И она, и Тед верили этому.

— Я скоро приеду, — сказал Тед и, не задавая больше вопросов, повесил трубку.

Он позвонил в центральную диспетчерскую, назвал ее адрес и предупредил, чтобы информация ни в коем случае не просочилась ни на радио, ни в прессу. Потом он позвонил Рику и быстро сказал ему, чтобы направил своих представителей СМИ в дом Фернанды. Они должны были контролировать все, что говорилось, чтобы не рисковать жизнью Сэма. Рик, который расстроился не меньше Теда, сразу же бросился из кабинета, на ходу разговаривая с Тедом по сотовому.

Тед выбежал из дома, засовывая в кобуру только что собранный пистолет. Он даже не подумал выключить свет. Поставив на крышу машины красные проблесковые огни, он на максимальной скорости помчался туда, где находилась она. Однако до того, как он прибыл туда, на ее улице было полно полицейских машин с мигалками и сиренами. Подъехали три машины неотложной помощи. Въезд в ее квартал был перекрыт буквально за несколько минут до того, как он подъехал. Следом за ним подъехал Рик.

— Что, черт возьми, произошло? — спросил Рик, нагоняя его возле нижней ступеньки лестницы.

В доме уже находились полицейские, но Фернанды нигде не было видно. Не было видно также сотрудников ФБР и полицейских, которые должны были охранять ее и Сэма.

— Я пока не знаю... они увезли Сэма... это все, что мне известно... и еще она сказала, что все погибли. А потом я отключил телефон, позвонил в диспетчерскую и тебе.

Они вбежали в дом, и Тед увидел кровь на ковре и на лестнице. Не в силах оторвать взгляда от кровавых следов, они вошли в кухню и увидели то, что увидела Фернанда. И сколько бы ужасных сцен ни приходилось им видеть за долгие годы их службы, то, что открылось их взорам здесь, заставило их вздрогнуть.

— Силы небесные, — прошептал Рик.

Тед молчал. Все четверо их людей мертвы. Они были убиты с варварской жестокостью. Такое могли сотворить только звери. Да они и впрямь были зверьми. Тед, чувствуя, как его переполняет ярость, отправился искать Фернанду. В доме к тому времени находилось около двадцати полицейских, все кричали, куда-то бежали, искали подозреваемых. Теду пришлось прокладывать путь через их толпу. Он заметил представителей СМИ

ФБР, которые давали указания не допускать в дом представителей прессы. Тед уже хотел подняться вверх по лестнице, как вдруг увидел Фернанду в гостиной. Она лежала на ковре и рыдала. Он опустился на колени рядом с ней, обнял ее, погладил по голове и, не говоря ни слова, стал баюкать ее, как ребенка. Она взглянула на него каким-то диким, затравленным взглядом и спрятала лицо у него на груди.

— Они увезли моего малыша... о Боже... они забрали моего малыша...

Она никогда до конца не верила, что они это сделают. Он тоже. Это был слишком наглый, бесчеловечно жестокий и безрассудный поступок. Но все же они это сделали. И, похищая Сэма, убили четырех человек.

— Мы его вернем, я обещаю, — сказал он.

Хотя понятия не имел, доживет ли до этого, но сейчас он сказал бы что угодно, лишь бы успокоить ее. К ним подошли двое медиков и вопросительно взглянули на него. Судя по всему, она не была ранена, но находилась в плохом состоянии, и один из медиков опустился на колени рядом и заговорил с ней. Она явно перенесла сильную психическую травму.

Тед помог им уложить ее на кушетку и снял с нее туфли, которые были в крови. Фернанда оставила кровавые следы по всей комнате — не было смысла пачкать кровью еще и кушетку. К тому времени повсюду в доме работали полицейские фотографы. Они делали снимки, снимали на видео сцены преступления. Зрелище было ужасное. Повсюду толпились полицейские, некоторые из них плакали, и все они говорили; потом начали подъезжать в переполненных машинах сотрудники ФБР. Не прошло и получаса, как повсюду в доме работали эксперты-криминалисты, собирающие волокна, осколки стекла, кусочки тканей, бравшие отпечатки пальцев и пробы на ДНК для передачи их на экспертизу в лаборатории ПДСФ и ФБР. Возле телефонов уже стояли специалисты по переговорам с похитителями, ожидающие звонка.

Происшедшее воспринималось всеми как вопиющее надругательство над честью их мундиров. Все были в ярости.

Они уехали только к вечеру. Фернанда к тому времени находилась в своей комнате. Поперек кухонной двери была наклеена ярко-желтая клейкая лента, предупреждающая, что там находится место преступления, которое должно оставаться неприкосновенным, или «стерильным», как это называли эксперты. Большая часть полицейских машин уже уехала. С ней оставили четырех человек. Приезжал, чтобы взглянуть на все своими глазами, шеф полиции, который уехал, потрясенный увиденным, в самом мрачном расположении духа. Соседям не стали ничего объяснять. Доступ для прессы был тоже наглухо закрыт. В официальном заявлении говорилось, что произошел несчастный случай. Тела убитых вынесли через боковую дверь после того, как представители прессы ушли. Полиция, несомненно, понимала, что, пока они не получат назад мальчика, ни о какой информации о происшедшем в прессе и речи быть не может. Любые сведения, просочившиеся в СМИ, могли поставить под угрозу его жизнь.

— Откровенно говоря, — сказал Теду шеф полиции перед отъездом, — я сначала подумал, что ты спятил. Но как оказалось, обезумели они.

Он уже долгие годы не видывал ничего более ужасного. Он спросил Теда, не видела ли или не слышала ли Фернанда чего-нибудь такого, что могло бы помочь им. Например, не заметила ли она номерных знаков или направления, в котором они скрылись. Но она ничего не заметила. Все они были в лыжных шапочках с прорезями для глаз и практически совсем не разговаривали между собой. Она настолько обезумела от страха, что даже не заметила, как выглядел фургончик. Они знали только то, что им было известно до того, как это произошло. У них были предположения относительно того, кто эти люди и кто за всем этим стоит. Но не было ничего нового, кроме гибели двух полицейских и двух сотрудников ФБР да похищения шестилетнего мальчика.

Через несколько минут после звонка Фернанды Теду полицейские приехали в гостиницу Питера в Злачный квартал однако регистратор за конторкой внизу сказал, что постоялец ушел утром и не возвращался. Ночные гости Питера вошли и вышли через служебный вход, и никто их не заметил или, во всяком случае, не связал их с Питером. Полиция установила слежку за его комнатой, но, как и предполагал Тед, он там не появился. Он исчез навсегда, хотя, судя по всему, все его пожитки остались в комнате. В целях негласного розыска по полицейским каналам были распространены зашифрованные данные на Питера, Карлтона и машину Питера. Все понимали, что действовать надо чрезвычайно осторожно, чтобы не насторожить похитителей и не поставить под угрозу жизнь мальчика.

Карлтон Уотерс и двое его приятелей позвонили Питеру, как только проехали по мосту через залив, направляясь в сторону Беркли. Они позвонили ему по номеру его новенького — непрослеживающегося — сотового телефона, который он им дал.

— У нас возникла небольшая проблема, — сказал ему Уотерс. Голос его звучал спокойно, но сердито.

— Что еще за небольшая проблема? — На какое-то мгновение Питеру показалось, что они убили ее или Сэма.

— Ты забыл упомянуть, что у нее на кухне сидят четверо полицейских! — Уотерс был вне себя от ярости.

Они не ожидали, что, прежде чем похитить парнишку, им придется убить четверых полицейских. Это не входило в условия сделки. А Питер этого не знал.

— Какие еще полицейские? Вы, видно, шутите? Я не видел, чтобы они входили в дом. На днях у нее были в гостях друзья — и только. С ней никого не было, — заявил он уверенным тоном.

Но накануне он уехал, когда еще не было десяти часов, и возможно, они вошли в дом после его отъезда. Может быть, именно поэтому он мало видел ее за последние несколько дней? Но ведь никто не мог предупредить ее о том, что происходит. Она никак не могла об этом узнать. За эти дни ничего не случилось, если не считать ареста Эдисона за проблемы с неуплатой налогов. Возможно, он, сам того не подозревая, о чем-то проговорился? Но Питер знал, что для этого он слишком умен. Он не мог себе представить, где и каким образом произошел прокол.

— Ладно. Кто бы с ней ни был, они нам больше не помешают, если ты улавливаешь, что я имею в виду, — сказал Уотерс, выплюнув из окошка машины табачную жвачку. Старк сидел за рулем, Фри — на заднем сиденье. Мальчик в мешке находился в багажной части машины вместе с оружием и продуктами. У ног Фри лежал «М-16» с целым арсеналом огнестрельного оружия, главным образом полуавтоматических «ругеров» и «беретт». Карл захватил с собой свой любимый маленький, полностью автоматический «узи», которым научился пользоваться и который успел полюбить перед тем, как попал в тюрьму.

— Ты их убил? — спросил ошеломленный Питер.

Это сильно усложняло ситуацию, и он знал, что Эдисону это не понравится. Предполагалось, что ничего подобного не случится. Он следил за ней более месяца. Откуда, черт возьми, там появились полицейские? И кого они выслеживали? У Питера вдруг мороз пробежал по спине. Он вдруг вспомнил, как Эдисон говорил, что бесплатно обедом никто не кормит. И тут Питер понял, что настало время заработать свои десять миллионов.

Карлтон Уотерс не ответил на вопрос Питера.

— Лучше предупредил бы полицейских, чтобы они не болтали о том, как погибли эти парни. Если хоть что-нибудь попадет в газеты, мы убьем мальчишку. Ей я это сказал, но ты бы лучше напомнил об этом и им тоже. Нам нужно, чтобы все было шито-крыто, пока не получим деньги. Если они сообщат об этом по телевидению, то каждая задница в штате бросится искать нас. Этого нам тоже не надо.

— В таком случае не нужно было убивать четверых полицейских. Уж не ждете ли вы, что я смогу заставить их молчать об этом?

— Тебе придется что-то сделать, причем поскорее. Мы уехали оттуда полчаса назад. Если полицейские заговорят, то не пройдет и пяти минут, как об этом сообщат в новостях.

Питер знал, что звонок с его телефона проследить нельзя, но ему не хотелось проверять это его качество в данных обстоятельствах. Однако у него не было выбора. Уотерс прав Если сведения о похищении и убийстве четырех копов попадут в газеты, то по всему штату начнется поиск. Будут искать на каждой скоростной автостраде, на каждой дороге, в каждом уголке штата, на каждой границе. Причем искать их будут не только из-за похищения Сэма, что само по себе является достаточно веской причиной. Убийство четверых полицейских придало похищению совершенно новые масштабы. Сэм все еще жив, и полиция знала, что ему пока сохранят жизнь, чтобы получить выкуп. Но четверо людей уже погибли. И это меняет дело. Хотя, на его взгляд, это противоречило здравому смыслу. Питер набрал номер главного полицейского управления и попросил к телефону старшего офицера. Он понимал, что не имеет значения, куда он позвонит и кому передаст сообщение, потому что в течение нескольких секунд все сказанное попадет туда, куда нужно. После этого он передал все, что сказал ему Карлтон.

— Если хоть слово об убитых полицейских и о похищении появится в газетах, мальчик умрет, — сказал он и повесил трубку.

Тед и его шеф получили послание менее чем через две минуты. В связи с этим возникала особая проблема, поскольку убиты были двое полицейских и два сотрудника ФБР, но от этого зависела жизнь ребенка.

Шеф Теда позвонил начальнику полиции, и они совместными усилиями выработали текст заявления для прессы, в котором говорилось, что при исполнении служебных обязанностей погибли четыре человека. Они решили сказать, что произошел несчастный случай во время погони за преступником на очень большой скорости. Подробности предполагалось сообщить позднее. Это было все, что они могли сделать, чтобы просто и аккуратно оповестить о гибели четверых офицеров органов по поддержанию правопорядка от имени городского и федерального управлений. Случившееся будет непросто сохранить в тайне. Но они знали, что обязаны это сделать, пока не будут найдены похитители или пока не будет возвращен мальчик. А после этого, когда жизни мальчика уже ничто не будет угрожать, пусть хоть преисподняя разверзнется.

Шеф Теда вместе с представителем СМИ в ФБР написали текст пресс-релиза, который Карл Уотерс услышал по радио два часа спустя, когда они уже подъезжали к Тахо. Он позвонил Питеру и похвалил его за хорошую работу. Питер тем временем, сидя в своем номере мотеля на Ломбард-стрит, размышлял над возникшей у него серьезной дилеммой. Все шло не совсем в соответствии с планом, и он считал себя обязанным рассказать об этом Эдисону. Он не сказал Карлу, что собирается это сделать, хотя тот и сам догадывался, что Питер свяжется со своим боссом после того, что произошло. Уотерс был все еще зол на Моргана за то, что тот допустил небрежность при слежке, из-за чего возникла проблема. Убийство четверых копов иначе, чем проблемой, не назовешь.

У Питера был телефон Эдисона на юге Франции, и он позвонил ему с сотового телефона, застав Филиппа в гостиничном номере. В плане не предусматривалось, чтобы Питер присоединился к остальным на озере Тахо. Напротив, он должен был держаться по возможности дальше от них, чтобы нельзя было проследить их связь с ним или Эдисоном. После того как они получат выкуп, он должен был заявить, что в дом, который он арендовал, проникли какие-то люди.

Эдисон прибыл в Канн накануне и только что начал наслаждаться отдыхом. Он был в курсе того, что происходит, и знал, что все идет по намеченному расписанию Он хотел услышать о хороших результатах, а не о проблемах. Им было приказано подождать пару дней, прежде чем требовать выкуп. Он хотел, чтобы Фернанда успела запаниковать. Он был уверен, что так она скорее заплатит

— О чем ты говоришь? — спросил он, когда Питер замялся, не зная, с чего начать.

Питеру страшно не хотелось говорить ему, что Уотерс и его дружки убили четверых полицейских. Для начала ему было бы трудно объяснить, почему он не знал, что они находились в доме. И Питер начал с того, что им удалось похитить только Сэма, потому что остальные были в отъезде.

— У нас возникла одна проблема, — сказал Питер, чувствуя, как перехватило дыхание.

— Они убили мальчишку или мать? — ледяным тоном спросил Эдисон. Если убили мальчишку, то выкупа не будет. А будет одна головная боль. Причем сильная.

— Нет, — сказал Питер, притворяясь спокойным, — не убили. Очевидно, вчера, после того как я уехал, в дом вошли несколько полицейских. Могу поклясться, что до этого их в доме не было. Кроме ее и детей, в доме не было никого. У нее нет даже служанки. Не знаю, как туда проникли полицейские. Но Уотерс говорит, что, когда он с дружками влез в дом, полицейские были уже там.

— И что было дальше? — медленно спросил Эдисон.

— Судя по всему, они их убили.

— Проклятие! Об этом, наверное, уже передали в новостях?

— Нет. Уотерс позвонил мне с дороги. Я — в полицию и оставил сообщение. Я сказал, что, если что-нибудь о похищении или убийстве полицейских появится в газетах, мы убьем мальчишку. Они передали пресс-релиз по радио о том, что четверо офицеров погибли во время погони за преступниками на большой скорости. Других подробностей не сообщалось. О похищении не упоминалось совсем. Наши парни предупредили ее, что, если она или полицейские заговорят, они убьют мальчишку.

— Слава Богу, что ты это сделал. Они все равно будут повсюду разыскивать мальчишку, но если это станет достоянием гласности, то все будет значительно хуже. Отсюда до Нью-Джерси добровольцы начнут без конца «обнаруживать» похитителей. Пусть лучше копы прочесывают штат в поисках убийц полицейских. Это их гораздо больше беспокоит, чем какое-то похищение. Они знают, что вы сохраните мальчишке жизнь, чтобы получить выкуп. Но четверо убитых полицейских — совсем другое дело. — Эдисон был явно недоволен. Они оба знали, что ради безопасности Сэма полицейские будут держать язык за зубами, чтобы не подвергать мальчика еще большему риску. — Похоже, ты справился со своей обязанностью, хотя остальные вели себя глупо. Но у них, наверное, не было выбора. Не могли же они взять с собой четверых копов.

Эдисон долгое время сидел на балконе своих апартаментов в «Кэт Карлтон» в Канне, наблюдая за тем, как садится солнце, и обдумывая дальнейшие действия.

— Тебе, пожалуй, лучше поехать туда, — сказал он.

Это меняло план, но, возможно, даже в лучшую сторону.

— На Тахо? Но это безумие. Совсем не надо, чтобы меня отождествляли с ними, — запротестовал Питер.

«И совсем не надо, чтобы меня поймали вместе с ними, если им вздумается выкинуть еще какую-нибудь глупость вроде ограбления магазина ради сандвича», — подумал Питер, но не сказал об этом боссу. Эдисон и без того расстроился не меньше Питера, узнав о четырех трупах полицейских.

— Самое главное, никому из нас не надо потерять сто миллионов долларов. Считай, что ты будешь защищать наши инвестиции. По-моему, они того стоят.

— Зачем, черт возьми, ты хочешь отправить меня туда? — испуганно спросил Питер.

— Чем больше я об этом думаю, тем больше опасаюсь, что они что-нибудь сделают с мальчишкой. Если они его изуродуют или убьют ненароком, мы пропали. Я совсем не уверен в их умении обращаться с детьми. Я полагаюсь на то, что ты сумеешь уберечь нашу главную козырную карту, — сказал Эдисон.

Как оказалось, они были более неуправляемыми, чем он предполагал. Достаточно хотя бы одному из них выйти из-под контроля, как они могут убить мальчишку или выкинуть что-нибудь еще в том же роде. Для получения выкупа у них был всего один ребенок, и Эдисону совсем не хотелось рисковать

— Поэтому я хочу, чтобы ты поехал туда, — решительно заявил он.

Питеру меньше всего хотелось ехать туда, но он понимал беспокойство Эдисона. И знал, что если он будет там, то сможет присмотреть за Сэмом.

— Когда ехать? — спросил он.

— Не позднее чем сегодня вечером. Но почему бы тебе не поехать прямо сейчас? Ты смог бы приглядывать за ними. И за мальчиком. Когда ты собираешься позвонить его матери? — спросил Эдисон, просто перепроверяя все еще раз.

Они разработали схему во всех подробностях еще до его отъезда. Правда, он, конечно, не предполагал, что они убьют четверых полицейских. Это в план не входило.

— Через день или два, — сказал Питер. Именно так они договорились действовать.

— Позвони мне оттуда. Желаю удачи, — сказал он и повесил трубку, а Питер еще некоторое время сидел в своей комнате, уставясь в стену.

События разворачивались не в соответствии с планом. Ему не хотелось даже приближаться к Тахо, пока они находились там. А хотелось ему получить свои десять миллионов долларов и скрыться. Возможно, он даже этого не хотел. Он делал это исключительно ради своих дочерей. Но ехать на озеро Тахо и находиться там с Уотерсом и его дружками означало подвергать себя еще большему риску быть схваченным. Однако он понимал с самого начала, что отступать ему некуда.

Он старался не думать о Фернанде и о том, через какой ад ей приходится пройти. Собрав свои туалетные и бритвенные принадлежности, захватив пару чистых сорочек и нижнее белье, он десять минут спустя вышел из мотеля. Что бы ни испытывала она сейчас и как бы ни была испугана, он был уверен, что за сто миллионов долларов сына ей вернут. Так что, как бы ни было ей плохо сейчас, все в конце концов окончится благополучно. Мысль эта придала Питеру уверенность. Он подозвал такси и попросил высадить его у Рыбацкого причала, где взял другое такси, на котором доехал до рынка подержанных машин в Окленде. Свою машину, которой пользовался в течение последнего месяца, он бросил в каком-то глухом переулке в Марине, предварительно сняв с нее номерные знаки, которые выбросил в мусорный бак, а потом, пройдя примерно полдюжины кварталов до мотеля, снял там комнату, заплатив наличными.

В Окленде он приобрел старенькую «хонду», заплатил за нее наличными и через час после телефонного разговора с Эдисоном уже был в пути, направляясь в Тахо. Ему показалось, что безопаснее сменить машину на тот случай, если кто-нибудь из соседей видел и запомнил ее. Теперь, когда Уотерс с приятелями убили четверых полицейских, риск для всех них существенно увеличился. Для Питера в связи с поездкой в Тахо риск возрастал еще больше. Но он понимал, что у него нет выбора. Эдисон был прав. Он тоже не был уверен, что они уберегут Сэма, и ему совсем не хотелось, чтобы произошло что-нибудь еще более страшное, чем то, что уже случилось.

Задолго до того как он добрался до Вальехо, фотографии Питера и Карлтона Уотерса появились на полицейских компьютерах по всему штату, а вместе с ними и номерные знаки и описание предыдущей машины Питера в сопровождении строго конфиденциального предупреждения не публиковать никакой информации ввиду того, что имеет место похищение. Питер в дороге не останавливался и ехал, не превышая дозволенной скорости, чтобы избежать каких-либо нарушений. К тому времени ФБР уже взяло под наблюдение Эдисона во Франции. Теперь надо было лишь дождаться звонка Фернанде от похитителей, чтобы полиция и ФБР могли отыскать Сэма.

Глава 15

К концу дня полицейские фотографы сделали все необходимые фотографии. Семьи погибших были извещены, а тела, вернее, то, что от них осталось, уже находились в ритуальных салонах. Женам и другим ближайшим родственникам рассказали об обстоятельствах гибели и о том, что на карту была поставлена жизнь ребенка. Их предупредили, что ни о чем нельзя говорить, пока не будет освобожден ребенок. Они все поняли и согласились молчать. Это были хорошие люди, и, будучи женами и ближайшими родственниками копов и сотрудников ФБР, они понимали трудность ситуации. Они как могли справлялись со своим горем с помощью высококвалифицированных психологов обоих ведомств.

Тем временем другие эксперты «разрабатывали» Питера Моргана и Карлтона Уотерса. Их комнаты были тщательно обысканы, приятели опрошены, а управляющий общежитием в Модесто сообщил, что Малькольм Старк и Джим Фри — оба условно освобожденные — ушли вместе с Уотерсом, что расширило диапазон расследований, вызвало необходимость распространить через Интернет среди правоохранительных учреждений по всему штату новые фотографии «фас-профиль». Эксперты ФБР из Квонтико тоже внесли свою лепту. Они поговорили с уполномоченным по условному освобождению и работодателями Уотерса, Старка и Фри, а также с уполномоченным Питера, который сказал, что почти его не знает, а работодатель Питера, как выяснилось, вообще никогда его не видел. Три часа спустя эксперты ФБР установили, что компания, которая предположительно наняла на работу Питера, в действительности была одной из дочерних компаний, которой владеет Филипп Эдисон. Рик Холмквист правильно подозревал, что работа Питера является всего-навсего прикрытием. И Тед тоже так считал.

Тед также вызвал службу профессиональных уборщиков, услугами которой они пользовались — или рекомендовали пользоваться — для ликвидации последствий убийства. В тот вечер они перевернули всю кухню Фернанды. Им пришлось даже снять мраморную облицовку и ободрать стены, потому что оружие, которое здесь применялось, обладало огромной разрушительной силой. Тед знал, что к утру кухня уже не будет выглядеть элегантно, но там будет чисто и по крайней мере не останется видимых последствий побоища, которое устроили здесь похитители Сэма.

Для охраны Фернанды были выделены четверо офицеров, на сей раз все они были сотрудниками полиции. Она лежала в постели наверху. Тед пробыл здесь весь день и вечер, ни разу не отлучаясь. Он расположился в гостиной и звонил, кому следовало, по своему сотовому телефону. Рядом с ним находился опытный специалист по ведению переговоров с похитителями, звонка от которых они ждали. Никто не сомневался в том, что звонок этот последует. Но когда это произойдет, никто не знал.

Около девяти часов вечера Фернанда спустилась вниз по лестнице. На ней лица не было. Она ничего не ела и не пила целый день. Тед несколько раз пытался заговорить с ней, но потом оставил в покое. Ей было необходимо побыть одной. Если он ей потребуется, то он всегда под рукой. Ему не хотелось показаться назойливым. За несколько минут до этого он позвонил Шерли, сказал о том, что произошло, и предупредил, что проведет ночь со своими людьми. Он хотел лично держать под контролем ситуацию. Она сказала, что все понимает.

В прежние времена, когда он вел наружное наблюдение или, как в юности, работал под прикрытием, ему иногда приходилось отсутствовать по нескольку недель. Она привыкла к этому. Безумный ритм жизни и распорядок работы давно уже разъединяли их, и это не могло не сказаться на их отношениях. Иногда ей казалось, что они уже долгие годы не состоят в браке. Она делала что хотела, у нее были свои друзья, своя жизнь. У него тоже. Такое часто бывало у копов и их жен. Рано или поздно работа одерживала верх. Им повезло больше, чем большинству семейных пар. Они по крайней мере все еще состояли в браке. У большинства их друзей браки уже распались. Как, например, у Рика.

Фернанда вошла в гостиную, словно привидение. Она постояла, глядя на Теда, потом села.

— Они позвонили? — спросила она. Тед покачал головой.

Если бы они позвонили, он бы ей сказал. Она это знала, но не могла не спросить. Это все, о чем она могла думать целый день и о чем думала сейчас.

— Еще слишком рано. Они хотят дать вам время поразмыслить и запаниковать, — сказал Тед.

То же самое говорил ей специалист по переговорам. Он находился наверху, в комнате Эшли, где имелся специальный телефон, подключенный к главной линии.

— Что эти люди делают на кухне? — спросила она без особого интереса.

Ей не хотелось больше никогда видеть эту комнату, потому что никогда не изгладится из памяти картина, которую она там застала. Тед тоже это знал. Он даже радовался тому, что она продает дом. После всего случившегося ей было необходимо отсюда уехать.

— Они делают уборку, — сказал он в ответ.

Она слышала звук машины, снимающей мраморную облицовку. Звук был такой громкий, словно сносили здание. «Вот было бы хорошо», — подумала она.

— Покупатели, возможно, пожелают встроить новую кухню, — сказал Тед, пытаясь отвлечь ее, и она, сама того не желая, улыбнулась.

— Они засунули его в мешок, — сказала она, пристально глядя на Теда. Эта сцена продолжала прокручиваться в ее мозгу даже чаще, чем сцена на кухне, которую тоже невозможно забыть. — И заклеили ему рот клейкой лентой.

— Я знаю. Но с ним все будет в порядке, — сказал Тед, всем сердцем надеясь на это. — Денька через два они позвонят. И возможно, даже позволят вам поговорить с ним, — предположил Тед.

Специалисты по переговорам объяснили, что она должна попросить об этом, чтобы убедиться, что он жив. Нет смысла платить выкуп за мертвого ребенка. Тед ей этого, конечно, не сказал. Он лишь сидел и смотрел на нее. Она чувствовала себя так, словно все умерло внутри, да и выглядела как неживая. Лицо у нее было болезненного серо-зеленого цвета. Еще днем некоторые соседи интересовались, что произошло. Кто-то сказал, что слышал, как она вскрикнула. Но когда полицейские обходили ближайшие дома, оказалось, что никто ничего не видел. А полиция никому никаких подробностей не сообщила.

— Я подумала о семьях этих несчастных людей. Они, должно быть, ненавидят меня, — сказала она, виновато глядя на Теда.

Ведь они находились здесь, чтобы защитить ее и ее детей. Косвенным образом в случившемся были виноваты не только похитители, но и она.

— Это наша работа. Такое случается. Мы рискуем. В большинстве случаев все обходится нормально. А когда что-нибудь происходит, мы все понимаем, что наша служба связана с риском, и наши семьи тоже это понимают.

— Как они могут жить в постоянном страхе?

— Они просто живут. Правда, многие семьи распадаются, — сказал он.

Она кивнула. Ведь ее семья, можно сказать, тоже распалась. Аллан предпочел броситься за борт и таким образом уйти от ответственности. Он оставил после себя хаос в делах и, вместо того чтобы попытаться самому привести все в порядок, заставил ее заниматься этим. Она начала понимать это совсем недавно. Тед тоже это понял. А теперь на нее свалилось новое горе. Ему было жаль ее. Он мог помочь ей, только вернув ей сына. И был намерен сделать это. Шеф разрешил ему оставаться в доме столько времени, сколько потребуется. Еще неизвестно, как будут разворачиваться события после того, как похитители позвонят.

— Что мне делать, когда они попросят деньги? — спросила Фернанда.

Она целый день думала об этом. У нее не было денег. Может быть, Джеку удастся что-нибудь наскрести? Но это было бы равносильно чуду. И зависело от того, сколько они потребуют. А потребуют они, по всей видимости, много.

— Если нам чуть-чуть повезет, мы сумеем проследить, откуда они звонят, и сможем довольно быстро оказаться в этом месте, — сказал он.

Если им повезет. Тед понимал, что они должны как можно скорее найти похитителей и освободить мальчика.

— Что будет, если нам не удастся проследить, откуда они звонят? — спросила она почти шепотом.

— Удастся, — сказал он.

Голос его звучал уверенно, чтобы вселить уверенность в нее. Но он знал, что сделать это будет не так-то легко. Надо просто набраться терпения и ждать, что произойдет после того, как они позвонят. Специалисты по переговорам были в любую секунду готовы приступить к работе.

Она целый день не причесывалась, но все равно была очень хорошенькой. Ему она всегда казалась хорошенькой.

— Если я принесу что-нибудь поесть, вы попытаетесь проглотить хоть кусочек? Когда они позвонят, вам потребуются силы.

Он понимал, что слишком рано обращается к ней с этой просьбой. Она все еще была в шоке от всего, что увидела и пережила за этот день. Фернанда покачала головой:

— Я не голодна.

Она знала, что не сможет есть. Она могла лишь думать о Сэме. Где он? Что они с ним сделали? Может быть, ему больно? Или его убили? Или он напуган до смерти. Ее терзали тысячи мыслей, одна страшнее другой.

Полчаса спустя Тед принес ей чашку чаю, и она выпила ее, сидя на полу в гостиной и обняв колени руками. Он знал, что спать она тоже не сможет. Для нее это будет бесконечное ожидание. Как и для всех остальных. Однако труднее всех приходилось ей. И она не сказала о случившемся двоим старшим детям. Полиция решила, что ей следует подождать, пока она не узнает что-нибудь. Не было никакого смысла пугать их. В обоих местах, где они находились, местная полиция была предупреждена. Они глаз не спустят с Эшли и Уилла. Но теперь, когда Сэм находился в руках похитителей, двое других детей были в безопасности. Так считал Тед, и его начальство с ним согласилось. Похитители не станут пытаться выкрасть двоих старших детей. Им было достаточно Сэма.

Фернанда лежала на коврике в гостиной и молчала. Тед, устроившись поблизости, писал отчеты и время от времени поглядывал на нее. Он сходил проверить своих людей, и вскоре после этого она заснула. Вернувшись, он застал ее спящей на полу и оставил ее там. Ей нужно было поспать. Он хотел было перенести ее в спальню, но потом решил не беспокоить ее. Где-то около полуночи он и сам прилег на кушетку и подремал часок-другой. Было еще темно, когда он проснулся, услышав, как она плачет, лежа на полу, обессилевшая от горя. Не сказав ей ни слова, он сел на пол рядом и взял ее на руки. Лежа в его объятиях, она продолжала плакать. Уже всходило солнце, когда она перестала плакать, поблагодарила его и поднялась по лестнице в свою комнату. Кровавые пятна на ковре в холле уже были отчищены. Тед не видел ее почти до полудня. От похитителей пока звонков не поступало. И Фернанда с каждым часом выглядела все хуже и хуже.

Во второй половине дня, через день после похищения, ей позвонил Джек Уотерман. Услышав звонок телефона, все подпрыгнули. Ей уже было сказано, что она сама должна взять трубку, чтобы не напугать похитителей присутствием в доме копов, хотя они, наверное, подозревают, что в доме есть полицейские, потому что копы находились там, когда они явились за Сэмом. Она взяла трубку и чуть не расплакалась, поняв, что это Джек. Она молила Бога, чтобы это были похитители.

— Как твой грипп? — непринужденно поинтересовался он.

— Не очень хорошо.

— Голос у тебя какой-то странный. Сожалею, что тебе не полегчало. А как Сэм? — спросил он.

Она помедлила, потом, несмотря на все свои усилия, расплакалась.

— Фернанда? С тобой все в порядке? Что случилось?

Она даже не знала, что ему сказать, и лишь продолжала плакать. Он встревожился.

— Можно к тебе приехать? — спросил он, и она медленно покачала головой, но потом согласилась.

Все равно ей будет нужна его помощь. Как только они потребуют у нее денег, тут-то и начнется самое страшное.

Десять минут спустя он был уже у нее. Он очень удивился, увидев в доме полдюжины явно вооруженных людей в гражданской одежде и сотрудников ФБР. В это время по лестнице сверху спустились, чтобы сменить обстановку, оба специалиста по переговорам. Тем временем Тед беседовал с несколькими сотрудниками на кухне, которая казалась поразительно чистой. А посередине всего этого стояла очень мрачная Фернанда. Увидев Джека, она снова разразилась слезами. Тед увел копов и сотрудников ФБР на кухню и закрыл за собой дверь.

— Что здесь происходит? — испуганно спросил Джек. Было ясно, что случилось что-то ужасное. Они уселись рядом на кушетку, но ей потребовалось еще минут пять, чтобы начать говорить.

— Они похитили Сэма.

— Кто похитил Сэма?

— Мы не знаем.

Она рассказала ему всю ужасную историю с начала до конца, включая то, как Сэма увезли в рогожном мешке и как у нее на кухне были убиты четверо полицейских.

— Боже милосердный! Почему ты не позвонила мне? Почему не рассказала обо всем, когда мы разговаривали перед моим отъездом в Напу?

Он теперь понял, что все происходило уже тогда, когда она отказалась от поездки в Напу. А он-то искренне верил, что у нее грипп. То, что здесь происходило, было во много раз хуже. Он с трудом поверил рассказанной ему истории. Она была настолько ужасной, что трудно было передать словами.

— Что мне делать, когда они потребуют выкуп? У меня нет денег, чтобы получить назад Сэма, — сказала Фернанда. Он знал это лучше, чем кто-либо другой. — Полиция и ФБР полагают, что похитители думают, будто у меня все еще имеются все деньги Аллана.

— Не знаю, — беспомощно сказал Джек. — Будем надеяться, что их поймают до того, как тебе потребуется заплатить деньги, — сказал он, не видя возможности собрать для нее огромную сумму денег или даже не очень большую сумму. — Есть ли у полиции какие-нибудь предположения относительно их местонахождения? — спросил он.

Но на данный момент никаких предположений не было.

Джек, обняв ее одной рукой за плечи, просидел с ней около двух часов и заставил ее пообещать звонить ему в любое время, как только появятся какие-нибудь новости или ей захочется поговорить с кем-нибудь. Перед уходом он сказал, что ей, наверное, следовало бы оформить на его имя генеральную доверенность, чтобы он мог принимать решения и распоряжаться деньгами на тот случай, если с ней что-нибудь произойдет. Его слова произвели на нее такое же ужасное впечатление, как взятие образчиков волос у детей для анализа на ДНК на случай опознания трупов. Он сказал, что завтра же пришлет ей на подпись необходимые бумаги, и несколько минут спустя уехал.

Фернанда побрела на кухню, где мужчины пили кофе. Она поклялась, что больше никогда не заглянет в эту комнату, тем не менее заглянула. Помещение было почти неузнаваемым. Всю мраморную облицовку удалили, кухонный стол пришлось заменить, потому что кровь убитых слишком глубоко впиталась в дерево. Теперь это был простой и практичный кухонный стол, без затей. Даже стулья она не узнала.

Помещение выглядело так, как будто выдержало прямое попадание бомбы, но в нем по крайней мере ничто не напоминало о том ужасе, который предстал ее глазам накануне.

Когда она вошла в комнату, охраняющие ее мужчины встали. Тед, который стоял, прислонившись спиной к стене, и разговаривал с ними, улыбнулся Фернанде. Она улыбнулась в ответ, вспомнив, как он вечером успокаивал ее. Даже при кошмаре, в который превратилась ее жизнь, она чувствовала в нем спокойную уверенность и ощущала его надежность.

Один из мужчин предложил ей чашку кофе и протянул коробку с пончиками. Она взяла один и съела половину. Это было первое, что она съела за два дня. Она жила на кофе и чае, нервы ее были на пределе. Все они знали, что никаких новостей нет. Поэтому никто ни о чем не спрашивал. Скоро она поднялась наверх и легла на кровать. Она видела, как мимо раскрытой двери спальни прошел специалист по переговорам, направлявшийся в комнату Эшли. Она больше не снимала одежду, раздеваясь только для того, чтобы принять душ. Она жила, как на лагерной стоянке, и вокруг нее повсюду были вооруженные люди. Она успела к этому привыкнуть. Оружие ее больше не пугало. Она боялась только за сына. Только о нем и думала, только им жила, и, кроме него, ей ничего не было нужно. После сладкого и кофе она всю ночь не сомкнула глаз, ожидая новостей о Сэме, и могла лишь молиться о том, чтобы он был жив.

Глава 16

Когда Фернанда проснулась, над городом в золотой дымке всходило солнце. Только спустившись вниз и увидев газету, оставленную кем-то на столе, она осознала, что сегодня Четвертое июля. Этот день приходился на воскресенье, и ей захотелось сходить в церковь, хотя она знала, что лишена этой возможности, потому что похитители могли позвонить в ее отсутствие. Она вскользь упомянула об этом Теду, когда они сидели на кухне, и он, минутку подумав, спросил, не хотела ли бы она увидеться со священником. Фернанда любила брать с собой детей в церковь по воскресеньям, но после смерти Аллана они отказывались туда ходить. А она пребывала в таком унынии, что и сама за последнее время редко бывала в храме. Но она твердо знала, что сейчас хотела бы побеседовать со священником. Ей было нужно, чтобы кто-то поговорил с ней и помолился вместе, потому что ей казалось, что сама даже забыла, как это делается.

— Это не кажется вам странным? — смущенно спросила она, и он покачал головой.

Он целыми днями не покидал ее, просто находился в доме вместе с ней. Он даже захватил с собой одежду. Она знала, что несколько полицейских теснились в комнате Уилла и спали по очереди: один спал, остальные охраняли дом и ее и ждали телефонного звонка. За сутки на кровати спали посменно четыре-пять человек.

— Ничто не может показаться странным, если это поможет вам пережить тяжелое время. Вы хотите, чтобы я нашел священника, который придет сюда, или предпочитаете пригласить кого-нибудь конкретного?

— Это не имеет значения, — робко сказала она.

Странно, но после нескольких дней, проведенных вместе, она чувствовала, что они словно стали друзьями. Она могла сказать ему что угодно. В такой ситуации, как эта, не было места ни гордости, ни стыду, ни лукавству. Оставались только честность и боль.

— Я сделаю несколько звонков, — только и сказал он

Два часа спустя в дом позвонил какой-то молодой человек. Судя по всему, он был знаком с Тедом. Они тихо поговорили о чем-то, и Тед повел его наверх. Она лежала на кровати, и он постучал в косяк двери. Она села и вопросительно взглянула на

Теда, не понимая, кого он привел. Молодой человек был в джинсах, спортивном свитере и сандалиях.

— Привет, — сказал Тед, остановившись в дверном проеме. Он чувствовал себя неловко, потому что она лежала на кровати. — Это мой друг. Его зовут Дик Уоллис, он священник.

Она встала с кровати и, подойдя к нему, поблагодарила за то, что пришел. Он был похож скорее на футболиста, чем на священника. На вид ему было немного за тридцать, и у него были добрые глаза. Она пригласила его пройти в свою комнату, а Тед спустился вниз.

Затем Фернанда провела молодого гостя в маленькую гостиную при спальне и предложила ему сесть. Она не знала, что сказать ему, и спросила, известно ли ему о том, что здесь происходит. Он сказал, что известно. Рассказал, что после колледжа два года был профессиональным футболистом, а потом решил стать священником. Он сказал внимательно слушавшей его Фернанде, что ему тридцать девять лет и что вот уже пятнадцать лет он является священником. Он сказал также, что познакомился с Тедом несколько лет назад, когда недолго служил полицейским капелланом и когда был убит один из самых близких друзей Теда. Тогда у него возникли сомнения относительно смысла существования.

— Время от времени мы все задаем себе эти вопросы. Возможно, именно сейчас те же сомнения возникли и у вас. Вы верите в Бога? — спросил он, удивив ее этим вопросом.

— Мне казалось, что я всегда верила. — Потом как-то странно взглянула на него и добавила: — За последние несколько месяцев уверенности в этом у меня поубавилось. Шесть месяцев назад погиб мой муж. Думаю, что он совершил самоубийство.

— Должно быть, он был чем-то очень напуган, если пошел на такое, — сказал священник.

Мысль была интересной. Она кивнула. С этой точки зрения она никогда не рассматривала его поступок. Но Аллан был действительно напуган. И сделал свой выбор.

— Думаю, что он и впрямь был напуган. Я, например, сейчас очень напугана, — честно призналась она и начала плакать. — Я боюсь, что они убьют моего сына, — сказала она и уже не могла сдержать слез.

— Как вы думаете, можете вы довериться Богу? — осторожно спросил он, и она долго молча смотрела на него.

— Я не уверена. Как он мог позволить этому случиться? Почему позволил умереть моему мужу? Что, если моего сына убьют? — сказала она, громко всхлипнув.

— Быть может, вы смогли бы попытаться довериться Ему и поверить, что те люди, которые находятся здесь, помогут вам и вернут его. Где бы ни находился ваш сын сейчас, он в руках Божьих. Господь знает, где он, Фернанда. Это все, что вам надо знать. Вы должны оставить его в руках Божьих. — А потом он сказал ей такое, на что она не знала, как ответить. — Иногда мы подвергаемся ужасным испытаниям, и то, что может, кажется, сломить нас и убить, в конце концов делает нас сильнее. То, что кажется нам жестокими ударами, удивительным образом оказывается милостью Господней. Понимаю, что вам это должно показаться безумием. Если Он вас не любит и не верит в вас, Он не станет подвергать вас испытаниям. Это шансы снискать благорасположение Господнее. Пройдя испытания, вы станете сильнее. Я это знаю. Господь тем самым говорит вам, что любит вас и верит в вас. Это знак Его благорасположения к вам. До вас доходит смысл сказанного?

Она задумчиво улыбнулась молодому священнику и покачала головой.

– Нет, — сказала она. Ей не хотелось видеть смысл в сказанном. — Не хочу я такого благорасположения. Как не хотела смерти мужа. Мне он был нужен живым. И нужен до сих пор.

Нам никогда не хочется проходить через подобные испытания, Фернанда. Кому это может захотеться? Взгляните на Христа, распятого на кресте. Подумайте об испытаниях, выпавших на Его долю О предательстве людей, которым

Он доверял, и о смерти. А потом произошло воскрешение. Он доказал, что никакие даже самые страшные испытания не смогли уничтожить Его любовь к нам. Фактически Он стал любить нас еще больше. И вас Он тоже любит, — сказал священник.

После этого они какое-то время молча сидели рядом, и, несмотря на то что ей показалось безумием называть похищение милостью Божьей, она, сама не зная почему, почувствовала себя лучше. Само присутствие молодого священника как будто успокоило ее. Потом он поднялся, и она его поблагодарила. Прежде чем уйти, он легонько прикоснулся к ее голове и благословил ее.

— Я буду молиться за вас и Сэма, с которым надеюсь когда-нибудь познакомиться, — с улыбкой сказал на прощание отец Уоллис.

— Я тоже надеюсь, — сказала она.

Он кивнул и ушел. Он был совсем не похож на священника, но то, что он сказал, как ни странно, ей понравилось. Фернанда еще долго сидела одна в комнате, потом спустилась вниз, чтобы поискать Теда. Он был в гостиной и разговаривал по телефону и, когда она вошла в комнату, закончил разговор. Он беседовал с Риком, просто для того, чтобы скоротать время. Все равно никаких новостей не было.

— Ну как?

— Не уверена. Он либо потрясающе умен, либо глуп, — улыбнувшись, сказала она.

— Наверное, и то и другое. Но он мне очень помог, когда погиб мой друг и я вдруг усомнился в смысле существования. У того парня было шестеро детей и жена была беременна седьмым. Его убил один бездомный, который ударил его ножом без всякой причины и бросил умирать. Смерть отнюдь не героическая. Просто на него напал сумасшедший с ножом в руках. Этого бездомного всего лишь накануне выпустили из психушки. Все это не имело смысла. Убийство всегда бессмысленно, — сказал он.

Убийство четверых полицейских у нее на кухне и похищение ее сына тоже не имели смысла. Есть вещи, которые не имеют разумного объяснения.

— Он сказал, что это мне подарок от Бога, — сказала она Теду.

— Не уверен, что я с ним согласен. Это звучит глупо. Может быть, мне следовало бы позвать кого-нибудь другого, — смутился Тед.

— Нет. Мне он понравился. Я бы с удовольствием встретилась с ним еще раз. Может быть, после того, как все это закончится. Не знаю, но мне кажется, что он мне помог.

— Именно так и мне всегда казалось. Он настоящий праведник. Похоже, он никогда не отступает от того, во что верит. Хотел бы я иметь возможность сказать то же самое о себе, — спокойно сказал Тед, и она улыбнулась. Она, казалось, была более умиротворенной. Какими бы странными ни были слова священника, беседа с ним явно пошла ей на пользу.

— Я не была в церкви с тех пор, как умер Аллан. Может быть, я была зла на Бога.

— Вы имеете на это полное право, — сказал Тед.

— А может, и не имею. Он сказал, что это шанс снискать благорасположение Господнее.

— Наверное, это можно сказать обо всех тяготах. Я лишь хотел бы иметь поменьше шансов снискать благорасположение Господнее, — честно признался Тед.

На его долю тоже выпало немало тягот, хотя и не таких страшных, как эта.

— Да, я тоже, — тихо сказала она.

Потом они вместе отправились на кухню. Полицейские играли в карты на кухонном столе. Только что прибыла заказанная коробка с сандвичами. Она взяла один и съела его, потом выпила два стакана молока. Она ела молча и думала о том, что сказал отец Уоллис относительно того, что все происходящее является знаком благорасположения Господнего. Почему-то, несмотря на кажущуюся нелепость этого утверждения, это показалось правильным даже ей. И впервые с тех пор, как похитили Сэма, у нее появилась уверенность в том, что он все еще жив.

Питер Морган прибыл на озеро Тахо на своей «хонде» всего на два часа позже, чем туда добрались Карл и его дружки.

— Ты поступаешь не очень-то разумно, — сказал Питер Малькольму Старку, который втащил мешок в дальнюю спальню и бросил его на кровать. — Рот у мальчишки, я полагаю, заклеен лентой. А что, если он задохнется?

Старк лишь посмотрел на него пустым взглядом, и Питер понял, что приехал не напрасно.

Эдисон был прав. Им нельзя было доверять мальчика. Питер знал, что они чудовища. Но ведь только чудовища и могли выполнить такую работу.

Карл принялся допытываться, почему он приехал на Тахо, и Питер объяснил, что, узнав об убийстве полицейских, босс заставил его поехать сюда.

— Он разозлился? — озабоченно спросил Карл.

Питер чуть помедлил, прежде чем ответить.

— Он был удивлен. Убийство полицейских усложняет дело. Теперь они будут искать нас с еще большим усердием, чем если бы речь шла только о ребенке, — сказал он.

Карл согласился, что им здорово не повезло.

— Не понимаю, как ты мог не заметить копов? — раздраженно сказал он Питеру.

— Я и сам не понимаю.

Питеру не давала покоя мысль о том, что, возможно, Эдисон проговорился сотрудникам ФБР во время допросов. Похоже на то. Сам он, следя за Фернандой, был крайне осторожен. Уотерс, Старк и Фри, насколько ему известно, тоже не совершали ошибок. Ну а когда они неожиданно наткнулись на полицейских на кухне у Фернанды, у них не было выбора. Оставалось лишь убить их. Даже Питер был с этим согласен. Но все-таки это было страшное невезение. Для всех них.

— Как там парнишка? — снова спросил он, стараясь, чтобы никто не заметил его чрезмерного беспокойства.

Но Старк все еще не удосужился сходить в дальнюю комнату, чтобы вынуть мальчика из мешка.

— Наверное, кому-нибудь надо сходить и проверить, — сказал без особого интереса Карл. В это время Джим Фри принес на кухню еду — все они были голодны после дальней дороги.

— Я сделаю это сам, — небрежным тоном вызвался Питер и направился в дальнюю комнату, где развязал узлы на веревке, которой был завязан мешок.

Он осторожно раскрыл мешок в ужасе от того, что мальчик мог задохнуться, но на него уставились оттуда два карих глаза. Питер приложил к губам палец. Он уже не был уверен, на чьей он стороне — парнишкиной матери или Карла с сообщниками. Или, может быть, просто на стороне мальчика. Он почти стащил с него мешок и осторожно снял клейкую ленту с его рта, но оставил связанными руки и ноги.

— С тобой все в порядке? — шепотом спросил он, и Сэм кивнул.

Лицо у него было грязное и испуганное. Но по крайней мере он был жив.

— Ты кто? — прошептал Сэм.

— Это не имеет значения, — прошептал в ответ Питер.

— Ты полицейский? — спросил Сэм. Питер покачал головой. — Понятно, — только и сказал Сэм и замолчал, наблюдая за ним.

Несколько минут спустя Питер ушел и направился в кухню, где ели остальные. На плите стояла кастрюля, полная свинины с бобами. Еще у них был чили.

— Нам надо бы покормить парнишку, — сказал Питер Уотерсу, и тот кивнул.

Они об этом и не подумали. Даже о воде. Они просто забыли. Их головы были заняты более важными мыслями, чем питание для Сэма.

— Ишь чего выдумал! — проворчал Малькольм Старк, а Джим Фри расхохотался. — У нас тут не детский сад. Оставь его в мешке.

— Если он умрет, нам не заплатят, — резонно напомнил Питер, и Карл Уотерс усмехнулся.

— А ведь он прав. Его мать, наверное, захочет поговорить с ним, когда мы позвоним. Черт возьми, мы можем себе позволить кормить его время от времени, ведь за него нам заплатят сто миллионов баксов. Накормите его обедом. — Сказав это, он посмотрел на Питера, словно поручая ему эту работу.

Питер пожал плечами, положил ломтик ветчины между двумя ломтями хлеба и отправился в дальнюю комнату. Там он сел рядом с Сэмом и поднес сандвич к его рту. Но Сэм покачал головой.

— Ну, ну, не дури, Сэм. Тебе надо поесть, — сказал Питер, как будто давно знал его.

После того как он более месяца наблюдал за ним, ему и впрямь казалось, что он его давно знает. Питер говорил с ним ласково, как говорил бы со своими детьми, пытаясь заставить их что-то сделать.

— Откуда ты знаешь, как меня зовут? — озадаченно спросил Сэм.

Питер к этому времени, наверное, уже сотню раз слышал, как мать называла его по имени, и время от времени вспоминал о том, что она, наверное, потрясена всем, что произошло. Зная, как близка она своим детям, он понимал, какой жестокий удар на нее обрушился. Однако мальчик держался на удивление хорошо, особенно после всех потрясений, которые ему пришлось пережить, и после четырехчасовой поездки в мешке со связанными руками и ногами. Питер не мог не восхититься силой духа этого малыша. Он снова предложил ему сандвич, и на этот раз Сэм откусил кусочек. В конце концов он съел половинку и, когда Питер оглянулся, уходя из комнаты, поблагодарил его. Тут Питеру пришло в голову еще кое-что. Он вернулся и спросил, не нужно ли ему выйти в туалет. Сэм на мгновение смутился, и Питер понял, что произошло. Он уже давно обмочился. Да и кто на его месте смог бы вытерпеть? Он вынул мальчика из мешка полностью. Сэм не знал, где он находится, и боялся людей, которые его похитили, в том числе и Питера. Питер отнес его в ванную, подождал, пока он сделал свои дела, потом отнес обратно и положил на кровать. Большего он не мог для него сделать. Однако прежде чем уйти, он укутал его одеялом, а Сэм посмотрел ему вслед.

В тот вечер Питер пришел к нему еще раз, прежде чем лечь спать, и снова отнес его в ванную. Для этого ему пришлось разбудить мальчика, чтобы тот снова не обмочился. Он дал ему стакан молока и печенье. Сэм съел все и поблагодарил. И, увидев Питера на следующее утро, он улыбнулся.

— Как тебя зовут? — осторожно спросил он.

Питер помедлил, прежде чем сказать ему, но потом решил, что терять ему нечего. Мальчик все равно видел его

— Питер, — сказал он. И мальчик кивнул.

Через некоторое время Питер принес завтрак: яичницу с беконом. Он быстро превращался в общепризнанную няньку. Все остальные были рады тому, что им не приходится этим заниматься. Они хотели получить свои деньги, а не нянчиться с шестилетним парнишкой. А Питеру, как ни странно, казалось, что он делает это ради Фернанды.

Днем он посидел немного с мальчиком, а вечером снова пришел к нему. Он сел на кровать рядом с ним и погладил его по голове.

— Вы собираетесь убить меня? — тоненьким голоском спросил Сэм.

Вид у него был испуганный и печальный, но Питер ни разу не видел, чтобы он плакал. Он понимал, что мальчику, наверное, очень страшно, но держался он с самого начала поразительно храбро.

— Нет. Мы собираемся через несколько дней отослать тебя домой к твоей маме, — ответил Питер.

Сэм, кажется, не поверил ему, хотя Питер, похоже, знал, что говорит. Вот в намерениях остальных Сэм не был уверен. Он слышал, как они двигались и разговаривали в другой комнате, но никто из них ни разу не зашел к нему. Они были рады взвалить эти обязанности на Питера. Он сказал им, что охраняет их капиталовложения, и это показалось им забавной шуткой.

— Они собираются позвонить и попросить у мамы денег? — тихо спросил Сэм, и Питер кивнул.

Мальчик ему нравился гораздо больше, чем все остальные. Намного. Остальные были мерзкими типами. Они без конца говорили об убитых полицейских и о том, как приятно было убивать их. Питера тошнило от их разговоров. Во много раз приятнее было поболтать с Сэмом.

— В итоге именно так и будут развиваться события, — сказал Питер в ответ на вопрос Сэма.

Питер не сказал, когда это произойдет, потому что и сам не был в этом уверен. По плану все должно было произойти через пару дней.

— У нее нет денег, — тихо сказал Сэм, пристально глядя на Питера, словно пытаясь понять, что он за человек. Он ему почти нравился, хотя и не совсем. Как-никак он был одним из похитителей. Но он все-таки хорошо с ним обращался.

— Нет чего? — рассеянно переспросил Питер.

Он думал совсем о других вещах, например, о том, как им удрать подобру-поздорову, когда все закончится. Их планы были четко разработаны, но он тем не менее нервничал. Эта троица направлялась в Мексику, а оттуда с поддельными паспортами в Южную Америку. Питер собирался в Нью-Йорк, где был намерен попытаться встретиться со своими дочерьми. А потом он думал уехать в Бразилию. Там у него имелись друзья еще с тех времен, когда он занимался наркотиками.

— У моей мамы совсем нет денег, — тихо повторил Сэм, как будто делился с Питером секретом.

— Уверен, что у нее есть деньги, — улыбнулся Питер.

— А вот и нет. Из-за этого и мой папа убил себя. Он все потерял.

Питер сел на кровать и долго смотрел на мальчика. Интересно, понимает ли малыш, что говорит?

— Я думал, что твой папа погиб в результате несчастного случая, что он упал за борт судна.

— Он оставил маме письмо. Она сама сказала адвокату моего папы, что он убил себя.

— Откуда ты это знаешь?

Сэм на мгновение смутился, потом признался:

— Я подслушивал возле ее двери.

— Она говорила с ним о деньгах? — всполошился Питер.

— Много раз. Они говорят об этом почти каждый день. Она сказала, что от денег ничего не осталось. У них много «логов» или чего-то в этом роде. Она так и говорит: у нас нет ничего, кроме «логов», — сказал Сэм. Питер понял, о чем шла речь. Она, очевидно, говорила о долгах, а не о «логах». — Она собирается продать дом. Нам она об этом еще не сказала.

Питер кивнул, потом строго взглянул на него:

— Больше никому не говори об этом. Обещаешь?

Сэм кивнул с самым мрачным видом.

— Если она не заплатит им, они убьют меня, ведь правда? — спросил Сэм, глядя на него печальными глазами. Но Питер покачал головой.

— Я не позволю им сделать это, — прошептал он. — Я тебе обещаю. — Потом он вернулся ко всем остальным.

— Ну и ну! Ты проводишь слишком много времени с этим парнишкой, — заметил Старк.

Уотерс неодобрительно взглянул на него:

— Радуйся, что это приходится делать не тебе. Я бы тоже не хотел этим заниматься.

— Я люблю детишек, — заявил вдруг Джим Фри. — Однажды я съел одного. — Он громко расхохотался в восторге от собственной шутки.

Он всю ночь пил пиво. Ему никогда не предъявлялось обвинения в насилии над ребенком, и Питер был уверен, что он врет, тем не менее ему это не понравилось. Ему в них не нравилось все.

Питер ничего не говорил Уотерсу до следующего утра, потом, всем своим видом выражая беспокойство, спросил:

— А что, если она не заплатит?

— Заплатит. Она ведь хочет вернуть своего ребенка. Она заплатит столько, сколько мы запросим, — сказал Уотерс. По правде говоря, прошлым вечером они обсуждали возможность запросить больший выкуп, чтобы получить бóльшую долю.

— А если не заплатит?

— А ты как думаешь? — холодно произнес Карл. — Зачем он нам нужен, если она не заплатит? Отделаемся от него и исчезнем ко всем чертям, — заявил он.

Именно этого и боялись и он, и Сэм.

Однако сделанное Сэмом прошлым вечером признание относительно финансового положения его матери заставило Питера взглянуть на ситуацию в совершенно новом свете. Ему никогда не приходило в голову, что она разорена. Хотя у него раза два возникали кое-какие сомнения, но он никогда всерьез не верил, что она банкрот. Теперь он думал по-другому. В том, как Сэм повторил подслушанный разговор, что-то подсказало Питеру, что это правда. Это также объясняло причину того, что она нигде не бывала и что в доме не было прислуги. Он ожидал, что она ведет насыщенную светскую жизнь, а узнав, что она предпочитает сидеть дома, решил, что это объясняется ее любовью к детям, хотя в действительности за этим крылось нечто большее. Он чувствовал, что подслушанный Сэмом разговор матери с адвокатом отражает действительное состояние дел. И все же в понятие «нет денег» разные люди вкладывают разный смысл. У нее, возможно, кое-что все же осталось, пусть и не так много, как было когда-то. Хотя письмо, написанное перед самоубийством, было интересной подробностью. Если это правда, то от огромного состояния Аллана Барнса, возможно, и впрямь ничего не осталось. Питер был глубоко озадачен, он целый день думал о том, что это может означать для него и остальных. И особенно для Сэма.

Они просидели еще два дня, потом наконец решили позвонить ей. Все четверо согласились, что время настало. Они воспользовались непрослеживаемым сотовым телефоном Питера, и он набрал номер. Она ответила сама с первого звонка. Голос ее звучал хрипло, а как только она услышала, кто звонит, совсем сломался. Питер говорил спокойно, молча переживая за нее. Чтобы она поняла, кто говорит, он сказал, что у него есть новости о ее сыне. Разговор слушал специалист по переговорам, и все они делали все возможное, чтобы проследить, откуда звонят.

— Один мой друг хотел бы поговорить с вами, — сказал Питер и прошел в дальнюю комнату, а Фернанда затаила дыхание и лихорадочно жестикулировала Теду. Он уже понял. Специалист по переговорам слушал разговор вместе с ней. Разговор записывался на пленку.

— Привет, мамочка, — сказал Сэм.

У нее перехватило дыхание, глаза наполнились слезами.

— С тобой все в порядке? — Она так дрожала, что едва могла говорить.

— Да, со мной все в порядке, — только и успел сказать Сэм, потому что Питер отобрал у него трубку, так как за ними наблюдал Уотерс.

Питер побоялся, что Сэм, чтобы успокоить Фернанду, скажет ей, что он хорошо к нему относится, а Питеру не хотелось, чтобы другие слышали это. Отобрав трубку у Сэма, Питер заговорил с ней. Он говорил вежливо и спокойно, чем удивил ее. После того, что она видела в своем доме четыре дня назад, она ожидала, что все они выродки. Но этот, судя по всему, таким не был. Он говорил, как положено образованному человеку, тон его был вежлив и, как ни странно, даже нежен.

— Автобусный билет вашего сына до дома будет стоить вам ровно сто миллионов долларов, — и глазом не моргнув, сказал Питер, а остальные слушали его и кивали, выражая одобрение. Им нравился его стиль. Он говорил по-деловому, вежливо и холодно. — Начинайте считать грошики в кошельке. Мы скоро позвоним вам и скажем, каким образом вы должны их передать, — сказал он и отключился, не дав ей ответить. Он повернулся к остальным, и те взревели в знак одобрения.

— Сколько времени мы дадим ей? — спросил Питер.

Он договорился с Эдисоном, что для завершения операции потребуется неделя или, самое большее, две. В то время им казалось, что давать более продолжительный срок не было необходимости. Однако после того, что сказал Сэм, Питер сомневался в том, что время, которое они дадут для сбора денег, вообще имеет какое-нибудь значение. Если у нее их нет, то такую сумму ей все равно негде взять. Даже если у Барнсов где-нибудь имеются какие-то долгосрочные вклады. Но и в этом случае она, возможно, смогла бы собрать не более одного или двух миллионов. Но судя по тому, что говорил Сэм о долгах и о самоубийстве отца, Питер не был уверен, что у нее есть даже такая сумма. К тому же даже два миллиона, разделенные на пять частей, — вещь бесполезная: игра не стоит свеч.

В тот вечер, когда трое его сообщников напились, он долго беседовал с Сэмом. Этому милому парнишке было очень грустно после разговора с матерью.

А Фернанда тем временем сидела, потрясенная происходящим, в гостиной с Тедом.

— Что же делать? — в отчаянии спросила она. Ей и в голову не приходило, что они могут запросить с нее такую немыслимую сумму. Сто миллионов — это безумие. Наверное, они все-таки и впрямь сумасшедшие.

— Мы их найдем, — спокойно сказал Тед.

Другого выбора у них теперь не было. Однако им не удалось проследить, откуда был сделан звонок. Говоривший слишком быстро отключился, хотя с помощью приспособления, имевшегося в их распоряжении, они могли бы засечь его, если бы он не пользовался непрослеживающимся телефоном. Но у вымогателя был сотовый телефон, звонок с которого невозможно было засечь. Телефонов такой модели было мало. По-видимому, они знали, что делали. Но по крайней мере она поговорила с Сэмом.

Пока Тед разговаривал со своим шефом, она позвонила Джеку Уотерману. Она назвала ему сумму выкупа, и он ошеломленно замолчал на другом конце линии. Он мог бы помочь ей собрать полмиллиона долларов, пока она не продаст дом, но, кроме этого, на ее счетах в банке было пусто. На данный момент у нее было около пятидесяти тысяч долларов. У них оставалась одна надежда: отыскать мальчика до того, как похитители его убьют. Джек молил Бога, чтобы им это удалось. Она сказала ему, что полиция и ФБР делают все возможное, но похитители как сквозь землю провалились. Исчезли все четверо, о которых им было известно. И даже хорошо отлаженная сеть надежных информаторов не имела никаких сведений.

Два дня спустя позвонил домой Уилл, который сразу же догадался по ее голосу, что что-то случилось. Она попыталась разубедить его, но его было трудно провести. Наконец она сломалась, расплакалась и рассказала ему, что похитили Сэма, а он стал умолять ее позволить ему вернуться из лагеря домой.

— Мама, — сказал он, всхлипывая в трубку, — я хочу к тебе.

Она позвонила Джеку и попросила его съездить за Уиллом, и на следующий день Уилл приехал домой и расплакался, бросившись в ее объятия. Они долго стояли, прижавшись друг к другу, и в тот вечер несколько часов подряд разговаривали на кухне. Джек недолго побыл с ними, а потом уехал, не желая мешать им. Он немного поговорил с Тедом и другими полицейскими, и они сказали, что никаких новостей нет. Следователи прочесывали штат, но пока не поступало никаких сообщений о том, что кто-то видел что-то подозрительное; полиция разыскивала людей, изображенных на фотографиях, но никто их не видел, как никто не видел и Сэма или каких-нибудь вещей, которые могли принадлежать ему или быть надеты на нем. Мальчик, как и похитители, исчез бесследно. К этому времени они могли быть где угодно: где-нибудь за пределами штата или даже в Мексике. Тед понимал, что они могут еще долго отсиживаться где-нибудь. Но для Сэма это было слишком долго.

В ту ночь Уилл спал в своей комнате, а полицейские — в комнате Эшли. Они могли бы спать в комнате Сэма, но им это почему-то показалось кощунственным. В четыре часа утра Фернанда, которая не могла сомкнуть глаз, спустилась вниз, чтобы посмотреть, спит ли Тед. Он лежал на кушетке с открытыми глазами и думал. Остальные полицейские были на кухне и разговаривали между собой, держа оружие наготове. Кухня была похожа на своего рода отделение неотложной помощи или интенсивной терапии, где люди бодрствуют всю ночь напролет, готовые в любой момент прийти ей на помощь. Границы между днем и ночью стерлись. Люди с сотовыми телефонами в руках бодрствовали круглосуточно.

Она опустилась в кресло рядом с Тедом, бросив на него полный отчаяния взгляд. Она начала терять надежду. Денег у нее не было, а ее сына полиции не удавалось найти. У них даже не было никакого предположения относительно того, где они могут скрываться. Но и полиция, и ФБР твердо стояли на том, что нельзя предавать дело гласности. Они утверждали, что это может все запутать и только ухудшит ситуацию. И что если они разозлят похитителей, те наверняка убьют Сэма. Никто не хотел брать на себя такой риск. Тем более она.

В тот вечер Тед на несколько часов уехал домой и поужинал с Шерли. Они поговорили об этом деле, и она сказала, что ей жаль Фернанду. Она видела, что Теду тоже ее жаль. Она спросила, удастся ли им вовремя отыскать мальчика, и он честно признался, что не знает.

— Как вы думаете, когда они снова позвонят? — спросила Фернанда, как только он вернулся. В гостиной было темно, свет проникал туда только из холла.

— Они скоро позвонят, чтобы сказать, каким образом вам следует передать им деньги, — сказал он, пытаясь вселить в нее уверенность, но ей казалось, что надеяться не на что.

Они договорились, что она попытается оттянуть срок. Но рано или поздно станет ясно, что она не заплатит. Тед понимал, что нужно отыскать Сэма до этого. В тот вечер он сам позвонил отцу Уоллису. Оставалось лишь молиться. Им отчаянно нужна была какая-то зацепка. И полицейские, и сотрудники ФБР выспрашивали своих информаторов, но никто не слышал ни слова о похитителях или о Сэме.

А похитители позвонили ей на следующее утро. Они снова позволили ей поговорить с Сэмом, и ей показалось, что он нервничает. Когда Питер поднес телефон к его уху, Карл Уотерс стоял рядом, нависнув над ним, и Фернанда едва успела услышать голосок Сэма, произнесший: «Привет, мама», — как они снова отобрали у него трубку. Ей сказали, что если она желает разговаривать с сыном, то должна заплатить выкуп. Они дали ей еще пять дней, сказали, что она получит инструкции о том, куда доставить деньги, в следующий раз, когда они позвонят, и повесили трубку.

Выслушав их, она пришла в отчаяние. У нее не было возможности заплатить им. И снова их телефонный звонок не смогли проследить. Полиция лишь узнала, что ни один из похитителей на этой неделе не доложился своему уполномоченному по условному освобождению, но эта новость устарела. Они уже знали, кто это сделал. Но не знали, куда они исчезли и что сделали с Сэмом. И все это время у Филиппа Эдисона было абсолютно надежное алиби: он находился на юге Франции. ФБР проверило его телефонные звонки, сделанные из отеля Никаких международных на сотовые телефоны в Соединенных Штатах он не делал, а входящие звонки они не регистрировали. И с тех пор как ФБР взяло под контроль его звонки, что произошло через несколько часов после похищения, похитители ни разу ему не звонили. Судя по всему, они получили инструкции и дальше действовали самостоятельно.

Питер делал все, что мог, чтобы защитить Сэма. Карлу и остальным не терпелось поскорее получить деньги. Что бы ни предпринимали Тед и Рик и их соответствующие агентурные сети, учреждения и информаторы — все было безрезультатно. Фернанда чувствовала, что может лишиться рассудка.

Глава 17

Последний раз похитители позвонили Фернанде, чтобы напомнить, что у нее осталось два дня до уплаты денег. На этот раз чувствовалось, что они потеряли терпение. Они не позволили ей поговорить с Сэмом, и всем стало ясно, что времени почти не остается. А может быть, уже не осталось. Пора предпринять действия. Но какие? Не имея даже намеков на их местонахождение, полиция ничего не могла сделать. Они круглосуточно обрабатывали каждый источник информации, но все безрезультатно: ни наводки, ни зацепки, ни следа — никто ничего не видел и не слышал.

Когда вымогатели предъявили ультиматум, назначив двухдневный срок, Питер объяснил ей, как должны быть доставлены деньги. Ей нужно было перевести все сто миллионов долларов на счет одной корпорации на Багамах, а не на счет на Каймановых островах, как они планировали раньше. Багамский банк уже получил распоряжение депонировать деньги на счета нескольких подставных корпораций, а уж оттуда доли Питера и Филиппа должны были быть переведены в Женеву. Остальные три доли предполагалось перевести в Коста-Рику. И как только Уотерс, Старк и Фри доберутся до Колумбии или Бразилии, они могли перевести их туда.

Всех этих сложных подробностей Фернанда не знала. Она знала лишь название банка на Багамах, куда ей следовало перевести в течение двух дней сто миллионов долларов, а переводить было нечего. Она рассчитывала, что полиция и ФБР найдут Сэма до того, как истечет срок, и больше, чем прежде, боялась, что они его вовремя не отыщут. Надежды с каждым часом становилось все меньше.

— Чтобы получить доступ к деньгам, мне потребуется больше времени, — сказала Фернанда Питеру во время телефонного разговора, стараясь скрыть охватившую ее панику, хотя скрыть ее было невозможно. Но она боролась за жизнь Сэма. И несмотря на все их усилия, на впечатляющую техническую оснащенность, на квалифицированные кадры, ни полиции, ни ФБР пока не удалось помочь ей. Вернее, пока их усилия никаких результатов не дали.

— Время истекает, — твердо заявил Питер. — Мои сообщники не желают ждать, — добавил он, пытаясь передать собственное отчаяние.

Она должна что-нибудь сделать. Каждый день Уотерс и другие заводили разговор о том, чтобы убить Сэма. Это им ничего не стоило сделать. По правде говоря, если бы они не получили денег, то сочли бы это приемлемым актом возмездия. Жизнь мальчика была для них дешевле бутылки текилы или пары ботинок.

Их даже не беспокоило то, что Сэм их видел и мог бы опознать. Эта нечестивая троица планировала навсегда исчезнуть в дебрях Южной Америки. Чуть севернее мексиканской границы их уже поджидали нелегальные паспорта. Им оставалось лишь добраться до этого пункта, забрать их и исчезнуть, а потом жить, как короли, до конца своих дней. Но сначала она должна была заплатить выкуп.

Мало-помалу Питер окончательно понял, что Сэм сказал правду Ей было нечего переводить на счет в Багамском банке. Питер не представлял себе, что она намерена делать. Фернанда тоже этого не знала. Ему очень хотелось бы спросить у нее об этом, но он не мог и надеялся лишь, что кто-то подсказывает ей, что предпринять дальше.

Джек уже сказал ей, что самая большая сумма, которую он мог бы получить для нее под залог дома, составляет всего семьсот тысяч долларов, а этого все равно было бы недостаточно для того, чтобы заплатить выкуп. Не зная ее обстоятельств — и даже если бы он был осведомлен о них, — банк заявил, что не может санкционировать выдачу такой ссуды раньше чем через тридцать дней. А Уотерс и его сообщники хотели получить деньги через два дня.

Она не знала, что делать дальше, как не знали этого Тед, Рик и целая армия сотрудников ФБР, которые поклялись все перевернуть вверх дном, но которые тем не менее были не ближе к обнаружению Сэма, чем в тот день, когда его похитили. Питер тоже это чувствовал.

— Она водит нас за нос! — в ярости заявил Уотерс, когда закончился разговор по телефону.

А на другом конце линии рыдала Фернанда.

— Сто миллионов долларов собрать не просто, — сказал Питер, которому было безумно жаль Фернанду. Он представлял себе, каким бременем легла на ее плечи вся эта ситуация. — Завещание на недвижимость ее мужа еще не утверждено, она должна еще заплатить налоги на наследство, и его душеприказчики, возможно, не могут позволить ей снять со счета эту сумму так быстро, как нам хотелось бы.

Питер пытался выиграть для нее время, но боялся сказать им, что у нее нет денег, в чем он теперь был твердо уверен, потому что, узнав об этом, они придут в ярость и тут же убьют Сэма. Для Питера это было равносильно хождению по канату без страховки. Для Фернанды тоже.

— Мы ждать не станем, — мрачно заявил Уотерс. — Если она не переведет деньги через два дня, мы убьем мальчишку и слиняем отсюда. Не можем мы сидеть здесь и ждать, когда появятся копы, — сказал он.

После звонка он пришел в отвратительное настроение и устроил дикий скандал, узнав, что у них кончились запасы текилы и пива, и заявил, что его тошнит от их пищи. Все с ним согласились.

А в Сан-Франциско Фернанда с утра до ночи сидела в своей комнате и плакала в ужасе от того, что они убьют Сэма, если еще не убили. Уилл ходил по дому, словно привидение. Он старался держаться поближе к мужчинам, дежурившим на кухне, но куда бы он ни пошел, с кем бы ни заговорил, напряжение было невыносимым. А когда звонила Эшли, Фернанда продолжала уверять ее, что у них все в порядке. Эшли до сих пор не знала, что Сэма похитили, и Фернанда не хотела, чтобы она узнала. Ее истерика лишь усугубила бы и без того тяжелую ситуацию.

— Они собираются меня убить, ведь правда? — глядя на Питера печально, спросил у него Сэм после звонка его матери. Он слышал, как разговаривали между собой мужчины, и понимал, что они сердятся из-за того, что выплата выкупа затягивается.

— Я обещал тебе, что не допущу, чтобы это случилось, — шепотом сказал ему Питер, который зашел в дальнюю комнату, чтобы проверить, как он себя чувствует.

Но даже Сэму было понятно, что такое обещание Питер не в состоянии выполнить. А если бы выполнил, то они убили бы и Питера.

Когда Питер вернулся в гостиную, все они были в чрезвычайно плохом настроении как из-за задержки с выплатой выкупа, так и из-за отсутствия пива. Наконец Питер предложил съездить в город, чтобы купить им пива. Его внешность никогда не привлекала к себе внимания. Он выглядел как обычный хороший парень, приехавший на озеро, чтобы провести отпуск, возможно, со своими детишками. Они выбрали его для поездки за пивом, а также заказали текилы и какой-нибудь китайской еды. Они были сыты по горло едой собственного приготовления. Он тоже.

Совершая эту вынужденную вылазку за пивом, Питер проехал через один городок, миновал еще три, обдумывая по дороге, что ему делать. Сэм говорил правду, в этом больше не было сомнений. И времени у них почти не осталось. Судя по тому, что он теперь знал, выкупа им не видать как своих ушей. Ему оставалось принять единственное решение: позволить или не позволить убить Сэма. Он ввязался в эту историю, чтобы спасти жизни своих детей, и теперь знал, что он должен сделать для Сэма.

Он набрал номер и подождал. Фернанда, как всегда, ответила после первого звонка. Он говорил вежливым тоном, сказал, что с Сэмом все в порядке, и попросил позвать одного из полицейских, которые находятся с ней. Помедлив мгновение, она взглянула на Теда и сказала, что с ней нет полицейских.

— Не бойтесь, — сказал Питер усталым голосом.

Для него было все кончено, он знал это, и ему уже было все равно. Единственным, что теперь имело значение, было спасение Сэма. Говоря с ней, он понял, что делает это ради нее.

— Полагаю, что кто-то слушает наш разговор, миссис Барнс, — спокойно сказал он. — Позвольте мне поговорить с одним из мужчин.

Она взглянула на Теда страдальческим взглядом и передала ему трубку. Она понятия не имела, что все это значит.

— С вами говорит детектив Ли, — коротко отрекомендовался Тед.

— У вас остается менее сорока восьми часов, чтобы вызволить его оттуда. Там находятся четверо мужчин, включая меня, — сказал Питер, предлагая им не только информацию, но и свое сотрудничество. Он понимал, что должен это сделать. Не только ради себя, но ради нее и ради Сэма. Это все, что он мог для них сделать.

— Морган, это вы? — спросил Тед.

Это мог сделать только он. Тед знал, что говорит с ним. Питер не подтвердил, но и не опроверг его догадку. Ему нужно было сделать более важные вещи. Он дал Теду адрес дома на озере Тахо и описал расположение помещений внутри дома.

— Сейчас они держат мальчика в дальней комнате. Я сделаю все, что смогу, чтобы помочь вам, но меня тоже могут убить.

Потом Тед задал ему вопрос, на который отчаянно хотел получить ответ. Этот звонок, как и все прочие, в которых речь шла о выкупе, записывался на пленку.

— За этим стоит Филипп Эдисон?

Питер помедлил, потом ответил:

— Да, он самый.

Теперь для него все было кончено. Он понимал, что, куда бы он ни уехал, Эдисон отыщет его и убьет. Но Уотерс и его дружки, возможно, сделают это еще раньше.

— Я этого не забуду, — сказал Тед.

Фернанда, следя за разговором, не смела глаз от него отвести. Она чувствовала, что что-то происходит, но пока еще не поняла, хорошее или плохое.

— Я поступаю так не ради этого, — печально сказал Питер. — Я делаю это ради Сэма... и ради нее... скажите ей, что я сожалею. Он отключил телефон и бросил его на сиденье рядом с собой. Потом он заехал в магазин и закупил столько пива и текилы, чтобы не выходить из состояния опьянения. Вернувшись, он улыбаясь вошел в дом с четырьмя пакетами китайской еды. Его вдруг охватило чувство свободы. Наконец-то он хоть раз в жизни поступил правильно.

— Какого черта ты ездил так долго? — спросил его Старк, но сразу сбавил тон, увидев еду и пиво, а также три бутылки хорошей текилы.

— Им потребовался целый час, чтобы приготовить еду, — пожаловался он и пошел проведать Сэма.

Мальчик спал в своей комнате. Питер долго стоял, глядя на него, потом повернулся и вышел из комнаты. Он понятия не имел, когда копы здесь появятся. И лишь надеялся, что это произойдет скоро.

Глава 18

— Что произошло? — испуганно спросила у Теда Фернанда, как только Питер закончил разговор.

Тед взглянул на нее и, не скрывая торжества, сказал:

— Они на озере Тахо. Морган сказал мне, где они находятся! — Вот она, столь необходимая им долгожданная зацепка. Их единственная надежда.

— О Боже, — прошептала она. — Почему он это сделал?

— Он сказал, что делает это ради Сэма и ради вас. И просил передать вам, что он сожалеет.

Она кивнула.

Интересно, что заставило его передумать? Но что бы это ни было, она была ему благодарна. Он спас жизнь ее сына. По крайней мере попытался это сделать.

Потом события начали развиваться в стремительном темпе. Тед сделал бесчисленное количество звонков. Он позвонил шефу, Рику Холмквисту и командирам трех команд «СУОТ». Он позвонил начальнику полиции и шерифу района Тахо и попросил их ничего не предпринимать по своей инициативе. Они обещали во всем подчиняться сводной команде «СУОТ», ПДСФ и ФБР. Все действия должны были осуществляться с точностью хирургической операции на открытом сердце, и Тед сказал ей, что они будут готовы отправиться на озеро Тахо во второй половине завтрашнего дня. Она поблагодарила его и отправилась рассказать обо всем Уиллу, который, услышав об этом, расплакался.

На следующее утро, когда она встала, Тед снова разговаривал с десятками людей по телефону, и к тому времени, как он собрался выезжать, Уилл только что закончил завтракать. Тед сказал ей, что двадцать пять человек уже находятся в пути, направляясь в район Тахо. ФБР направляло группу специального назначения из восьми человек, восемь — для руководства операцией и еще восемь человек из подразделения команды «СУОТ», не считая Рика и его самого. Как только эта сводная оперативная группа прибудет на место, к ней присоединятся еще около двадцати офицеров из местных органов охраны правопорядка. Рик берет с собой своих лучших людей — отличных стрелков, снайперов — и направляет туда команду «СУОТ» и двух специалистов по переговорам. Он по-прежнему предполагал оставить четверых людей с ней и Уиллом.

— Возьмите меня с собой, — сказала ему она, не сводя с него умоляющего взгляда. — Я тоже хочу быть там.

Он помедлил, не уверенный в том, что это был бы правильный поступок. Мало ли что может случиться, когда задействовано такое количество людей? Выкрасть мальчика из дома даже с помощью Моргана будет непросто. Сэма могут нечаянно убить даже полицейские, когда, ворвавшись в дом, начнут стрелять по бандитам. При таких обстоятельствах была велика вероятность того, что Сэма не удастся вызволить живым. А если это случится, Тед не хотел, чтобы там присутствовала его мать.

— Прошу вас, — сказала Фернанда, по щекам которой катились слезы. И Тед не смог устоять, хотя знал, что этого не следовало делать.

Фернанда не сказала Уиллу, куда уезжает. Она сбегала наверх, взяла пару прочных ботинок и свитер и сообщила Уиллу, что уезжает с Тедом, не сказав, куда именно. Она приказала ему оставаться в доме с полицейскими. И прежде чем он успел возразить, она выбежала из дома и мгновение спустя уже ехала в машине с Тедом. Он позвонил Рику Холмквисту, который тоже находился в дороге, захватив с собой еще четверых сотрудников и группу особого назначения. На Тахо собирались столь мощные силы, что можно было бы создать автономную полицию. Шеф просил Теда держать его в курсе, и Тед ему обещал.

Пока они ехали по мосту через залив, Фернанда молчала. Они ехали еще полчаса в молчании, потом Тед наконец заговорил с ней. Он все еще сомневался в том, что поступил правильно, позволив ей поехать с ним, но сейчас было поздно что-либо менять. Она мало-помалу расслабилась, он тоже. Они стали говорить о том, что сказал отец Уоллис. Она пыталась по его совету поверить в то, что Сэм находится в руках Божьих. Тед сказал, что для всех них поворотным моментом был звонок Моргана.

— Как вы думаете, почему он это сделал? — озадаченно спросила Фернанда. Ни она, ни Тед не понимали, что он имел в виду, говоря, что делает это ради нее.

— Люди делают иногда странные вещи, — тихо сказал Тед, — причем тогда, когда от них меньше всего этого ожидают. — Ему приходилось сталкиваться с этим и раньше. — Возможно, он не так уж заинтересован в получении денег. Если они догадаются о том, что он сделал, его наверняка убьют. А если он останется жив, то придется применить к нему программу защиты свидетелей. Посадить его в тюрьму равносильно подписанию смертного приговора. Хотя если остальные догадаются, ему все равно не жить.

— Вы не были дома целую неделю, — заметила Фернанда, когда они проезжали мимо Сакраменто.

Тед взглянул на нее и улыбнулся:

— Вы говорите это совсем как моя жена.

— Ей, наверное, нелегко приходится, — с сочувствием сказала Фернанда и, заметив, что он надолго замолчал, добавила: — Извините, я не хотела проявлять любопытство. Я просто подумала, что это, наверное, плохо отражается на браке.

Он кивнул:

— Так оно и есть. Но мы поженились очень рано и теперь привыкли. Мы с Шерли знали друг друга с четырнадцати лет.

— Да, это большой срок, – с улыбкой сказала Фернанда. — Когда я вышла замуж за Аллана, мне исполнился двадцать один год. Мы были женаты семнадцать лет

Он кивнул. За разговорами о жизни и о супругах время летело незаметно. Теперь они чувствовали себя почти как старые друзья. За последнюю неделю они в тяжелых обстоятельствах проводили много времени вместе. Ей было невероятно трудно.

— Вам, наверное, нелегко пришлось, когда... когда умер ваш муж, — с сочувствием сказал Тед.

— Очень трудно. Трудно было и детям, особенно Уиллу. Мне кажется, он считает, будто его отец предал нас. Для них будет еще одним ударом продажа дома.

— Мальчикам в этом возрасте нужно, чтобы рядом был мужчина, — сказал Тед, подумав о своих сыновьях. — Когда росли мои дети, я редко бывал дома. Это цена, которую приходится платить за такого рода работу. Часть цены.

— С ними была мама, — мягко сказала она, пытаясь облегчить его угрызения совести, которые, как она догадывалась, он испытывал.

— Этого недостаточно, — сурово сказал он и, опомнившись, посмотрел на нее извиняющимся взглядом: — Извините, я неуклюже выразил свою мысль.

— Не извиняйтесь. Вы, возможно, правы. Я делаю все, что в моих силах, но чаще всего понимаю, что этого недостаточно. Аллан не давал мне шанса научиться большему. Он все решения принимал один.

С ней было легко говорить.

— Когда дети были маленькие, мы с Шерли чуть было не разошлись. Некоторое время говорили об этом, но потом решили, что ничего хорошего из этого не получится, — сказал Тед, подумав, что с ней так и хочется делиться сокровенными мыслями.

— Наверное, вы были правы. Хорошо, что вы остались вместе, — сказала она, восхищаясь и им, и его женой.

— Может быть. Мы с ней хорошие друзья.

— Надо думать, что это так, после двадцати восьми лет совместной жизни, — сказала Фернанда.

Несколько дней назад он сказал ей об этом. Ему было сорок семь лет, женился он в девятнадцать. На нее это произвело большое впечатление. Наверное, за такой продолжительный период между супругами образовалась прочная связь.

И вдруг он сказал нечто такое, чего она не ожидала от него услышать:

— Мы давно переросли наш брак. Откровенно говоря, я заметил это лишь несколько лет назад. Просто однажды я проснулся утром и понял, что то, чем был для нас наш брак, ушло в прошлое. Но мы остались друзьями, и это, наверное, тоже неплохо.

— А этого достаточно? — как-то странно посмотрев на него, спросила она.

Эти откровения походили на признания на смертном одре. Слова «смертный одр» привели Фернанду в ужас. Только бы это не касалось ее сына. Она была не в состоянии думать о том, куда они едут и зачем. Сейчас было гораздо легче говорить о проблемах Теда, чем о Сэме.

— Иногда, — честно признался он, снова подумав о Шерли и о том, что у них было и чего никогда не было, — иногда бывает приятно прийти домой к другу. Иногда этого недостаточно. Мы теперь редко разговариваем. У нее своя жизнь. У меня тоже.

— В таком случае почему вы остаетесь вместе, Тед? — спросила она. Тот же вопрос ему долгие годы задавал Рик Холмквист.

— Причин много: лень, усталость, боязнь одиночества Боязнь сделать первый шаг. Возраст

— Ну, на возраст вам рано ссылаться. Может быть, это пре данность? Или порядочность? А может, вы любите ее больше, чем сами думаете, и поэтому остаетесь с ней? Или, возможно, она любит вас больше, чем вы думаете, и поэтому хочет, чтобы вы остались? — великодушно предположила Фернанда.

— Я так не думаю, — поразмыслив над тем, что она сказа ла, ответил Тед, покачав головой — Я полагаю, мы не разо шлись, потому что от нас этого ожидали. Ее родители и мои. И наши дети. А теперь я думаю, нашим детям было бы все равно. Они выросли и разъехались. Как ни странно это звучит, но она теперь стала кем-то вроде моей родственницы. Иногда мне кажется, что я живу вместе со своей сестрой, — сказал Тед.

Фернанда кивнула. С ее точки зрения, это было совсем неплохо. Она не могла даже представить, что теперь можно было бы найти кого-то другого. За семнадцать лет совместной жизни она настолько привыкла к Аллану, что и помыслить не могла о том, чтобы спать с другим мужчиной. Хотя понимала, что когда-нибудь этот момент произойдет. Но не скоро.

— А как вы? Что вы собираетесь делать теперь? — поинтересовался Тед.

Они затронули в разговоре деликатную тему, но она знала, что он не выйдет за рамки дозволенного. Не такой человек был Тед. За все время, которое он пробыл в ее доме, она чувствовала только уважительное отношение к себе и доброту.

— Я не знаю. Мне кажется, что я всегда буду замужем за Алланом, независимо от того, здесь ли он или его нет.

— Последний раз, когда я к вам заходил, его «не было», — осторожно напомнил Тед.

— Я понимаю. Моя дочь говорит мне то же самое. Она частенько напоминает мне о том, что мне следует появляться в обществе. А я меньше всего об этом думаю. Я была слишком занята, выплачивая долги Аллана. На это потребуется еще много времени, если только мне не повезет и я не выручу за дом какую-нибудь невероятную сумму Наш адвокат собирается объявить о банкротстве, чтобы очистить от долгов его бизнес. Я чуть не умерла, когда впервые осознала, что муж натворил.

— Жаль, что он не постарался сам привести в порядок свои дела, — сказал Тед, и она кивнула. Однако, судя по всему, она относилась к этому философски.

— Мне всегда было не по себе от такого баснословного количества денег. — Она усмехнулась. — Наверное, это звучит глупо, но мне всегда казалось, что их слишком много. Это было как-то неправильно. Хотя, — она пожала плечами, — некоторое время это доставляло удовольствие. — Она рассказала ему о приобретении двух полотен импрессионистов, что произвело на него должное впечатление.

— Наверное, удивительно приятно чувствовать себя владельцем чего-нибудь подобного?

— Так оно и было. В течение двух лет. Их приобрел один бельгийский музей. Может быть, я когда-нибудь навещу их.

Она, казалось, ничуть не расстроилась, что пришлось расстаться с картинами, что показалось ему проявлением благородства. Казалось, она была страстно привязана только к своим детям. На него самое большое впечатление производило то, что она такая хорошая мать. Видимо, она была также хорошей женой Аллану. С точки зрения Теда, слишком хорошей для такого, как Аллан. Но он ей этого не сказал, считая, что ему делать это не подобает.

Некоторое время они ехали молча, но, когда проезжали мимо ресторана «Икеда» с продовольственным магазином при нем, он спросил, не хочет ли она остановиться и перекусить что-нибудь. Она отказалась, хотя в течение целой недели почти ничего не ела.

— Куда вы собираетесь переехать, когда продадите дом? — спросил он, подумав, что после всего, что произошло, она, возможно, захочет уехать из города. Он не удивился бы, если бы она это сделала.

— Может быть, в Марин. Я не хочу уезжать далеко. Дети не желают оставлять своих друзей. — Как ни глупо, но он, услышав это, испытал облегчение.

— Я рад, — сказал он, кажется, удивив ее этими словами.

— Вы должны как-нибудь прийти к нам пообедать со мной и детьми, — сказала она.

Наверное, она была благодарна ему за все, что он сделал, хотя, насколько он понимал, он еще не сделал того, что должен. Он понимал также, что, если на Тахо дело обернется плохо и Сэм будет убит, она, вероятнее всего, никогда не захочет снова видеть его. Он останется в ее воспоминаниях как часть этого кошмарного времени. И возможно, уже является для нее таковым. Но он знал также, что, если он никогда больше не увидит ее, ему будет грустно. Ему нравилось разговаривать с ней, нравилось, с какой деликатностью и простотой справлялась она со сложными ситуациями, с каким вниманием относилась к его людям. Несмотря на то что был похищен ее ребенок, она находила возможность позаботиться о них. Огромные деньги, которые сделал ее муж, не ударили ей в голову. И Теду не без оснований казалось, что ей не терпится уехать из их дома. Пришла пора это сделать.

Вскоре они миновали Оберн, и остальную часть пути она говорила мало. Все ее мысли сосредоточились на Сэме.

— С ним будет все в порядке, — тихо сказал он, когда они проезжали через перевал Доннер.

Она встревоженно взглянула на него.

— Откуда у вас такая уверенность? — спросила она.

По правде говоря, уверенности у него не было, и оба они это знали.

— Уверенности у меня нет. Но я намерен сделать все возможное, чтобы добиться этого, — пообещал он.

Это она знала. Он с самого начала взял на себя обязательство защищать их.

А в доме на озере Тахо мужчины начали терять терпение. Они целый день ссорились друг с другом. Старк хотел снова позвонить Фернанде во второй половине дня и припугнуть ее. Уотерс сказал, что они должны подождать до вечера. А Питер осторожно предложил дать ей еще один, последний, день, чтобы собрать деньги, и позвонить завтра утром. Джиму Фри, казалось, было все равно: он хотел лишь получить свою долю и смыться отсюда ко всем чертям. День был жаркий, и все они выпили много пива, кроме Питера, который старался сохранить способность здраво мыслить и регулярно наведывался к Сэму.

Питеру приходилось делать это на глазах у всех остальных, и он не переставал гадать, когда же начнут свою операцию Тед и его люди. Он понимал, что операция будет осуществляться в бешеном темпе и яростно и что ему придется сделать все возможное, чтобы спасти Сэма.

К концу дня все были пьяны. Даже Уотерс. И часам к шести все заснули в гостиной. Питер посидел, наблюдая за ними, потом пошел в дальнюю комнату к Сэму. Ничего не сказав мальчику, он прилег на постель рядом с ним и заснул, заключив его в объятия и мечтая о своих дочерях.

Глава 19

К тому времени как Тед и Фернанда приехали в Тахо, местная полиция освободила для расквартирования всего контингента задействованных сил особого назначения небольшой мотель. Захудалый мотель размещался в ветхом здании и почти пустовал даже во время летнего сезона. Несколько живших в нем постояльцев с удовольствием переехали оттуда, получив небольшую сумму в качестве компенсации. Двое копов целыми фургонами подвозили продукты быстрого приготовления из ближайшего магазинчика. Все было организовано. ФБР направило восемь бойцов, специально обученных тактике освобождения заложников и похищенных, а из города прибыла команда «СУОТ» с аналогичной подготовкой. Повсюду было множество местных полицейских, которые, однако, пока не имели точной информации о том, что происходит.

Когда Тед вышел из машины и огляделся вокруг, его ждали более пятидесяти человек. Предстояло отобрать из них тех, кто пойдет в дом, и решить, каким образом они будут это делать. Начальник местного отделения полиции распоряжался размещением оборудования, блокировкой подступов к дому и руководил местными полицейскими. На Рика была возложена ответственность за всю операцию в целом. Он устроил нечто вроде штаба в комнате, расположенной рядом с офисом администрации мотеля, который он предоставил в распоряжение начальника местной полиции. Тед, следом за которым из машины вышла Фернанда, увидел множество небольших грузовичков, обеспечивающих связь. Из одного только что вышел Рик. Организованный хаос, царивший вокруг них, одновременно и внушал ужас, и вселял уверенность.

— Как идут дела? — спросил у Рика Тед.

Оба они выглядели очень усталыми. Тед уже давно спал не более двух часов подряд, а Рик был на ногах с прошлой ночи. Для тех, кто знал о Сэме, его освобождение стало священным долгом, что было большим утешением для его матери. Тед попросил одного из офицеров выделить для нее комнату.

— Мы почти там, — сказал, взглянув на нее, Рик, и она устало улыбнулась в ответ. Судя по всему, она держалась изо всех сил, но надолго ли ее хватит? Напряжение было слишком велико, хотя разговор с Тедом на отвлеченные темы в машине на короткое время помог ей.

Тед отправился помочь ей устроиться. В комнате ее ожидали психолог из команды «СУОТ» и женщина — офицер полиции. Оставив ее с ними, Тед вернулся к Рику в комнату, которую тот превратил в командный пункт. На столе у стены возвышалась целая гора сандвичей и готовые салаты. К стене над столом были приклеены клейкой лентой план дома и карта района. Еда предлагалась самая здоровая, поскольку ни бойцы ФБР, ни участники команды «СУОТ» не употребляли жирной пищи, сахара или кофеина. Оказывается, после первоначального кратковременного прилива сил это их затормаживало, поэтому они были разборчивы в пище. Там уже находился начальник местной полиции, а командир «СУОТ» только что вышел, чтобы проверить, как там его люди.

Теду казалось, что все это напоминает высадку десанта в Нормандии. Он взял сандвич и опустился на стул. Рядом с ним сел Гик. Они обсуждали план военных действий. Это была крупная спасательная операция, в которой были задействованы впечатляющие объединенные интеллектуальные силы и боевые качества профессионалов.

Дом, который сейчас был их целью, находился менее чем в двух милях от них. Они не пользовались радиосвязью на тот случай, если у похитителей имеется аппаратура для радиоперехвата, а также из опасения, что пресса может перехватить сообщения и сделать их достоянием гласности. Они приняли все меры предосторожности, чтобы сохранить операцию в тайне, но, несмотря на это, Рик, рассматривающий план дома вместе с Тедом, выглядел встревоженным. Они побывали в конторе у местных топографов и получили там карту участка, на котором находится дом, потом увеличили ее до огромных размеров.

— Твой информатор говорит, что мальчик находится в дальней части дома, — сказал Рик, указывая на комнату, расположенную в глубине дома, неподалеку от границы земельного участка. — Мы могли бы проникнуть туда, но задняя стена дома почти вплотную примыкает к отвесной скале. Я мог бы спустить по ней четверых парней, но не смогу поднять их назад достаточно быстро, когда с ними будет мальчик, и тем самым подвергну их слишком большому риску. — Потом он указал на фасад дома: — А здесь, чтобы добраться до дома, надо преодолеть подъездную дорожку длиной в футбольное поле. Они сразу же увидят нас. А если мы взорвем дом, то обязательно убьем мальчика.

Командир команды «СУОТ» и бойцы ФБР обсуждали этот вопрос уже целых два часа, но проблема пока не была решена. Однако Тед был уверен, что в конце концов они ее решат. У них не было возможности связаться с Питером Морганом, чтобы обсудить план с ним. К лучшему или к худшему, но все решения им приходилось принимать самостоятельно.

Тед был рад тому, что Фернанда не находится здесь вместе с ними и ей не приходится слышать об опасностях, которые они обсуждают. Она бы этого не выдержала. Они слишком громко высказывали предложения, каждое из которых пока с большой вероятностью вело к гибели мальчика.

Тед не был уверен в том, что этого не случится. Как только похитители поймут, что надежда получить выкуп не оправдалась, они почти наверняка убьют мальчика. Риск того, что они это сделают, был даже в том случае, если бы они без проблем получили выкуп. Сэм был достаточно большим ребенком, чтобы опознать их, а значит, не имело смысла отпускать его, даже если бы они получили деньги. Эдисон тоже знал это, потому-то и послал Питера на Тахо, чтобы присмотреть за остальными. Прошел еще час, и Рик повернулся к Теду:

— Ты понимаешь, как мало у нас шансов вызволить его оттуда живым, а? Почти никаких. Скорее всего — никаких. — Рик был честен со своим другом. Существовала высокая степень вероятности того, что Сэм умрет, если его уже не убили.

— В таком случае позови сюда еще парней, — сердито сказал Тед Рику.

Не для того они затеяли все это, чтобы потерять мальчика. Хотя все знали, что могут его потерять. Однако Тед приехал сюда, чтобы спасти Сэма, как и Рик, как и все присутствующие в комнате и находящиеся снаружи. Их целью было спасение Сэма.

— У нас уже собралась здесь небольшая армия! — рявкнул Рик. — Или ты не видел, сколько людей снаружи? Нам не нужно увеличивать их число, а нужно нам, черт возьми, чудо, — процедил сквозь стиснутые зубы Рик.

Иногда, когда они ссорились, готовые лезть в драку друг с другом, им удавалось получать самые лучшие результаты в работе.

— Нужно чудо? Так сотвори его! Позови сюда самых умных парней. Нельзя же просто сложить руки и позволить убить парнишку, — со страдальческим видом сказал Тед.

— Похоже, именно это происходит с тобой, старая задница! — заорал Рик.

В комнате находилось так много громко разговаривавших друг с другом людей, что не было даже слышно, как Рик орал на Теда и как Тед кричал ему в ответ. Они ругались, словно два разъяренных армейских сержанта. В самый разгар словесной баталии командир «СУОТ» предложил вдруг еще один план, но все единогласно отвергли его, потому что спасатели оказывались слишком уязвимыми для открытого огня из дома.

Питер выбрал идеальное место. Практически не было никакой возможности вытащить мальчика из дома и унести его в безопасное место. Рик уже понял, а до Теда только стало доходить, что этой ночью, спасая жизнь одного мальчика, погибнет немало людей. Но это был их долг. Остальные тоже это понимали.

— Я просто не могу отправить своих людей на верную смерть, — сказал совершенно расстроенный командир команды «СУОТ» Теду. — Мы должны дать им хоть какой-то шанс добраться до парнишки и вернуться назад.

— Я это знаю, — удрученно сказал Тед. Все шло не так гладко, как нужно бы.

В девять часов вечера они с Риком вышли прогуляться. У них все еще не было приемлемого плана, и Тед начал опасаться, что его никогда не будет или что он появится слишком поздно. Они все давно согласились, что Сэма надо вызволить оттуда к рассвету. Как только похитители проснутся, риск возрастет многократно, и, насколько он понимал, еще одного дня в запасе у них не было. На следующий день они собирались позвонить Фернанде и сказать последнее слово. Рассвет наступит через девять часов, времени оставалось все меньше и меньше.

— Черт возьми, мне все это не нравится, — сказал Тед, взглянув на Рика, который стоял, прислонившись спиной к дереву.

Никто не придумал ничего подходящего. Через час будет направлен самолет воздушной разведки, оборудованный инфракрасной аппаратурой и приборами для поиска тепловых излучений, но все это оборудование не будет работать внутри дома. Тем не менее одна из машин, обеспечивающих радиосвязь, была специально выделена для их обслуживания.

— Мне это тоже не нравится, — тихо сказал Рик. Оба они поостыли и разговаривали уже спокойно. Впереди была долгая ночь.

— Что, черт возьми, я ей скажу? — в отчаянии произнес Тед. — Скажу, что лучшая команда «СУОТ» и твоя команда не в состоянии спасти Сэма?

Он и представить себе не мог, как бы он сообщил ей о гибели ребенка. Хотя вполне возможно, что его уже не было в живых. Ситуация складывалась неважная, если не сказать хуже.

— Ты влюбился в нее, не так ли? — ни с того ни с сего сказал Рик, и Тед вытаращил на него глаза, как будто тот сошел с ума. Такие вещи мужчины обычно не говорят друг другу, но иногда такое случается. Как, например, сейчас.

— Ты, видно, спятил. Я, черт возьми, коп, а она жертва, как и ее сын, — заявил Тед. — Тед пришел в ярость при одной мысли об этом и снова разозлился на Рика за то, что тот посмел такое предположить. Но его друга не так-то легко было одурачить, пусть даже Тед обманывал сам себя, в чем Рик был уверен.

— А кроме того, она женщина, а ты мужчина. Она красива и беспомощна. Ты целую неделю находился у нее в доме. Ты не был обязан это делать, но делал. К тому же ты не спал со своей женой около пяти лет, если мне не изменяет память. Видит Бог, ты живое существо. Только не допускай, чтобы это мешало твоей работе. Здесь слишком многие парни рискуют жизнью. Не надо посылать их под пули, если мы не сможем гарантировать, что они и ребенок вернутся живыми.

Тед понурил голову, потом снова взглянул на Рика. В его глазах стояли слезы, и он не стал отрицать того, что Рик сказал о Фернанде. Он еще и сам до конца не был уверен. Это пришло ему в голову прошлой ночью. Он беспокоился о ней так же, как беспокоился бы о своем сыне.

— Но ведь должен быть способ вызволить его оттуда живым? — только и сказал Тед.

— Это отчасти будет зависеть от мальчика и от твоего парня, который находится внутри дома. Мы не можем все держать под контролем.

Речь уже не шла о везении, судьбе, поведении других похитителей и о мастерстве людей, которые проникнут в дом Можно было назвать великое множество непредсказуемых моментов, ни один из которых не поддавался контролю Иногда кажется, что все складывается против вас, а вам вдруг повезет. А иной раз бывает, что все складывается идеально, а потом неожиданно все идет наперекосяк.

— А она как? — снова тихо спросил Рик. — Как она относится?

Рик имел в виду ее отношение к Теду, а не к сыну. Они понимали друг друга с полуслова, как это бывает между людьми, много лет проработавшими бок о бок.

— Я не знаю, — с несчастным видом сказал Тед. — Я человек женатый.

— Вам с Шерли следовало развестись много лет назад, — со всей прямотой заявил Рик. — Вы оба заслуживаете лучшей доли.

— Она мой лучший друг.

— Но ты ее не любишь. И я не уверен, что когда-нибудь любил. Вы вместе росли, и, когда я с тобой познакомился, вы были как брат и сестра. Ваш брак походил на брак по договоренности между семьями, как это делалось сотни лет назад. Все ожидали, что вы поженитесь, всех это устраивало. Вот вы и поженились, — сказал Рик.

Тед понимал, что друг недалек от истины. Отец Шерли был боссом его отца в течение большей части его сознательной жизни, и родители очень гордились тем, что он и Шерли собираются пожениться. Он никогда не назначал свиданий другим девушкам. Даже не думал об этом. Но и тогда, когда они уже давно не спали вместе, он просто из чувства приличия продолжал хранить ей верность и был верен до сих пор, что для копа было редким случаем.

Жизнь в напряжении и сумасшедший график работы, когда они редко виделись с женами и другими домочадцами или работали с женами в разные смены, создавали массу проблем, которые пару раз почти доконали даже Теда. Рик всегда восхищался другом за его стальную волю, как он это называл, за умение держать штаны на замке. О себе он этого сказать не мог. Но его развод был в конечном счете облегчением.

А теперь он нашел женщину, которую полюбил по-настоящему. Теду он желал того же. И если друг хотел Фернанду и был готов влюбиться в нее, он был рад за него. Сейчас же он лишь надеялся, что ее ребенок останется жив. Ради нее и ради Теда. Потерять ребенка означало бы трагедию, которую она никогда не смогла бы пережить или забыть, как и Тед. Если бы эта операция закончилась неудачей, Тед, вероятнее всего, стал бы во всем винить себя. Но обязанность Рика — и Теда тоже — выручить из беды ребенка не имела никакого отношения к любви. Это была их работа. А все остальное — так, подливка к основному блюду.

— Она из другого мира, — с тревогой в голосе сказал Тед, который еще и сам не был уверен, какие чувства испытывает к ней, но побаивался, что в словах Рика есть доля правды, над которой следует поразмыслить. Он уже не раз думал об этом, хотя ей пока ничего не сказал. — Она вела совсем другую жизнь. Ее муж сделал полмиллиарда долларов. Он был умным парнем, — смиренно произнес Тед, взглянув в полутьме на своего друга. Перед мотелем было много людей, но все они находились за пределами слышимости.

— Это ты умный парень. А его разве можно считать умным? Он потерял все так же быстро, как нажил, и покончил с собой, оставив жену с тремя ребятишками без гроша в кармане, — сказал Рик.

В этом была правда. У Теда на счете в банке в настоящее время было гораздо больше денег, чем у нее. Его будущее было обеспечено, как и будущее его детей. Чтобы добиться этого, он трудился не покладая рук в течение без малого тридцати лет.

— Она училась в Стэнфорде. А я закончил среднюю школу, я коп.

— Ты отличный парень. Ей крупно повезло, — парировал Рик.

Они оба знали, что Тед является как бы раритетом в современном мире. Он был хорошим и порядочным человеком. Рик из любви к своему бывшему напарнику признавался, что Тед как человек лучше, чем он. Тед никогда не рассматривал их человеческие качества в таком аспекте и всегда был готов броситься на защиту Рика. Иногда так и приходилось поступать. Прежде чем уйти из полицейского департамента, Рик многим успел насолить. Уж такой у него был характер. В ФБР он продолжал вести себя так же. Он отличался прямолинейностью и всегда говорил то, что думает. Сейчас он делал то же самое, независимо от того, хочет Тед это слышать или нет. Рик считал это своим долгом. Даже если он расстроит Теда или рассердит.

— Я хочу, чтобы тебе тоже повезло, — ласково сказал он. — Ты этого заслуживаешь.

Не хотел он, чтобы его друг умер когда-нибудь в одиночестве. Оба они прекрасно понимали, что дело идет к этому. И шло уже в течение многих лет.

— Не могу я просто взять и бросить Шерли, — уныло промолвил Тед. Он уже чувствовал себя виноватым, хотя при этом его невероятно сильно влекло к Фернанде.

— Не предпринимай пока ничего. Посмотри, как будут развиваться события после того, как закончится этот кошмар. Возможно, Шерли сама бросит тебя. Она сообразительней, чем ты. Я всегда думал, что если она встретит подходящего парня, то уйдет от тебя первая. Меня удивляет, что она до сих пор этого не сделала, — сказал Рик.

Тед кивнул. Ему это тоже приходило в голову. В некоторых отношениях она была меньше привержена идее сохранения их брака, чем он. Она была просто ленива — и сама признавала это, — хотя тоже любила его. Однако за последнее время она не раз говорила, что не возражала бы против того, чтобы жить одной. Это бы мало что изменило в ее жизни, потому что они так редко видели друг друга, что она все равно как бы жила одна. Он думал так же. Живя с ней, он был одиноким человеком. Им больше не нравились одни и те же вещи или люди. Единственным, что заставляло их жить вместе в течение двадцати восьми лет, были их дети. Но прошло уже несколько лет с тех пор, как они разлетелись из одного гнезда.

— Не обязательно обдумывать это сейчас. Ты сказал что-нибудь Фернанде? — Рика этот вопрос интересовал с тех пор, как они с ней встретились.

У нее с Тедом сразу же сложились простые, доверительные отношения, причем абсолютно невинные, которые предполагали связь между родственными душами, о чем ни он, ни она не догадывались. Это была естественная близость, которая сразу же поразила Рика. Рику, как и Теду, она показалась идеально подходящей для Теда женщиной. Тед это чувствовал, но ни разу не обмолвился об этом. Учитывая обстоятельства, при которых они встретились, он не осмеливался, да и не хотел этого делать. Он и понятия не имел, питает ли она к нему какие-нибудь чувства, кроме тех, которые испытывают к человеку, который выполняет свой служебный долг, пытаясь защитить ее и ее детей. Тем более что, допустив похищение Сэма, он отнюдь не преуспел на этом поприще, по крайней мере в своих собственных глазах.

— Я ничего ей не сказал, — ответил Тед на вопрос Рика. — Сейчас едва ли подходящее время для этого.

Они оба это понимали. И Тед даже не был уверен, что отважится открыться ей, когда этот кошмар закончится. Почему-то это казалось ему неправильным. Как будто он просто пытался воспользоваться своим преимуществом.

— По-моему, ты ей нравишься, — заявил Рик, и Тед усмехнулся.

Они разговаривали, словно двое мальчишек из средней школы или даже из начальной. Как двое подростков, которые во время перемены играют в шарики и обсуждают девчонку из шестого класса. Было большим облегчением поговорить несколько минут о чувствах Теда к Фернанде, вместо того чтобы обсуждать спасение Сэма, жизнь которого висела на волоске. И Рику, и Теду нужна была такая разрядка.

— Мне она тоже нравится, — тихо сказал Тед, вспоминая о том, как она выглядела, когда они часами разговаривали, сидя в темноте, или как она заснула рядом с ним на полу в ожидании новостей о Сэме. У него тогда буквально растаяло сердце.

— В таком случае действуй, — шепнул Рик. — Жизнь коротка.

Это они оба знали и за долгие годы службы имели тому множество подтверждений.

— Что правда, то правда, — вздохнул Тед и отодвинулся от дерева, на ствол которого опирался во время беседы.

Разговор был интересный, но их ждали более важные дела. Им обоим было полезно временно переключить мысли на что-нибудь другое, особенно Теду. Он любил слушать, что думает Рик по тому или иному поводу. Он испытывал к нему безграничное уважение.

Рик следом за ним вернулся в дом, размышляя о том, в чем признался ему Тед, но, как только они переступили порог командного пункта, их обоих немедленно вновь втянули в обсуждение организационных тонкостей предстоящей операции. Только к полуночи план наконец был согласован. Его отнюдь нельзя было назвать идеальным, но это было лучшее из всего, что они могли придумать.

Командир команды «СУОТ» сказал, что они начнут продвигаться к дому перед рассветом, и предложил всем попытаться немного поспать. Тед ушел из командного пункта в час ночи и направился в комнату Фернанды, чтобы посмотреть, что она делает.

Когда он проходил мимо ее комнаты, она находилась там одна Дверь была закрыта, но сквозь окно он видел, что там горит свет. а она лежит на кровати с открытыми глазами, уставившись в пространство. Он помахал ей рукой. Она сразу же поднялась и открыла ему дверь, испугавшись, что могли позвонить похитители. Ее телефонная линия была переключена на машину связистов, припаркованную снаружи.

— Что-нибудь случилось? — встревоженно спросила она, и он поспешил успокоить ее.

С тех пор как они прибыли сюда, время для нее, как и для всех них, тянулось невыносимо медленно. Бойцам групп специального назначения не терпелось начать операцию и всерьез приняться за дело, ради которого они оказались здесь. Многие из них разгуливали возле мотеля в бронежилетах и камуфляже.

— Мы скоро выступаем.

— Когда? — спросила она, вглядываясь ему в глаза.

— Перед рассветом.

— Из дома есть какие-нибудь новости? — встревоженно спросила она.

Полицейские по-прежнему находились там с Уиллом, они держали под контролем телефонные звонки, но, насколько было известно Теду, по сведениям, полученным всего час назад, никаких звонков ни от Уилла, ни от Питера и его сообщников не поступало.

Тед понимал, что у Питера не было никакой возможности позвонить им. Он сделал все, что мог. И если им все-таки удастся спасти Сэма, то это в значительной степени будет благодаря ему. Без его подсказки мальчик был бы наверняка убит. А теперь, как в бейсболе, все зависело от того, чтобы успеть схватить переданный им мяч и бежать что есть духу И они это сделают. Скоро.

— Он больше не звонил, — ответил ей Тед, и она кивнула. На этом этапе было глупо надеяться получить новости о Сэме — Пока все спокойно, — сказал он.

Возле подъездной дорожки, ведущей к дому, стоял грузовичок с оборудованием для связи и наблюдения, но никакого движения в доме замечено не было. Кроме того, на вершине холма сидел один из бойцов группы особого назначения, который вел наблюдение с помощью инфракрасного телескопического бинокля. Он тоже подтверждал, что в доме темно уже несколько часов. Тед надеялся, что когда они войдут в дом, все еще будут спать. Элемент внезапности был очень важен, пусть даже это означало, что Питер не сможет оказать им помощи. На такое надеяться было бы нереально.

— С вами все в порядке? — тихо спросил ее Тед, пытаясь не думать о недавнем разговоре с Риком. Теперь, когда он признался другу в своих чувствах к Фернанде, они стали как бы более реальными, ему еще больше не хотелось сказать или сделать что-нибудь. Она кивнула и, чуть помедлив, сказала:

— Я хочу, чтобы все поскорее кончилось, но я боюсь.

Пока что они могли предполагать, что Сэм еще жив, или по крайней мере могли надеяться на это. Вечером она звонила отцу Уоллису и нашла в беседе с ним тихое утешение.

— Скоро все закончится, — пообещал ей Тед, но не захотел заверять ее, что все будет в порядке.

Сейчас это были бы пустые слова, и она это понимала. Как бы ни закончилась операция, скоро они начнут действовать.

— Вы пойдете с ними? — спросила она, пытливо вглядываясь в его лицо. Он кивнул.

— Только до начала дорожки, ведущей к дому, — сказал он.

Остальное было делом парней из команды «СУОТ» и бойцов из команды ФБР. Там был приготовлен для них специальный наблюдательный пункт в кустах. Он будет укрыт листвой кустарника, но они по крайней мере смогут находиться рядом, когда начнется весь тарарам, а он наверняка будет такой, что небу станет жарко.

— Можно, я буду с вами? — попросила она.

Несмотря на ее умоляющий взгляд, он решительно покачал головой. Не мог он ей этого позволить. Это было слишком опасно. Если ситуация вырвется из-под контроля, она может попасть под перекрестный огонь или ее застрелят из ружья или автомата, если похитители попытаются убежать и решат дать автоматную очередь по их наблюдательному пункту. Это было невозможно предугадать.

— Почему бы вам не попытаться немного поспать? — предложил он, подозревая, что просить ее об этом бесполезно.

— Вы мне скажете, когда будете уходить? — спросила она. Фернанда хотела знать, что будет происходить и когда, и это было понятно. Ведь ради ее сына они рискуют жизнью. И она, желая, чтобы Сэм выжил, хотела быть мысленно связанной с ним, когда они пойдут его спасать. Тед кивнул, пообещав ей сказать, когда будут выступать группы, а она вдруг запаниковала. Она привыкла надеяться на него. Он был ее проводником по незнакомым джунглям страха.

— А где вы будете находиться до тех пор?

— Моя комната расположена через две двери по коридору, — жестом указал он.

С ним жили три человека из городской полиции. А Рик разместился в соседней.

Фернанда как-то странно посмотрела на Теда, как будто хотела, чтобы он вошел в ее комнату. Они некоторое время стояли и смотрели друг на друга, и Теду показалось, что он читает ее мысли.

— Вы хотите, чтобы я зашел на несколько минут?

Она кивнула. Ничего тайного в этом не было: шторы были широко раздвинуты, горел свет, и любой мог заглянуть в помещение.

Тед последовал за Фернандой и уселся на единственный стул в комнате, а Фернанда присела на краешек кровати, испуганно глядя на него. Им обоим предстояла долгая ночь, а заснуть она не могла. На карту была поставлена жизнь ее ребенка, и, если суждено случиться худшему, она хотела по крайней мере провести ночь, думая о нем. Она представить себе не могла, как скажет другим детям, если что-нибудь случится. Ведь Эшли даже не знает, что Сэма похитили. Трудно вообразить, каким ударом была бы для них гибель Сэма после того, как они всего шесть месяцев назад потеряли отца. Недавно она говорила с Уиллом. Он пытался быть сильным, но в конце разговора оба расплакались. Несмотря на все это, Тед считал, что она держится замечательно. Случись что-нибудь подобное с одним из его сыновей, он не смог бы, наверное, проявить такую стойкость, как она.

— Полагаю, что заставить вас немного поспать нет никакой возможности? — улыбнувшись ей, сказал Тед. Он был так же измучен, как она, но это была его работа.

— Наверное, вы правы, — честно призналась она. Теперь оставались считанные часы до начала операции. — Мне хотелось бы, чтобы они снова позвонили.

— Мне тоже, — так же честно признался Тед. — Но возможно, то, что они не звонят, является хорошим признаком. Думаю, они планируют позвонить вам утром, чтобы узнать, готовы ли у вас для них деньги, — сказал он.

Сто миллионов долларов. Сумма все еще казалась ему невероятной. Тем более что всего несколько лет назад ее муж мог бы без труда заплатить ее. Удивительно, что нечто подобное не случилось раньше. Тед был почти уверен, что если бы такое случилось, то жертвой оказалась бы Фернанда, а не дети.

— Вы что-нибудь ели? — спросил он.

Уже в течение нескольких часов по мотелю циркулировали коробки с сандвичами и пиццей, а вкусных пончиков было такое количество, что можно было умереть от переедания. В тот вечер все, кроме бойцов команды «СУОТ», без конца пили кофе и кока-колу. Пока они разрабатывали свои планы, им было нужно поддерживать себя кофеином. И теперь, естественно, большинство из них не могли заснуть. Все жили на адреналине. Фернанда же — на тревоге и ужасе. Она сидела на краешке кровати, глядя на него широко раскрытыми глазами, и думала: неужели жизнь когда-нибудь снова станет нормальной?

— Может, вам не хочется сидеть здесь со мной? — печально спросила она и стала сама похожа на ребенка.

Через несколько недель у нее будет день рождения, и она хотела надеяться, что Сэм останется жив и отпразднует этот день вместе с ней.

— Напротив. Мне это нравится, — с улыбкой сказал он. — Быть в вашей компании — для меня удовольствие.

— Я уже давно перестала быть приятным собеседником, — сказала она и, сама того не заметив, тяжело вздохнула. — Это продолжается уже несколько лет или по крайней мере несколько месяцев, — призналась она.

Давненько она не разговаривала со взрослыми людьми Пожалуй, с тех пор, как они ужинали где-нибудь вдвоем с мужем, смеялись и болтали о самых обычных вещах. За все это время единственным человеком, с которым она сблизилась, был Тед. Да и время это нормальным не назовешь. Казалось, ее без конца преследовали трагические события. Сначала гибель Аллана, потом этот хаос, который он оставил после себя А теперь вот Сэм.

— В этом году на вашу долю выпало немало тяжелых испытаний, — с сочувствием глядя на нее, сказал Тед. — Думаю, что, окажись я на вашем месте, я давно бы жил на аппарате искусственного дыхания.

Тед понимал, что, даже если с Сэмом все будет в порядке — а он надеялся, что так оно и будет, — впереди ее еще ожидали большие перемены в жизни. А после всего, что нынче вечером сказал ему Рик, Тед не удивился бы, если и в его жизни произошли перемены. Он не пропустил мимо ушей ничего из сказанного Риком о его браке с Шерли. Особенно то, что Шерли может уйти от него. Сам Тед никогда бы этого не сделал, но такая мысль приходила в голову и ему тоже. Она была меньше чем он, связана традицией и плясала под собственную дудку, особенно в последние годы.

— Иногда мне кажется, что моя жизнь никогда не вернется в нормальное русло, — сказала она.

Но если говорить правду, то была ли она когда-нибудь нормальной? Ведь неожиданный взлет Аллана до заоблачных высот в финансовом мире едва ли можно назвать нормальным. Последние несколько лет были сплошным безумием для всех них. А теперь еще и это.

— Эти летом я собиралась начать подыскивать для нас дом в Марине, — добавила она.

Но теперь, если, упаси Боже, Сэма не будет, она не знала, что делать дальше. Возможно, уедет куда-нибудь еще, чтобы не будить воспоминания.

— Вас и ваших детей ждут большие перемены в жизни, — сказал он, имея в виду переезд в дом значительно меньших размеров. — Как, по-вашему, они отнесутся к этому?

— Испугаются. Рассердятся. Расстроятся. Взволнуются. Они будут переживать то же самое, что и все дети при переезде. Нам всем будет страшновато. Но возможно, все еще будет хорошо, — сказала она.

При условии, что с ней по-прежнему будут трое детей, а не двое. Сейчас она только об этом и могла думать.

Разговор мало-помалу прекратился, но даже молчать в компании друг друга им было легко. Заметив, что она задремала, Тед около трех часов ночи на цыпочках вышел из комнаты. После этого ему удалось часа два поспать, лежа на полу в своей комнате. На двух имевшихся в ней кроватях спали двое его соседей по комнате, но к тому времени Теду было все равно, где спать. Рик всегда говорил, что он мог бы спать даже стоя. Бывали случаи, когда дело почти доходило до такого.

В пять часов утра его разбудил командир команды «СУОТ». Тед проснулся немедленно. Двое его соседей уже были на ногах и выходили из комнаты. Он умылся, почистил зубы, пригладил волосы. Командир команды «СУОТ» спросил, не хочет ли он поехать вместе с ними, но Тед ответил, что поедет следом, чтобы не путаться у них под ногами.

Проходя по коридору мимо комнаты Фернанды, он увидел, что она проснулась и ходит из угла в угол. Заметив его, она подошла к двери и остановилась, глядя на него. Ее глаза умоляли взять ее с собой, и он осторожно стиснул рукой ее плечо, встретившись с ней взглядом. Он знал все, о чем она думает — по крайней мере ему так казалось, — и ему очень хотелось приободрить ее. Но ничего обещать он не мог. Они сделают все, что в их силах, для нее и для Сэма. Ему очень не хотелось оставлять ее, но он понимал, что так надо. Скоро рассвет.

— Желаю удачи, — сказала она, отводя от него глаза. Ей отчаянно хотелось поехать с ним вместе. Хотелось быть по возможности ближе к Сэму.

— Все будет в порядке, Фернанда. Я сообщу вам по радио, как только мы его освободим.

Она даже говорить не могла, а лишь кивнула и стала наблюдать, как он садится в машину и уезжает по дороге, направляясь к ее сыну.

Именно в этот момент четверо его бойцов медленно спускались по отвесной скале за домом на веревках. Они были одеты во все черное, словно ночные грабители. Лица их были закрашены черным, а оружие привязано к телу ремнями.

Тед остановил машину за четверть мили до поворота к дому и спрятал ее среди деревьев. Он молча прошел в темноте мимо наблюдателей, затаившихся в кустах, направляясь к наблюдательному пункту, который устроила для них команда «СУОТ». Тед окинул взглядом вооруженных и полностью экипированных мужчин. На наблюдательном пункте, кроме него, находились еще пять человек. Он надел бронежилет и наушники, чтобы слышать сообщения, поступающие в машину, обеспечивающую радиосвязь.

Прислушиваясь к их разговорам, он вглядывался в темноту. Неожиданно он услышал за спиной шорох, и на наблюдательный пункт проскользнул один из наблюдателей в бронезащитных доспехах и камуфляже. Он оглянулся, чтобы посмотреть, его ли это человек или один из сотрудников Рика, и с удивлением заметил, что это женщина. Он не сразу узнал ее. Это была Фернанда в обмундировании одного из наблюдателей. Она решила все-таки действовать самостоятельно и, убедив кого-то, что она из местной полиции, получила обмундирование. Она молниеносно надела все на себя. И явилась к нему на опасную передовую линию, то есть туда, где ей не следовало находиться. Он чуть было не устроил скандал и не отправил ее назад. Однако было уже поздно, операция началась, и он знал, как отчаянно хочется ей быть здесь, когда они вызволят Сэма — если, конечно, вызволят. Он сердито взглянул на нее и неодобрительно покачал головой, но потом, не сказав ни слова, сменил гнев на милость, не в силах упрекать ее за этот поступок. Она присела на корточки рядом с ним, и они молча, держась за руки, стали ждать того момента, когда его люди вернут Сэма его мамочке.

Глава 20

В то утро Питер проспал с Сэмом до пяти часов, потом, словно подчиняясь какому-то глубоко скрытому первобытному инстинкту, открыл глаза и осторожно пошевелился. Сэм, положив голову ему на плечо, все еще спал рядом с ним. Та же необъяснимая интуиция подсказала, чтобы он развязал Сэму руки и ноги. Его так и держали связанным, чтобы не смог убежать. Сэм привык к этому, а за последнюю неделю даже смирился со своим положением. Он понял, что может доверять Питеру больше, чем остальным. И когда Питер развязывал узлы, Сэм повернулся к нему и прошептал одно слово: «мама».

Питер улыбнулся ему, встал с кровати и остановился у окна. На улице все еще было темно, но небо стало уже не чернильно-черным, а темно-серым. Он знал, что скоро из-за холма начнет подниматься солнце. Еще один день. Бесконечные часы ожидания. Он знал, что они намерены позвонить Фернанде и убить мальчика, если она не приготовила для них денег. Они убьют мальчика не задумываясь, если догадаются, что он сделал. Но ему уже было все равно. Он обменял свою жизнь на жизнь Сэма. Если бы он смог убежать вместе с ним, это было бы большой удачей, но он не рассчитывал, что такое случится. Убегая с мальчиком, ему пришлось бы существенно сбавить скорость, а это подвергло бы Сэма еще большему риску.

Все еще стоя у окна, он вдруг услышал какой-то легкий шорох, как будто на дереве пошевелилась, просыпаясь, какая-то птичка, потом сверху скатился камешек и с глухим звуком упал в грязь. Питер взглянул вверх и заметил какое-то движение. Он отвел глаза, потом взглянул снова: три черные фигуры скользили вниз на черных веревках с отвесной скалы, к которой почти примыкала задняя стена дома. Ничто не оповестило об их прибытии, однако он знал, что они пришли, и сердце его бешено колотилось. Он бесшумно открыл окно и, вглядываясь в темноту, стал наблюдать, как они снижаются, пока они не скрылись из виду. Закрыв рукой рот Сэма, чтобы тот не вскрикнул от неожиданности, он стал осторожно трясти его за плечо, пока мальчик не открыл глаза. Как только Сэм взглянул на него, Питер приложил к губам палец и жестом указал на окно.

Мальчик не понимал, что происходит, но знал, что Питер хочет помочь ему. Он замер, лежа на постели, и почувствовал, что Питер развязал его и что впервые за много дней он может свободно двигать руками и ногами. Какое-то время ни тот ни другой не шевелились, потом Питер снова подошел к окну. Сначала он ничего не увидел, потом заметил, что люди притаились на корточках в темноте в десяти футах от дома. Рука в черной перчатке сделала манящий жест, и Питер, бросившись к Сэму, взял его на руки. Он боялся открыть окно пошире, поэтому протиснул его сквозь узкую щель.

Он знал, что мальчику придется упасть на землю: было невысоко, но руки и ноги у ребенка онемели. Все еще держа его в руках, он взглянул на ребенка в последний раз. Их взгляды встретились и на мгновение задержались друг на друге, потом он опустил его на окно и указал направление, а Сэм, приземлившись, пополз на четвереньках в кусты. Потом он исчез из поля зрения Питера, а черная рука, поднявшись, снова сделала манящий жест. Он помедлил мгновение, глядя на нее, и тут услышал в доме какой-то звук. Он покачал головой, закрыл окно и снова лег на кровать Он не хотел рисковать жизнью Сэма

Сэм полз на четвереньках по грязи в кусты Он просто двигался в направлении, которое указал ему Питер, потом откуда-то появились две руки, которые схватили его и втащили в кусты с такой скоростью, что у него перехватило дыхание. Он взглянул на своих новых похитителей и шепотом спросил державшего его человека с измазанным черным лицом и в черной нейлоновой шапочке.

— Вы хорошие парни или плохие?

Человек, крепко прижимавший его к груди, чуть не прослезился. Пока все шло точно в соответствии с планом, но впереди их ждало еще много трудностей.

— Мы хорошие парни, — прошептал он в ответ

Сэм кивнул, удивляясь, что с ними нет его мамы

Мужчины, окружавшие его, что-то посигналили друг другу, потом положили Сэма ничком на землю. Небо начало окрашиваться в розовые и золотистые тона. Солнце еще не взошло, но до восхода оставалось недолго.

Они уже исключили возможность поднять Сэма на веревках по отвесной скале, потому что, если его отсутствие обнаружат, это подставит его под выстрелы. Теперь он представлял собой угрозу для всех похитителей, кроме Питера, потому что был достаточно большим мальчиком, чтобы опознать их и рассказать полиции обо всем, что слышал и видел.

Бойцам команды «СУОТ» оставалось лишь надеяться вынести его отсюда на руках по подъездной дорожке, хотя в таком случае они все могли попасть под обстрел. Было решено пробираться по густому кустарнику, росшему вдоль дорожки, хотя в некоторых местах заросли были почти непроходимыми. Один из бойцов крепко держал Сэма в сильных руках и побежал с ним, пригнувшись, потом они поползли по земле. И все это время не произносили ни слова. Словно исполняя четкие фигуры какого-то танца, они с максимальной скоростью продвигались вперед. Тем временем из-за холма выглянуло солнце и начало медленно выкатываться на небо.

Звук, который привлек внимание Питера, издавали шаги одного из похитителей, который отправился в ванную комнату. Он слышал, как тот спустил воду в туалете и выругался, запнувшись за что-то, когда возвращался в постель. Несколько минут спустя послышались шаги другого. Питер тихо лежал на опустевшей кровати, потом и сам решил подняться. Он не хотел, чтобы кто-нибудь из них вошел в комнату и обнаружил, что Сэм исчез.

Он босиком прошел в гостиную, осторожно взглянул в окно и, не увидев ничего, сел.

— Ты что-то рано встал, — раздался голос у него за спиной. Питер вздрогнул от неожиданности и оглянулся. Это был Карл Уотерс. После их вчерашней попойки глаза у него слезились. — Как там мальчишка?

— Нормально, — сказал Питер, не выказывая особого интереса.

Этими людьми он был сыт по горло. Уотерс, на котором были только джинсы, поскольку он спал в них, открыл холодильник в поисках какой-нибудь еды и извлек оттуда банку пива.

— Как только встанут все остальные, я намерен позвонить его матери, — заявил он, усаживаясь на кушетку. — И пусть лучше у нее будут наготове наши деньги, иначе терпение наше лопнет, — добавил он, как будто это само собой разумелось. — Я не собираюсь сидеть здесь вечно, словно подсадная утка, и ждать, когда нагрянут эти чертовы копы.

— А что, если у нее нет денег? — сказал Питер. — Если это так, то мы зря потеряли много времени.

Питеру было известно истинное положение вещей, но Уотерс этого не знал.

— Твой босс не затеял бы всю эту историю, если бы у нее не было денег, — заявил Уотерс и, поднявшись, подошел к окну.

Небо к тому времени стало розовым и золотистым, и ему была отчетливо видна подъездная дорожка к дому до первого поворота. Вглядевшись внимательнее, он насторожился и выбежал на порог Он заметил, как что-то двигалось, а потом исчезло.

— Проклятие! — прошипел он и, вернувшись в дом за оружием, крикнул остальным, чтобы вставали.

— Что стряслось? — с озабоченным видом спросил Питер, поднимаясь со стула.

— Пока не уверен.

К этому времени появились заспанные Старк и Фри и сразу же схватились за автоматы. У Питера упало сердце. У него не было никакой возможности предупредить людей, которые ползли сейчас на животах с Сэмом вдоль подъездной дорожки. Питер знал, что они еще не успели уйти далеко и находились в опасной зоне.

Уотерс жестами приказал Старку и Фри выйти из дома, и тут они заметили их, словно увидели привидения. Из-за спины Уотерса и остальных Питеру удалось разглядеть человека в черном, который двигался то ползком, то короткими перебежками, неся что-то в руках. Он нес Сэма. Уотерс без предупреждения выстрелил в них, а Старк дал очередь из автомата.

Со своего наблюдательного пункта Фернанда и Тед слышали звуки выстрелов. Радиосвязи с бойцами у них не было. Фернанда зажмурилась и схватила Теда за руку. Они не имели никакой возможности узнать, что происходит. Они могли только ждать. Снаружи находились наблюдатели, но и они пока ничего не видели. Однако, судя по автоматной очереди, бойцам удалось захватить Сэма. Тед не знал, с ними ли находится Питер. Если он был с ними, это увеличивало бы угрозу для жизни мальчика.

— О Боже... о Боже, — бормотала Фернанда, когда снова раздались выстрелы. — Прошу тебя, Господи...

Тед не мог смотреть на нее. Он лишь вглядывался в предрассветные сумерки и крепко держал ее за руку.

Рик Холмквист сделал шаг из укрытия, и Тед спросил:

— Они еще не показались?

Рик покачал головой Снова прозвучали выстрелы. Они оба знали, что в кустах вдоль подъездной дорожки находится еще десяток бойцов, кроме тех троих, которые спустились со скалы. И еще целая армия людей ожидала своей очереди принять участие в активных боевых действиях, как только будет освобожден Сэм.

Когда огонь прекратился, Уотерс повернулся к Питеру.

— Где мальчишка? — спросил он. Что-то вызвало его подозрение, но Питер не знал, что именно.

— В дальней комнате. Лежит связанный.

— Неужели?

Питер кивнул.

— Почему же тогда я видел, как какой-то парень перебегал дорожку с ним на руках? Отвечай! — рявкнул Уотерс.

Он прижал Питера спиной к стене дома, приставив ему к горлу дуло дробовика. Старк и Фри, вытаращив глаза, наблюдали за происходящим. Уотерс обернулся к Джиму Фри и приказал ему сбегать в дальнюю комнату и проверить. Тот примчался назад несколько секунд спустя и заорал в страхе:

— Его там нет!

— Я так и знал... сукин сын! — Уотерс, глядя Питеру в глаза, медленно сжимал ему горло, а Малькольм Старк направил на него свой автомат. — Ты позвонил им, не так ли?.. Ты, педераст проклятый... так что же случилось? Ты испугался? Тебе стало жалко парнишку? Лучше бы меня пожалел. Ты лажанул нас на пятнадцать миллионов долларов, а себя — на десять! — Уотерс обезумел от ярости и страха. Одно он знал четко: что бы ни случилось, в тюрьму он не вернется. Пусть лучше его убьют.

— Если бы у нее были деньги, она бы уже к этому времени заплатила выкуп. Возможно, Эдисон ошибся, — хрипло сказал Питер.

Все впервые услышали от него это имя.

— Что, черт возьми, тебе известно? — спросил Уотерс.

Он повернулся, и, окинув взглядом подъездную дорожку, на несколько шагов отошел от дома. Старк побежал за ним следом, но они ничего не увидели. К этому времени бойцы, с которыми был Сэм, преодолели уже половину расстояния по подъездной дорожке. Рик, заметив их, повернулся и жестом указал на них Теду. Почти в тот же момент он увидел, как из дома появились Карлтон Уотерс и Малькольм Старк и начали стрелять в его людей. Сэма передавали из рук в руки, словно эстафетную палочку, а Старк и Уотерс продолжали стрелять по всему, что попадалось на глаза.

Фернанда к этому времени открыла глаза и вместе с Тедом пристально вглядывалась в то, что происходит на дорожке. Она заметила, как один из людей Рика, тщательно прицелившись в Уотерса, выстрелил и как тот рухнул на землю, словно поваленное дерево. Он остался лежать ничком, а Старк под градом пуль бросился в дом.

— Они убили Карла! — завопил он и повернулся к Питеру, все еще держа в руке автомат. — Сукин сын! Это ты его убил! — крикнул Старк и дал автоматную очередь по Питеру. Питер едва успел взглянуть на него как пули насквозь прошили его тело и он упал к ногам Джима Фри.

— Что будем делать? — спросил Джим Фри у Старка.

— Смываться отсюда ко всем чертям, если сможем.

Они уже знали, что кусты по обеим сторонам дорожки представляют собой непроходимые заросли, а позади дома — неприступная скала.

Для подъема на нее у них не было специального снаряжения, так что оставалась единственная возможность: бежать через передний вход вдоль подъездной дорожки, на которой к тому времени валялись тела не только Карла, но и людей, которых он и Старк успели застрелить. Между фасадом дома и началом дорожки лежали три трупа, которые видел Сэм, находясь на руках бойца, бежавшего вдоль дорожки, словно игрок в бейсбол, устремившийся в зону защиты. Только он бежал еще быстрее и неожиданно оказался в двух шагах от Теда и Фернанды. Первые лучи солнца упали на дорожку, и они увидели

Сэма. Фернанда всхлипнула, увидев его, протянула навстречу руки, и он оказался в ее объятиях, а все вокруг прослезились, глядя на эту картину. Глаза у него были широко раскрыты, он был до смерти напуган и испачкан в грязи.

— Мамочка! Мамочка! — кричал он, а она не могла произнести ни звука

Она лишь прижала его к груди, и оба они упали на землю. Они долго лежали в объятиях друг друга, потом Тед осторожно поднял их обоих и, объясняясь жестами, попросил кого-то из людей увести их. У него и Рика, как и у других офицеров, наблюдавших эту встречу, по щекам текли слезы. Тут подошел, чтобы помочь им, один из санитаров. Он нес Сэма в поджидавшую машину «скорой помощи», а Фернанда бежала рядом с ним, держа Сэма за руку. Его увезли в местную больницу, чтобы проверить, все ли с ним в порядке

— Ну, кто у нас там остался в доме? — спросил Тед у Рика, утирая слезы тыльной стороной ладони.

— Трое, если не ошибаюсь. Уотерс убит. Остаются Морган и еще двое. Хотя не думаю, что Морган до сих пор жив... значит, остаются двое... — сказал Рик.

Моргана неизбежно должны были убить, обнаружив, что Сэм исчез, тем более после того, как сразили Уотерса. Они видели, как Старк снова бросился в дом, но знали также, что ему некуда скрыться. У них был приказ вести огонь на поражение, не щадя никого, кроме Моргана, если тот еще будет жив.

Подошли стрелки и снайперы, а также человек из команды «СУОТ» с мегафоном. Он приказал похитителям выходить с поднятыми руками. Никакого ответа не последовало, и никто не появился на подъездной дорожке. После этого не прошло и двух минут, как к дому направилось около сорока человек, вооруженных бомбами со слезоточивым газом, карабинами, автоматами и особыми приспособлениями, которые при взрыве ослепляли противника ярким светом, оглушали грохотом, дезориентируя в пространстве, и разбрасывали мелкие камешки, которые, падая повсюду, жалили, словно пчелы.

Уезжая с Сэмом в санитарной машине, Фернанда слышала в доме оглушительный грохот. Она увидела Теда, который стоял вместе с Риком на дороге, одетый в бронежилет, и разговаривал с кем-то по радиосвязи. Он не видел, как она уезжала.

От одного из сотрудников ФБР в мотеле Фернанда слышала, что осада дома длилась менее получаса. Старк, раненный в руку, вышел первым, задыхаясь от слезоточивого газа. Следом за ним вышел Джим Фри. Как ей потом рассказывали, он дрожал с головы до ног и повизгивал, словно поросенок. Они были сразу же отправлены в камеру предварительного заключения, а потом за нарушение условий освобождения возвращены в тюрьму, где им предстояло находиться в ожидании суда. Потом их будут судить за похищение Сэма, а также за убийство двух офицеров полиции и сотрудника ФБР, которого они застрелили во время осады, а также еще четверых людей, убитых ими во время похищения Сэма.

Тело Питера Моргана было найдено, как только они вошли в дом. Рик и Тед видели, как его уносили. Они осмотрели комнату, в которой содержался в плену Сэм, и окно, сквозь которое высадил его Питер, помогая мальчику бежать. Все, что им было нужно, находилось на месте: фургончик, оружие, боеприпасы. Дом был арендован на имя Питера. И Тед знал по именам всех трех преступников. О смерти Карлтона Уотерса никто не горевал. Он пробыл на воле всего чуть более двух месяцев. Как и Питер. Две напрасно прожитые жизни.

Тед и Рик потеряли в тот день троих хороших людей, как и команда «СУОТ», не считая четверых убитых в Сан-Франциско, когда похищали Сэма. Фри и Старк никогда больше не выйдут на свободу. Тед надеялся, что им вынесут смертный приговор. Суд, даже если он состоится, будет простой формальностью. Если бы они признали свою вину, это было бы проще для всех, но Тед знал, что они едва ли это сделают. Они будут тянуть время, подавать бесчисленные прошения о помиловании для того лишь, чтобы прожить лишний день в тюрьме.

Рик и Тед покинули место преступления вскоре после полудня. Приезжали и уезжали санитарные машины, увезли тела погибших бойцов и сотрудника ФБР, делались снимки, перевязывались раны — словом, это место выглядело как зона вооруженного конфликта.

Испуганные соседи, которых на рассвете разбудили автоматные очереди, толпились на улице, стараясь разглядеть, что происходит, и требуя разъяснений. Полиция старалась успокоить каждого и ликвидировать образовавшийся на улице затор в дорожном движении.

Тед, который выглядел очень усталым, вернулся в мотель и направился в комнату Фернанды и Сэма. Они только что вернулись из больницы, и, как ни странно, с мальчиком было все в порядке. Ему еще предстояло ответить на множество вопросов, но Тед сначала хотел убедиться, что мальчик в состоянии на них отвечать. Когда Тед увидел его, Сэм лежал в объятиях матери и улыбался ей. Рядом с ним стояла тарелка с огромным гамбургером, и он смотрел телевизор.

Буквально каждый коп и каждый сотрудник ФБР, которые находились в мотеле, приходили посмотреть на него и поговорить с ним или просто взъерошить ему волосенки и уйти. Они рисковали жизнями ради его спасения и ради него потеряли своих друзей. Но он того стоил. В тот день ради него погибли люди, но если бы они не погибли, умер бы Сэм. Погиб также человек, который помог им спасти его.

Фернанда не могла наглядеться на сына и радостно улыбнулась Теду, когда тот вошел в комнату. Он был грязный и усталый, небритые щеки и подбородок заросли щетиной. Рик, сказав, что он выглядит как бродяга, отправился перекусить. Ему еще предстояло сделать несколько звонков в Европу.

— Ну, молодой человек, — улыбнулся Сэму Тед, скользнув взглядом по Фернанде, — я рад снова видеть тебя. Ты показал себя настоящим героем. Я очень доволен своим помощником.

Он решил пока не задавать ему вопросов. Он хотел дать малышу немного времени отдышаться и прийти в себя, потому что ему еще предстояло не раз беседовать с полицейскими.

— Я знаю, что твоя мама счастлива видеть тебя. Я тоже, — тихо добавил он.

Сэм улыбнулся ему, но ни на дюйм не отодвинулся от мамочки.

— Он сказал, что сожалеет, — произнес Сэм, с серьезным выражением лица глядя на Теда.

Тед кивнул. Он понял, что мальчик имеет в виду Питера Моргана.

— Я знаю. Он мне сказал то же самое.

— Как вы отыскали меня? — поинтересовался Сэм, глядя на Теда, который опустился в кресло рядом с ним и ласково погладил его по голове.

Такое огромное облегчение Тед испытал только раз в жизни при виде своего сына, когда тот потерялся и все думали, что он утонул в озере, чего, к счастью, не случилось.

— Он позвонил нам.

— Он был добр ко мне. А остальные были страшными.

— Еще бы! Они были очень страшными людьми. Их больше никогда не выпустят из тюрьмы, Сэм. — Он не сказал мальчику, что они, возможно, даже получат смертный приговор за похищение. Тед подумал, что такая информация едва ли полезна ребенку. — Одного из них, Карлтона Уотерса, убили полицейские.

Сэм кивнул и взглянул на мать.

— Я думал, что никогда больше не увижу тебя, — тихо сказал он.

— А я думала, что увижу, — храбро сказала она, хотя были моменты, когда она этому не верила. Приехав в мотель, они позвонили Уиллу, который расплакался, разговаривая с Сэмом. Она позвонила также отцу Уоллису. Эшли так и не знала, что Сэма похитили. Она находилась всего в нескольких милях отсюда, и Фернанда собиралась оставить ее у друзей до тех пор, пока все успокоится. Она расскажет ей обо всем, когда Эшли приедет домой. Так будет лучше. И она все время вспоминала слова отца Уоллиса о том, что похищение Сэма — это испытание перенеся которое человек зарабатывает особое благорасположение Господа. Не хотела бы она больше зарабатывать Божье расположение таким образом.

- Не отвезти ли мне вас домой через некоторое время? — спросил Тед, окинув взглядом их обоих.

Сэм кивнул.

Тед опасался, что мальчику будет страшно вернуться в дом, откуда его похитили. Но он знал также, что жить в этом доме им осталось недолго.

— Они хотели получить много денег, а, мама? — спросил Сэм, глядя на нее снизу вверх. Она кивнула. — Я сказал ему, что у нас нет денег, что папа потерял их. Но он не сообщил об этом остальным. Или, может быть, сказал, но они ему не поверили, — кратко изложил ситуацию Сэм.

— Откуда ты это знаешь? — строго спросила Фернанда. Оказывается, он знал больше, чем она предполагала. — Я имею в виду деньги, — добавила она.

Сэм немного смутился и робко улыбнулся.

– Я слышал, как ты разговаривала по телефону, — признался он, и она с печальной улыбкой взглянула на Теда.

– Когда я была ребенком, отец не раз говорил, что у маленьких проказников длинные уши.

— Что это означает? — озадаченно спросил Сэм, а Тед рассмеялся. Он тоже знал эту поговорку.

— Это означает, что нельзя подслушивать мамины разговоры, — назидательным тоном, но без упрека сказала Фернанда. Она бы и слова теперь не сказала, что бы он ни делал. Она была готова разрешить ему все, что угодно, и лишь радовалась, что он снова с ней.

После этого Тед задал ему еще несколько вопросов, потом зашел Рик и тоже задал несколько интересующих его вопросов. Ответы Сэма их не удивили. Они поразительно точно вписывались в сложившуюся у них картину случившегося.

К шести часам все полицейские покинули мотель. Фернанда и Сэм уселись в машину Теда. Рика предложили подвезти его сотрудники. Уходя, он подмигнул Теду, и тот шутливо погрозил ему кулаком.

— Только не надо этих твоих подмигиваний, — шепнул он Рику.

И Рик улыбнулся ему, радуясь тому, что все получилось как надо. Могло быть хуже. Трудно предугадать, как сложится ситуация, пока все не закончится. В тот день они потеряли отважных людей, которые отдали свои жизни ради спасения Сэма.

— Трудная работа, но кому-то нужно ее делать, — шепотом поддразнил его Рик, имея в виду Фернанду.

Она была действительно хорошей женщиной и нравилась ему. Но Тед не имел намерения совершать глупости. И теперь, когда самый острый момент миновал, он был попрежнему предан Шерли. А у Фернанды была своя жизнь и множество проблем, которые предстояло решить.

Домой они доехали без каких-либо приключений. Сэм, несмотря на весь ужас, через который ему пришлось пройти, находился в удивительно хорошем состоянии, только немного потерял в весе. По дороге домой ему захотелось спать. Тед остановился в «Икеде» и купил ему чизбургер, французской жареной картошки, молочный коктейль и четыре пачки печенья. К тому времени как машина остановилась перед домом, Сэм крепко спал. Фернанда, сидевшая на переднем сиденье рядом с Тедом, так устала, что ей не хотелось выходить.

— Не будите его, я отнесу его в дом, — сказал Тед, выключая зажигание.

Эта поездка в корне отличалась от предыдущей на Тахо, когда они оба были в напряжении и боялись, что могут потерять Сэма. Последние недели вообще были наполнены ужасом.

— Как мне благодарить вас? — сказала, глядя на него, Фернанда.

За последние недели они стали друзьями, и она никогда этого не забудет.

— Не надо меня благодарить. Я делал свою работу, за которую мне платят, — сказал он, хотя они оба знали, что он сделал гораздо больше, чем требовала работа полицейского.

Он пережил вместе с ней каждое мгновение этого кошмара и был готов в любой момент пожертвовать своей жизнью ради спасения Сэма. Такой уж он человек и был таким всю свою жизнь. Фернанда наклонилась к нему и поцеловала в щеку. Оба на мгновение застыли в молчании, потом он сказал:

— Мне придется еще несколько раз встретиться с Сэмом, чтобы задать ему кое-какие вопросы для расследования. Я позвоню вам, прежде чем прийти, — сказал Тед. Он знал, что Рик тоже захочет задать мальчику несколько вопросов.

Фернанда кивнула.

— Приходите в любое время, когда пожелаете, — тихо сказала она.

Он вышел из машины, открыл заднюю дверцу и взял на руки спящего ребенка. Она последовала за ним к входной двери. Дверь открыли двое полицейских с пистолетами в наплечных кобурах. Позади них с испуганным лицом стоял Уилл.

— О Господи, он ранен? — спросил он, переводя взгляд с Теда на мать. — Ты мне об этом не сказала.

— Все в порядке, родной, — сказала Фернанда, нежно обнимая сына. Несмотря на свои шестнадцать лет, он тоже еще был ребенком. — Он спит.

Потом они оба расплакались. Потребуется еще много времени, чтобы они перестали жить в постоянной тревоге. Несчастье слишком быстро стало для них образом жизни. Вокруг них так давно не было ничего нормального, что они успели забыть, как это бывает.

Тед отнес Сэма в его комнату и осторожно положил на кровать, а Фернанда сняла с него кроссовки. Он глубоко вздохнул, перевернулся на бок, но не проснулся. Тед и Фернанда долго смотрели на него. Так приятно было видеть его дома, в своей кровати, со своей подушкой под головой.

— Я позвоню вам утром, — сказал Тед, когда они спустились вниз и он остановился у двери. Двое полицейских, которых Фернанда поблагодарила, только что ушли.

— Мы никуда не будем выходить, — пообещала она.

Ей все еще казалось, что покидать дом небезопасно. Было очень странно снова жить как все люди, не думая, что кто-то за стенами дома замышляет против них что-то плохое. Оставалось надеяться, что ничего подобного никогда больше не случится. Она позвонила в Тахо также и Джеку Уотерману. Они решили, что следует довести до сведения общественности информацию о том, что состояния Аллана больше не существует. Если этого не сделать, она и дети навсегда останутся приманкой для похитителей. Этот урок она хорошо усвоила.

— Отдохните немного, — посоветовал ей Тед, и она кивнула.

Она понимала, что это глупо, но ей не хотелось, чтобы он уходил. Она привыкла разговаривать с ним поздно ночью, знать, что он в любую минуту находится рядом, даже спать рядом с ним на полу, когда она не могла больше нигде заснуть. Рядом с ним она всегда чувствовала себя защищенной.

— Я позвоню вам, — снова пообещал он, и она закрыла за ним дверь, подумав, что никогда не сможет отблагодарить его.

Она стала подниматься по лестнице, и дом показался ей пустым. Не было посторонних звуков, не было вооруженных людей, не было сотовых телефонов, звонящих в каждом углу, не было специалиста по переговорам, прослушивающего ее телефонную линию. Слава Богу. Уилл ждал ее в ее комнате. Казалось, он неожиданно повзрослел.

— С тобой все в порядке, мама?

— Да, — осторожно сказала она, — со мной все в порядке. — Она чувствовала себя так, будто ее сбросили с крыши здания и она ощупывает душу на предмет синяков, ссадин и прочих травм. Их было много, но теперь они заживут. Сэм вернулся.

— А как ты?

— Не знаю. Мне было страшно. Я пока не могу не думать об этом.

Она кивнула. Он прав. Все они еще долго-долго будут вспоминать об этом.

Фернанда ушла, чтобы принять душ, а Уилл лег спать. Тед же тем временем ехал к себе домой в Сансет. Когда он приехал, дома никого не было. Теперь там никогда никого не было. Шерли была либо на работе, либо со своими друзьями, большинство которых он не знал. Тишина была оглушительной, и он впервые за много лет почувствовал себя безумно одиноким. Ему не хватало Эшли и Уилла, а также Фернанды, которая пришла бы с ним поговорить; не хватало чувства легкости, которое он испытывал в окружении своих людей, дежуривших в доме. Но не по своим людям он тосковал. Он тосковал по Фернанде.

Тед уселся в кресло и сидел, уставясь в пространство и думая, не пора ли позвонить ей. Ему очень хотелось позвонить. Он слышал все, что сказал Рик. Но Рик — это одно, а он — совсем другое. Он просто не мог этого сделать.

Глава 21

На следующий день в разговоре с Риком Тед спросил его, что он предпринял в отношении Эдисона. Штат тоже имел намерение предъявить ему обвинения: был выписан ордер на его арест за преступный сговор с целью совершения похищения, как только он возвратится в город. Судья заверил Рика, что Эдисон едва ли рискнет сбежать. Тед надеялся, что он знает, что говорит.

— Сейчас, когда мы разговариваем, он уже летит домой, — усмехаясь, сказал Рик Теду по телефону.

— Что-то слишком быстро. Мне казалось, что он уехал на целый месяц.

— Таковы были его намерения. Вчера я позвонил в Интерпол и в отделение ФБР в Париже. Они направили к нему своих парней, которые взяли его по подозрению в организации преступного сговора с целью совершения похищения. А сегодня мне позвонил один из моих самых надежных информаторов. Как выяснилось, наш приятель вел еще и так называемые научные исследования и довольно давно занимался весьма прибыльным бизнесом, производя в своих лабораториях кристаллический наркотик. Нам еще предстоит узнать много забавного, Тед.

— Наверное, у него чуть припадок не случился, когда за ним пришли, — рассмеялся Тед, представив себе эту картину, хотя в том, что сделал этот человек, не было ничего смешного. Но насколько знал Тед, этот человек из кожи вон лез, чтобы прослыть «столпом общества», так что давно пора было сбить с него спесь.

— Говорят, у его супруги чуть не случился сердечный приступ. Она отхлестала по щекам и его, и пришедшего за ним сотрудника.

— Должно быть, было весело, — усмехнулся Тед. Он все еще ощущал усталость.

— Сомневаюсь. Кстати, ты был прав относительно взрыва машины. Джим Фри сказал нам, что это сделал Уотерс. Они об этом не знали, но однажды в Тахо он сам рассказал об этом, когда был пьян. Я подумал, что ты будешь рад это услышать.

— По крайней мере теперь мой шеф будет знать, что я не спятил.

Тед рассказал ему, что им удалось найти бóльшую часть денег, которые Эдисон заплатил Старку, Фри и Уотерсу в виде аванса, в чемоданах, спрятанных в камере хранения на автобусной станции в Модесто. Фри сказал им, где они находятся. Это будет неопровержимым доказательством против Эдисона.

И тут Рик круто изменил тему разговора, как он это часто делал, и спросил без обиняков:

— Итак, ты сказал ей что-нибудь, когда отвез ее домой? — Они оба знали, что он имеет в виду Фернанду.

— О чем? — притворился тупым Тед.

— Не изображай идиота, со мной этот номер не пройдет. Ты понимаешь, о чем я говорю.

Тед вздохнул:

— Нет, не сказал. Я собирался позвонить ей вчера вечером, но в этом нет смысла, Рик. Я не могу так поступить с Шерли.

— Она бы смогла. А ты причиняешь боль себе. И Фернанде. Ты ей нужен, Тед.

— Может быть, она мне тоже нужна. Но у меня уже есть жена.

— Твоя жена тебе не нужна, — грубовато сказал Рик, что было справедливо, и Тед это понимал.

Шерли была хорошей женщиной, просто она не подходила ему, и так продолжалось долгие годы. Она тоже это знала. Она была так же разочарована в Теде.

— Надеюсь, что теперь ты нашел то, что надо. Поторопись, пока не поздно, — с жаром заявил Рик. — Кстати, я хочу кое о чем поговорить с тобой. Давай пообедаем на следующей неделе.

— О чем это? — с интересом спросил Тед, предполагая, что речь пойдет о предстоящей свадьбе Рика, хотя отнюдь не считал себя авторитетом в этом вопросе. Скорее наоборот. Но они были близкими друзьями и всегда ими останутся.

— Хочешь — верь, хочешь — не верь, мне нужен твой совет.

— Буду рад дать его. Кстати, когда ты собираешься навестить Сэма?

— Я предпочел бы, чтобы сначала это сделал ты. Ты лучше его знаешь. Я не хочу напугать его, а ты мог бы узнать у него все, что мне потребуется.

— Я дам тебе знать.

Они договорились снова созвониться через несколько дней.

На следующий день Тед отправился навестить Сэма. У Фернанды был Джек Уотерман. Судя по всему, они обсуждали дела. Вскоре после прибытия Теда Джек уехал. Почти все время Тед провел с Сэмом. Фернанда казалась рассеянной и чем-то озабоченной, и Тед не мог не подумать, что между ней и Джеком, возможно, что-то есть. Ему показалось, что это весьма разумный и подходящий вариант. Он чувствовал, что Джеку тоже так кажется.

На следующий день в газетах появилась зловещая статья о катастрофическом конце карьеры Аллана Барнса. Единственное, о чем в статье умолчали, было предполагаемое самоубийство Аллана. Но Тед, читая статью, чувствовал, что Фернанда приложила руку к ее написанию. И он подумал, что, наверное, именно это они обсуждали с Джеком и именно поэтому она выглядела несколько расстроенной. Он ее не винил, но было бы легче выговориться. Пока им удавалось не допускать попадания на страницы газет какой-либо информации о похищении. Тед полагал, что во время судебного процесса эти сведения в конце концов просочатся в прессу. Но пока дата слушания не была назначена, и, наверное, это произойдет не очень скоро.

Старк и Фри после их ареста были снова возвращены в тюрьму, а их условное освобождение было аннулировано.

Сэм с удовольствием помогал Теду. Удивительно, сколько всего он заметил, несмотря на самые неблагоприятные обстоятельства, и сколько всего услышал. И хоть мальчик довольно мал, он будет отличным свидетелем.

После этого события в жизни Фернанды и ее детей начали развиваться в ускоренном темпе. Фернанде исполнилось сорок лет, и дети пригласили ее отпраздновать день рождения в Международном доме блинов. Еще год назад она не предполагала отметить эту дату таким образом, но в этом году ничего лучшего ей не было нужно: она была со своими детьми.

Вскоре после этого она сказала им, что семья должна продать дом. Эшли и Уилл были в шоке, а Сэм — нет. Он признался ей, что уже знал об этом, потому что подслушивал ее разговоры. После того как она сообщила им об этом, их жизнь приобрела некоторую неустойчивость переходного периода.

Эш сказала, что, как только стало известно, что ее отец потерял все деньги, ее положение в школе стало унизительным и что некоторые девочки больше не хотят с ней дружить, что, по мнению Уилла, было омерзительным. Он в этом году учился в выпускном классе.

Никто из детей никому не рассказывал о том, что этим летом они стали жертвами попытки похищения. История была слишком ужасной и не подходила в качестве темы школьного сочинения «Чем я занимался во время летних каникул». Об этом они говорили только между собой. Полиция просила их помалкивать, чтобы информация не попала в руки газетчиков.

Одна из потенциальных покупательниц дома охнула, увидев ее кухню:

— Боже мой, почему вы не закончили ее отделку? В таком доме обязательно должна быть великолепная кухня! — воскликнула она, свысока взглянув на агента по продаже недвижимости и Фернанду. Фернанда с трудом подавила непреодолимое желание дать ей пощечину.

— Она и была великолепной, — просто сказала она. — Летом у нас здесь произошел несчастный случай.

— Что за несчастный случай? — занервничала дама, и Фернанда на мгновение испытала соблазн рассказать ей, что в ее кухне были зверски расстреляны два сотрудника ФБР и двое полицейских, но она не поддалась этому чувству и ничего не рассказала.

— Ничего серьезного. Но я решила снять мраморную облицовку, — сказала она, подумав при этом: «Потому что на ней были несмываемые пятна крови».

Для всех них похищение все еще имело оттенок нереальности. Сэм рассказал об этом в школе своему лучшему другу, и тот ему не поверил. После этого учительница строго побеседовала с ним о том, что лгать и выдумывать всякие небылицы нехорошо, и Сэм вернулся домой в слезах.

— Она мне не поверила! — жаловался он матери.

Да и кто поверит? Фернанда и сама иногда не верила тому, что произошло. Все это было настолько ужасно, что она все еще не могла полностью осознать происшедшее и, когда думала об этом, ей становилось так страшно, что она усилием воли переключала мысли на что-нибудь другое.

Она сходила с детьми к доктору, специализирующемуся в области психологических травм, полученных вследствие стресса, и эта женщина была поражена, как быстро дети справились с последствиями, хотя Сэму, как и Фернанде, время от времени снились кошмары.

В течение почти всего сентября Тед продолжал заходить к Сэму, собирая и сопоставляя свидетельские показания, и к октябрю закончил эту работу. После этого он им не звонил, а Фернанда часто думала о нем и собиралась позвонить сама. Она показывала потенциальным покупателям дом, пыталась найти подходящий домик меньших размеров и искала работу. Деньги у нее почти закончились, но она старалась не поддаваться панике. Однако по ночам нередко плакала, и Уилл это видел.

Чтобы попытаться помочь ей, он предложил пойти работать после школы. Ее тревожило его поступление в колледж. К счастью, Уилл хорошо учился и был принят в один из колледжей системы Калифорнийского университета, хотя она знала, что ей еще предстоит решить проблему оплаты студенческого общежития. Иногда было трудно поверить, что Аллан когда-то имел, хотя и не очень долго, сотни миллионов долларов. В данный момент у нее не было ни гроша, и это ее пугало.

Однажды Джек пригласил ее на ленч и попытался поговорить об этом. Он сказал, что не хотел слишком торопиться с этим разговором и делать ей предложение сразу же после гибели Аллана, тем более что вскоре произошло похищение и все, понятно, были расстроены. Но он сказал, что обдумывал это несколько месяцев и принял решение. Тут он сделал паузу, как будто ожидал услышать барабанную дробь, которой не последовало.

— Какое решение? — машинально спросила Фернанда.

— Я полагаю, что мы должны пожениться, — сказал он. Фернанда, сидевшая напротив него, вытаращила глаза. На какое-то мгновение ей показалось, что он шутит. Но он не шутил.

— Ты принял такое решение? Даже не спросив меня, не поговорив со мной об этом? Не узнав, что я об этом думаю?

— Фернанда, ты осталась без гроша. Ты не в состоянии оплачивать обучение своих детей в частных школах. Уилл осенью начнет учиться в колледже. А у тебя самой нет специальности, которая пользовалась бы спросом на рынке рабочей силы, — бесстрастным тоном перечислил он.

— Ты собираешься нанять меня на работу или жениться на мне? — спросила она, вдруг рассердившись.

Он распоряжается ее жизнью, даже не посоветовавшись с ней. А самое главное, он никогда не упоминал о любви. То, что он сказал, звучало как предложение работы, а не предложение выйти замуж, и это больше всего обидело Фернанду. В том, как он сделал предложение, чувствовалась какая-то снисходительность.

— Не смеши меня. Конечно, я собираюсь жениться на тебе. К тому же дети меня знают, — сказал Джек, начиная раздражаться. Ему это казалось абсолютно разумным решением, а любовь не имела значения. Фернанда ему нравилась. Этого было достаточно.

— Все это так, но я не люблю тебя, — сказала она, решив, что его грубоватая прямолинейность заслуживает того же самого с ее стороны.

По правде говоря, его предложение не только не льстило ее самолюбию, оно оскорбляло ее чувства. Она показалась себе машиной, которую он покупает, а не женщиной, которую любит.

— Мы могли бы научиться любить друг друга, — упрямо сказал он.

Он всегда ей нравился, и она знала, что он человек ответственный и надежный, что он хороший человек, но не было между ними никакого волшебного чувства, от которого дух захватывает. А она была уверена, что если ей доведется снова выйти замуж, то она хотела бы испытывать к человеку эту магическую тягу или по крайней мере любить его.

— Я думаю, что это было бы разумным шагом для нас обоих. Я овдовел несколько лет назад, а тебя Аллан оставил с кучей нерешенных проблем. Я хочу позаботиться о тебе и детях, Фернанда, — сказал Джек. На какое-то мгновение он почти тронул ее сердце. Но не настолько, чтобы убедить ее.

Глубоко вздохнув, она взглянула на него. Он ждал ответа и не видел причин давать ей время на размышление. Он сделал ей хорошее предложение и ожидал, что она его примет.

— Извини, Джек, — сказала она как можно мягче, — я не могу этого сделать.

Она начала понимать, почему он так и не женился второй раз. Если он делал предложение таким образом или рассматривал брак, руководствуясь исключительно практическими соображениями, то ему гораздо лучше завести вместо жены собаку.

— Почему? — озадаченно спросил он.

— Возможно, я сумасшедшая, но если я когда-нибудь снова выйду замуж, то это будет брак по любви.

— Ты уже не девочка, и у тебя есть обязанности. Подумай об этом, — напомнил он.

Он хотел, чтобы она продала себя в рабство для того, чтобы иметь возможность отправить Уилла в Гарвард. Уж лучше она пошлет его учиться в городской колледж. Она не желала продавать свою душу человеку, которого не любит, даже ради своих детей.

— Я думаю, тебе следует изменить свое решение, — продолжил он.

— Ты очень хороший человек, и я тебя не заслуживаю, — сказала она, вставая.

Она поняла, что только что поставила крест на их многолетней дружбе и деловых отношениях.

— В этом ты, возможно, права. Но я все-таки хочу жениться на тебе.

— А я не хочу, — сказала она, глядя на него.

Как это она раньше не замечала, что он более бесчувственный и деспотичный, чем она считала его все эти годы, и что он гораздо больше считается со своими, чем с ее, чувствами. Потому он, наверное, и не женился. Приняв решение, он думал, что она должна делать так, как ей говорят, а она не желала поступать по чьей-то указке всю оставшуюся жизнь. Тем более по указке человека, которого она не любит. То, как он сделал предложение, показалось ей оскорбительным и говорило об отсутствии уважения.

— Кстати, — сказала она, оглянувшись на него через плечо, — ты уволен, Джек.

С этими словами она повернулась и ушла.

Глава 22

Дом наконец был продан в декабре. Причем как раз накануне Рождества, так что они встретили еще одно Рождество в своей гостиной с елкой под великолепной венской люстрой. Все это как бы символизировало конец тяжелого для них всех года. Она продолжала искать работу, хотя пока безуспешно. Она пыталась найти секретарскую работу на неполный рабочий день, что давало бы ей возможность привозить Эшли и Сэма из школы. А пока они находятся дома, ей хотелось быть рядом с ними.

Фернанда знала, что другие матери обходятся услугами приходящих нянюшек и группами продленного дня или приучают детей к самостоятельности, давая им ключ от входной двери, но она, пока есть возможность, не желала этого делать. Она по-прежнему хотела проводить с детьми как можно больше времени.

После продажи дома ей было нужно принять множество решений. Супружеская пара, которая приобрела дом, должна была переехать сюда из Нью-Йорка, и агент по недвижимости по секрету сообщил ей, что новый хозяин нажил огромное состояние. Фернанда кивнула и сказала, что это очень хорошо, добавив про себя «пока состояние не обратилось в пыль». За последний год ей пришлось произвести переоценку ценностей. После похищения Сэма она твердо усвоила, что самым важным для нее были ее дети. Остальное не так уж важно. И деньги, независимо от их количества, тоже не имели для нее значения, лишь бы их было достаточно, чтобы прокормить детей.

Она планировала продать на аукционе все, что можно, из убранства дома. Но как оказалось, покупатели были в восторге от всего, что она предлагала, и заплатили за это огромную сумму, превышающую стоимость самого дома. Новая хозяйка считала, что у нее потрясающий вкус. Так что этот вопрос решился самым наилучшим образом для всех заинтересованных сторон.

Она и дети покинули дом в январе. Эшли плакала. Сэм ходил с грустным видом. А Уилл, как всегда в последнее время, был первым помощником матери. Он таскал коробки, грузил багаж и был рядом с ней в тот день, когда она нашла новое жилье. После продажи дома и выплаты солидной суммы по закладной у нее хватило денег на покупку очень небольшого дома. Его она нашла в Марине. Он был именно таким, какой ей был нужен. Он был расположен на высоком холме в Сосалито, откуда открывался великолепный вид на залив, остров Эйнджел и Бельведер. Это был мирный, уютный, хорошенький домик без всяких претензий. Детям он понравился с первого взгляда.

Она решила отдать Эшли и Сэма в частую среднюю школу в Марине, а Уиллу, которому до окончания школы оставалось несколько месяцев, придется ездить в свою старую.

Через две недели после переезда на новое место Фернанда нашла работу в местной художественной галерее, которая была расположена в пяти минутах ходьбы от дома. Там согласились отпускать ее с работы ежедневно в три часа. Платили ей мало, но на получение этих денег она по крайней мере могла твердо рассчитывать. К тому времени у нее уже был новый адвокат — женщина.

Джек был все еще глубоко обижен ее отказом от его предложения. И теперь, когда она вспоминала об этом, это казалось ей одновременно и печальным, и смешным. Джек казался таким самодовольным, когда делал предложение. Раньше она никогда не замечала за ним ничего подобного.

Но вот похищение, происшедшее летом, совсем не казалось ей смешным, когда она вспоминала об этом. Ее до сих пор мучили кошмары. Это было одним из оснований для того, чтобы не сожалеть о переезде из старого дома. Она больше не могла там спокойно спать, потому что ей всегда казалось, что должно случиться что-то ужасное. В Сосалито она стала спать спокойнее.

Тед не давал о себе знать с сентября. То есть уже в течение четырех месяцев. Он позвонил ей только в марте. Суд над Малькольмом Старком и Джимом Фри был назначен на апрель. Его уже дважды откладывали, но Тед сказал, что больше этого не случится.

— Нам потребуется Сэм для дачи свидетельских показаний, — робко сказал он, поинтересовавшись сначала, как она живет.

Он о ней часто думал, но не звонил, несмотря на то что Рик Холмквист не раз понуждал его сделать это.

— Боюсь, как бы это не травмировало его, — тихо сказал Тед.

— Я тоже, — согласилась Фернанда.

Хотя Тед, казалось, был тесно связан с самым ужасным событием в ее жизни, он, как ни странно, не будил тяжелых воспоминаний. А Тед боялся, что именно такие воспоминания он будет у нее вызывать, и отчасти поэтому не звонил ей. Рик Холмквист сказал, что он ненормальный.

— Но ничего, он справится, — ответила Фернанда, имея в виду Сэма.

— Как он себя чувствует?

— Превосходно. Как будто ничего и не случилось. Он учится в новой школе. Эш тоже. Думаю, для них это даже хорошо. Нечто вроде возможности начать все заново.

— Вижу, вы уже сменили адрес.

— Да. И мне нравится новый дом, — призналась она с улыбкой, которую он уловил в ее голосе. — Я работаю в художественной галерее в пяти минутах ходьбы. Вы должны как-нибудь зайти навестить нас.

— Зайду, — пообещал он, но позвонил только за три дня до суда. Он уточнил ей, когда и куда привезти Сэма, но, как только она сказала об этом Сэму, тот расплакался.

— Я не хочу видеть их снова, — сказал он.

Ей тоже этого не хотелось. Но ему было гораздо тяжелее, чем ей. Она позвонила специалисту по психологическим травмам, и они с Сэмом отправились на прием. Говорили о том, что Сэм не сможет давать свидетельские показания, что было бы неумно заставлять его делать это. Но под конец Сэм вдруг заявил, что он даст показания, и врач решил, что это, возможно, позволит ему избавиться от тяжелых воспоминаний. Фернанда же опасалась, что у него снова начнутся кошмары. Для него это избавление уже должно бы наступить: двое похитителей убиты, в том числе тот, который помог ему убежать. А двое находятся в тюрьме. Чего же более? Для Фернанды это было достаточно веским основанием, чтобы избавиться от тяжелых воспоминаний. Для Сэма, наверное, тоже. Однако в назначенный день она появилась во Дворце правосудия, не скрывая тревоги. В тот день у Сэма после завтрака заболел живот. У нее тоже.

Тед поджидал их у входа в здание. Он выглядел точно так же, как тогда, когда она видела его последний раз. Спокойный, хорошо одетый, опрятный, умный, но озабоченный тем, как чувствует себя Сэм.

— Как жизнь, помощник? — с улыбкой спросил он Сэма, который явно чувствовал себя не в своей тарелке.

— Боюсь, что меня вырвет.

— Это не очень хорошо. Давай-ка поговорим об этом немного. Что происходит?

— Я боюсь, что они на меня нападут, — с присущей ему непосредственностью сказал Сэм.

Это было понятно. Такое уже случалось.

— Я не допущу, чтобы такое случилось, — сказал Тед. Расстегнув пиджак, он на секунду распахнул его, и Сэм увидел пистолет. — У меня есть это. А кроме того, их привели в суд в кандалах и наручниках. Они связаны.

— Меня они тоже связывали, — жалобно произнес Сэм и заплакал. Но по крайней мере он мог говорить об этом. Однако расстроенная Фернанда взглянула на Теда умоляющим взглядом, и у него вдруг возникла одна мысль. Он предложил им подождать его в кафе напротив Дворца правосудия и сказал, что скоро вернется.

Он отсутствовал в течение двадцати минут. Он успел поговорить с судьей, государственным защитником и прокурором, и все они согласились, что Сэм и его мать будут допрошены в кабинете судьи в присутствии присяжных заседателей, но в отсутствии подсудимых. Сэму никогда больше не придется встретиться с этими двумя негодяями. А опознать их он мог по фотографиям. Тед убедил всех, что для мальчика будет потрясением давать показания в зале суда и снова видеть своих похитителей. Когда он сказал об этом Сэму, мальчик радостно улыбнулся, и Фернанда вздохнула с облегчением.

— Я думаю, что судья тебе понравится. Это женщина, причем очень добрая, — сказал Тед Сэму.

Судья действительно была похожа на добрую бабушку и во время короткого перерыва угостила его молоком с печеньем и показала ему фотографии своих внуков. Она всем сердцем сочувствовала ему и его матери, которым пришлось пережить этот ужас.

Его допрос стороной обвинения занял все утро, а когда он закончился, Тед пригласил их на ленч. Защита предполагала допросить Сэма во второй половине дня и зарезервировала за собой право в любое время снова вызвать его. Пока Сэм держался молодцом, но Теда это не удивило.

Они отправились в маленький итальянский ресторанчик, расположенный неподалеку от Дворца правосудия. У них было довольно мало времени, но Тед чувствовал, что и Сэму, и его матери необходимо сменить обстановку. Они оба притихли над тарелкой спагетти. Утро было трудное. Оно принесло массу мучительных воспоминаний Сэму, а у Фернанды вызвало беспокойство по поводу того, как это может отразиться на сыне. Но с ним, кажется, было все в порядке, хотя он вел себя тише, чем обычно.

— Мне очень жаль, что вам обоим пришлось пройти через все это, — сказал Тед, расплачиваясь за обед. Она предложила заплатить половину, но он, улыбнувшись, отказался.

Сегодня на ней было красное платье и туфли на высоком каблуке. Он заметил также, что она подкрасилась. Интересно, встречается ли она с Джеком? Но он не хотел об этом спрашивать. Может быть, она встречается с кем-то другим. Он заметил, что она стала значительно спокойнее, чем была в июне и июле. Переезд и новая работа пошли ей на пользу. Тед и сам подумывал об изменениях в своей жизни. Он сказал им, что после тридцати лет работы в полицейском департаменте он оттуда уходит.

— Не может быть! Почему? — удивилась она.

Он был копом до мозга костей, и она знала, что он любит свою работу.

— Мой прежний напарник Рик Холмквист собирается основать частное охранное агентство. По правде говоря, я далек от всех этих частных расследований и охраны знаменитостей, но он настойчиво зовет меня с собой. И может быть, он прав. Возможно, после тридцати лет работы на одном месте пора что-то изменить, — сказал Тед.

Она знала также, что после тридцати лет работы он мог выйти в отставку с пенсией, по размеру составляющей его полный оклад. Это было немало. Но идея Холмквиста, судя по всему, обещала хорошие деньги — это даже ей было понятно.

В тот день защитник попытался камня на камне не оставить от свидетельских показаний Сэма, но ему это не удалось. Сэм был невозмутим, непоколебим, и память его отличалась непогрешимостью. Он неизменно придерживался одной версии. Он опознал обоих преступников по фотографиям, которые ему показал обвинитель. Фернанда не могла опознать людей, похитивших ее сына, потому что их лица были закрыты лыжными шапочками, но она трогательно рассказала о том, как происходило само похищение, а ее описание картины убийства четырех человек на кухне привело присутствующих в ужас. К концу дня судья поблагодарила их всех, и они распрощались.

— Ты был настоящей звездой! — сказал Тед, широко улыбаясь Сэму, когда они вместе выходили из Дворца правосудия. — Как твой желудок?

— Хорошо, — ответил очень довольный Сэм. Даже судья сказала ему, что он хорошо выполнил свою работу. Ему только что исполнилось семь лет, а Тед отметил, что даже взрослому трудно давать свидетельские показания.

— Не пойти ли нам съесть мороженого? — спросил Тед.

Он повез Фернанду и Сэма в своей машине, потом предложил прогуляться по площади Жирарделли, чтобы доставить удовольствие Сэму. И ей тоже. У всех было какое-то ощущение праздника. Сэм заказал великолепный «сандей»*, а для взрослых Тед взял коктейль с мороженым.

— Я чувствую себя как девчонка на вечеринке по случаю дня рождения, — хихикнула Фернанда.

Когда закончилось участие Сэма в судебном процессе, у нее словно гора с плеч свалилась. Тед сказал, что его едва ли снова вызовут для дачи показаний. Все, что он рассказал, разбило защиту в пух и прах. Тед не сомневался, что эти двое будут осуждены, и был уверен, что судья, несмотря на то что была похожа на добрую бабушку, приговорит их к смертной казни. Мысль эта отрезвляла. Тед сказал Фернанде, что дело Филиппа Эдисона будет слушаться отдельно в федеральном суде. Ему придется отвечать за преступный сговор с целью совершения похищения, не считая обвинений на федеральном уровне, таких, как уклонение от уплаты налогов, отмывание денег и контрабанда наркотиков. На это потребуется много времени, и Тед считал, что Сэму едва ли придется выступать в качестве свидетеля еще и по этому делу. Он собирался предложить Рику использовать для этого расшифровку стенограммы показаний Сэма, чтобы избавить мальчика от повторных мучений. Он не был уверен, что такое возможно, но был твердо намерен сделать все, что от него зависит, чтобы оградить Сэма от этого.

Тед знал, что хотя Рик уходит из ФБР, он передаст дело Эдисона в надежные руки и сам будет проходить свидетелем по этому делу Рик хотел, чтобы Эдисон был приговорен к пожизненному заключению, а еще лучше — к смертной каз-

* Пломбир с изюмом, орехами и фруктами

ни. Дело было серьезным, и он, как и Тед, хотел, чтобы восторжествовала справедливость.

Фернанда испытывала облегчение. Хорошо, что весь этот ужас остался позади. Когда перспектива участия в судебном процессе больше не омрачала жизнь, постепенно прошли и ночные кошмары.

Последнее напоминание о случившемся произошло примерно месяц спустя, когда был вынесен приговор. Прошел почти год с того дня, когда все это началось и когда Тед позвонил к ней в дверь, чтобы побеседовать относительно взрыва машины на их улице. Тед позвонил ей в тот же день, когда она прочла в газете статью относительно приговора. Малькольм Старк и Джеймс Фри были приговорены за свои преступления к смертной казни. Она понятия не имела, когда приговор будет приведен в исполнение — и будет ли приведен в исполнение вообще, учитывая что они начнут подавать бесконечные прошения о помиловании, — однако были все основания полагать, что преступники будут казнены. Судебный процесс над Филиппом Эдисоном даже еще не начался, но он содержался под стражей, а его адвокаты из кожи вон лезли, чтобы оттянуть начало судебного процесса. Но Фернанда знала, что рано или поздно он тоже будет осужден. А самым важным было то, что Сэм чувствовал себя хорошо.

— Вы уже читали о приговоре в газетах? — спросил Тед.

Даже по телефону чувствовалось, что он в хорошем настроении. Он сказал, что был занят. И на прошлой неделе в суматохе прощальных вечеринок он распрощался с Полицейским департаментом.

— Читала, — подтвердила Фернанда. — Раньше я была противницей смертной казни, — призналась она.

Ей всегда казалось, что это неправильно. Она была достаточно религиозна, чтобы считать, что ни один человек не имеет права лишать жизни другого. Но были убиты девять человек и похищен ребенок. А поскольку этим ребенком был ее сын, она впервые в жизни сочла смертный приговор правильным.

— Но на этот раз я его поддерживаю, — сказала она Теду. — Наверное, когда это случается с тобой, начинаешь думать по-другому.

Но она также знала, что если бы они убили ее сына, то даже смертная казнь преступников не вернула бы его и не смогла бы компенсировать утрату. Ей и Сэму просто очень, очень повезло. Тед тоже это понимал. Все могло выйти по-другому, и он благодарил судьбу, что все произошло так, а не иначе.

Потом она вдруг кое о чем вспомнила.

— Когда вы придете поужинать с нами? — За всю его доброту к ним она была обязана ему, и приглашение на ужин было самым малым, что она могла для него сделать. В последние месяцы ей его не хватало, но то, что они не звонили друг другу, возможно, говорило о том, что и у того и у другого в жизни было все в порядке. Она надеялась, что ей никогда больше не потребуются его услуги, но после всего, что им пришлось пережить вместе, она считала его другом.

— По правде говоря, я поэтому и позвонил вам. Я хотел спросить, нельзя ли зайти к вам. У меня есть подарок для Сэма.

— Он будет счастлив снова увидеться с вами. — Она улыбнулась и взглянула на часики: пора на работу. — Как насчет завтрашнего вечера?

— С удовольствием. — Он улыбнулся и быстро записал ее новый адрес. — В какое время?

— В семь вас устроит?

Он согласился, повесил трубку и долго сидел в своем новом кабинете, глядя в окно и глубоко задумавшись. Трудно поверить, что все это произошло год назад. Он снова подумал об этом, увидев недавно некролог по случаю кончины судьи Макинтайра. Ему тоже повезло, что он не погиб от взрыва бомбы в машине год назад. Он умер своей смертью.

— О чем мечтаешь? — гаркнул Рик, появляясь на пороге его кабинета. — А кто будет работать?

Их новый бизнес с успехом развивался, дела шли хорошо Их услуги пользовались большим спросом, и на прошлой неделе Тед признался своему последнему напарнику Джеффу Стоуну, что и не ожидал, что будет получать от этой работы такое удовольствие. И был рад, что снова сотрудничает с Риком. Это ему пришла в голову мысль о создании охранного агентства, и мысль эта, кажется, была очень удачной.

— Вам ли упрекать меня в безделье, специальный агент? Кто вчера отсутствовал целых три часа во время обеденного перерыва? Если такое повторится, я буду вычитать у вас из зарплаты штраф за прогул, — заявил Тед.

Рик хохотнул, наслаждаясь шутливой перебранкой. Он обедал с Пег. Через несколько недель должна была состояться их свадьба. Им обоим все виделось в розовом цвете. А Тед должен был быть шафером на их свадьбе.

— И не мечтай о том, что тебе на медовый месяц будет предоставлен оплаченный отпуск. Мы здесь не в бирюльки играем, у нас серьезный бизнес. Если хочешь жениться и сбежать в Италию, то делай это за свой счет, — заключил Тед.

Улыбаясь, Рик уселся за стол. Таким счастливым, как сейчас, он не чувствовал себя уже много лет. Он был сыт по горло своей работой в ФБР и предпочел заняться собственным бизнесом.

— Выкладывай, что у тебя на уме, — сказал Рик, глядя на Теда.

Он заметил, что приятеля что-то беспокоит.

— Завтра вечером я ужинаю у Барнсов. В Сосалито. Они переехали.

— Вот и хорошо. Позвольте задать вам один нескромный вопрос, детектив Ли: каковы ваши намерения? — Рик говорил шутливым тоном, но глаза смотрели серьезно.

Он знал — или думал, что знает, — каковы чувства Теда. Не известно только, что в связи с этим намерен предпринять Тед, если он вообще думает что-то предпринять. Но этого не знал и сам Тед.

— Просто мне захотелось увидеться с детьми.

— Это уж совсем никуда не годится, — с сожалением произнес Рик. Он был так счастлив с Пег, что ему хотелось, чтобы все вокруг тоже были счастливы. — Мне кажется, что хорошая женщина пропадает зря.

— Так оно и есть, — согласился Тед. Но его одолевало множество сомнений, от которых он, возможно, никогда не избавится. — Она, наверное, с кем-нибудь встречается. На суде она выглядела великолепно.

— Может быть, она выглядела великолепно специально для тебя, — высказал предположение Рик, и Тед рассмеялся.

— Что за глупая мысль!

— Сам ты глупый. Иногда ты бываешь несносным. По правде говоря, почти всегда, — заявил Рик и, поднявшись со стула, вышел из кабинета Теда. Он знал, что его старый друг слишком упрям и убедить его не так-то просто.

До конца дня оба были заняты работой. А вечером Тед, как всегда, засиделся допоздна.

Большую часть следующего дня его не было в офисе. Рик увидел его только перед окончанием работы, когда он был готов отправиться в Сосалито прямо из офиса с маленьким пакетиком в подарочной упаковке, который он держал в руке.

— Что это такое? — поинтересовался Рик.

— Не твое дело, — бодрым тоном сказал Тед.

— Как скажешь, — улыбнулся Рик, и Тед, пройдя мимо него, вышел из кабинета.

— Желаю удачи! — крикнул Рик ему вслед, а Тед только рассмеялся, и дверь за ним захлопнулась.

Рик очень надеялся, что сегодня его другу улыбнется удача. Давно пора, чтобы в его жизни тоже случилось что-нибудь хорошее. Всякие сроки прошли.

Глава 23

Когда позвонили в дверь, Фернанда в фартуке была на кухне, поэтому попросила открыть Эшли За последний год Эшли выросла почти на три дюйма, и Тед поразился, увидев ее В свои тринадцать лет она уже выглядела не как ребенок, а как женщина. На ней была короткая джинсовая юбочка, материнские сандалии и маечка. Она была очень хорошенькая и смотрелась как близнец Фернанды. У них были одинаковые черты лица, одинаковая улыбка, одинаковые длинные прямые белокурые волосы, одни и те же размеры, хотя теперь она была выше матери.

— Как поживаешь, Эшли? — спросил Тед, переступая порог дома. Ему всегда нравились дети Фернанды. Вежливые, воспитанные, добрые, дружелюбные, сообразительные и забавные. Сразу видно, сколько любви и времени она в них вложила.

Фернанда высунула голову из кухни и предложила ему стаканчик вина, но он отказался. Он пил мало, даже когда находился не на службе. Как только Фернанда снова исчезла на кухне, вошел Уилл, который явно был рад его видеть. Они обменялись рукопожатием. В течение нескольких минут они болтали о новой работе Теда, потом в комнату влетел Сэм. Темперамент этого малыша соответствовал его ярко-рыжим волосам. Увидев Теда, он расплылся в улыбке.

— Мама сказала, что у вас есть для меня подарок. Что вы мне принесли? — Он прыснул со смеху, когда его мать появилась из кухни и отчитала его.

— Сэм, это невежливо!

— Но ты сказала, что он... — возразил Сэм.

— Знаю. Но что, если он передумал или забыл об этом? Ты поставишь его в неудобное положение.

Сэм немного смутился, а Тед тем временем протянул ему пакет, который принес с работы. Маленькая прямоугольная коробка выглядела интригующе, и Сэм, принимая ее, немедленно поинтересовался с озорной улыбкой:

— Можно я ее сразу открою?

— Можно, — разрешил Тед.

Он чувствовал себя немного неловко, оттого что не принес ничего остальным, но это была вещь, которую он решил подарить Сэму после памятного судебного заседания. Эта вещь многое значила для него, и он надеялся, что она будет важна и для Сэма.

Открыв коробку, Сэм увидел внутри маленький кожаный футляр, тот самый, который Тед носил при себе в течение тридцати лет. Сэм открыл футляр, заглянул внутрь и вскинул удивленный взгляд на Теда. Там лежала звезда с его номером, которую он носил целых тридцать лет. Фернанда, увидев ее, была удивлена не меньше, чем ее сын.

— Это настоящая? — с благоговением спросил Сэм, переводя взгляд со звезды на Теда.

Но парнишка и сам понимал, что звезда настоящая. Она была потертой, и Тед начистил ее до блеска, прежде чем подарить Сэму. И теперь она, поблескивая, лежала в руках мальчика.

— Настоящая. Теперь, когда я вышел в отставку, она мне больше не нужна. Но она имеет для меня особую ценность. Я хочу, чтобы ты хранил ее. Ты теперь не помощник детектива, Сэм. Ты теперь полноправный детектив. За один год это очень большое повышение по службе, — сказал Тед.

Исполнился ровно год с того дня, когда они впервые встретились и Тед назначил его своим помощником после взрыва машины.

— Можно я ее надену?

— Конечно.

Тед помог ему приколоть звезду, и Сэм помчался полюбоваться на свое отражение в зеркале. Фернанда взглянула на Теда с благодарностью.

— Это невероятно мило с вашей стороны, — тихо произнесла она.

— Он это заслужил. Ценой тяжелых испытаний, — сказал Тед.

Они оба знали, каких именно испытаний, и Фернанда кивнула, а Тед взглянул на Сэма, который радостно прыгал по комнате со звездой, приколотой на груди.

— Я детектив! — кричал он, потом вдруг с интересом спросил: — А людей я могу арестовывать?

— Я бы на твоем месте осторожно выбирал, кого арестовать, — с улыбкой предупредил его Тед. — Я не стал бы арестовывать больших парней, которые могут на тебя разозлиться.

Тед догадывался, что Фернанда уберет звезду и будет сама хранить ее с другими важными вещами вроде отцовских часов и запонок. Но он знал, что время от времени Сэму захочется полюбоваться звездой. Как и любому другому мальчишке.

— Я собираюсь арестовать всех своих друзей, — с гордостью заявил Сэм. — Можно я возьму ее в школу, чтобы показать и рассказать о том, как я ее получил, мама? — спросил он.

Мальчик находился в таком радостном возбуждении, что Тед понял, что поступил правильно, подарив ему звезду.

— Я сама принесу ее в школу, — предложила Фернанда, — а потом, когда ты ее покажешь и обо всем расскажешь, я унесу ее домой. Ты же не хочешь, чтобы она потерялась или сломалась в школе? Ведь это совершенно особый подарок.

— Я понимаю, — сказал Сэм, вновь проникаясь благоговением.

Несколько минут спустя все они уселись за стол ужинать. Она приготовила ростбиф, йоркширский пудинг, картофельное пюре и тушеные овощи, а на десерт — шоколадный торт и мороженое. Дети были в восторге от того, что она приготовила так много вкусных вещей, Тед тоже. Ужин был великолепный. Потом они сидели за столом и разговаривали, пока дети не разошлись по своим комнатам. До летних каникул оставалось еще несколько недель. У Уилла на следующей неделе начинались выпускные экзамены, и ему нужно было готовиться. Сэм унес звезду в свою комнату, чтобы вдоволь налюбоваться ею. А Эшли побежала звонить своим подружкам.

— Ужин был великолепный. Такой вкусной еды я не пробовал с незапамятных времен. Спасибо, — сказал Тед, чувствуя, что отяжелел от обилия вкусной пищи.

Теперь он допоздна задерживался на работе, потом заходил в спортивный зал и возвращался домой около полуночи. Он редко заглядывал куда-нибудь поужинать. Иногда в дневное время он ходил в столовую.

— Я уже много лет не пробовал домашней еды, — добавил он.

Шерли терпеть не могла готовить и предпочитала приносить что-нибудь готовое из ресторана родителей. Она не любила готовить даже для детей и частенько водила их обедать к своим родителям.

— Разве ваша жена для вас не готовит? — удивилась Фернанда и неожиданно, сама не зная почему, обратила внимание на отсутствие у него обручального кольца. Год назад, во время похищения Сэма, оно было у него на пальце.

— Больше не готовит, — коротко ответил он, но потом решил пояснить свои слова: — Мы разошлись сразу же после Рождества. Наверное, нам следовало это сделать много лет назад. Но все равно это было нелегко, — сказал он.

Это произошло пять месяцев назад, но он пока не встречался ни с какой другой женщиной. Некоторым образом он все еще чувствовал себя женатым человеком.

— Что-нибудь произошло? — с сочувствием спросила Фернанда.

Она знала, как он был предан своей жене и как серьезно относился к браку, хотя сам признавался, что отношения между ними далеки от идеальных и что они очень разные люди.

— И да и нет. За неделю до Рождества она сказала мне, что собирается провести рождественские каникулы в Европе вместе со своими приятельницами и вернется только после Нового года. Она не могла понять, почему это так расстроило меня. Думала, что я решил помешать ей получить удовольствие, а я считал, что ей следовало бы остаться дома со мной и сыновьями. Она сказала, что делала это в течение целых тридцати лет и что теперь настала ее очередь. Наверное, она была по-своему права. Она много работала, скопила денег.

Очевидно, она отлично провела время. И я рад за нее. Но это позволило мне понять, что нас с ней больше ничего не связывает. Так было уже давно, но я был уверен, что мы все равно должны сохранить брак. Когда дети были маленькими, я полагал, что нам не следует разводиться ради них. Пока Шерли отсутствовала, я много думал об этом, а когда вернулась, спросил, не считает ли она, что нам лучше разойтись. Она ответила, что уже давно мечтала о разводе, только боялась сказать мне. Она, видите ли, не хотела задеть мои чувства, что является весьма неубедительным доводом в пользу сохранения брака. Примерно через три недели после того, как мы разошлись, она встретила какого-то другого мужчину. Я оставил ей дом, а сам снял квартиру неподалеку от офиса. К этому еще надо привыкнуть, но, в общем, все хорошо. Теперь я жалею, что не сделал этого раньше. Я уже староват, чтобы снова начинать назначать свидания женщинам, — усмехнулся он.

Ему только что исполнилось сорок восемь лет. Фернанде летом должен исполниться сорок один год, но она чувствовала то же самое.

— А у вас как дела? Вы встречаетесь со своим адвокатом? — спросил Тед.

Он был уверен еще в прошлом году, что тот имеет на нее виды и просто выжидает время, чтобы Фернанда привыкла к своему вдовству. А потом произошло похищение. Тед был недалек от истины.

— С Джеком? — рассмеялась она в ответ и покачала головой. — Почему вы так решили? — удивилась она.

Он был очень проницателен. Но такая уж у него работа: он обязан был хорошо разбираться в людях.

— Мне показалось, что он к вам неравнодушен, — сказал Тед, пожав плечами. Судя по ее реакции, он, возможно, ошибся в своей оценке.

— Так оно и было. Он подумал, что я должна выйти за него замуж ради детей, чтобы он мог помочь мне оплачивать счета. Он сказал, что принял решение жениться на мне. Плохо, что он забыл посоветоваться со мной относительно этого решения. И я отказала ему.

— Почему? — удивился Тед.

Джек был умным, преуспевающим и обладал приятной внешностью. Тед считал, что он идеально подходит для нее. Она, очевидно, думала по-другому.

— Я его не люблю, — сказала она, как будто это все объясняло, и, улыбнувшись ему, добавила: — Кстати, он больше не является моим адвокатом. Я его уволила.

— Бедняга, — посочувствовал Тед и, не удержавшись, рассмеялся, представив себе нарисованную ею картину: парень делает предложение и получает от ворот поворот, а потом его увольняют — и все происходит в один и тот же день. — Жаль. Мне он показался хорошим парнем.

— Вот и женитесь на нем, а я не хочу. Я предпочту остаться одна со своими детьми, — заявила Фернанда. У Теда создалось впечатление, что она добилась, чего хотела.

— Кстати, у вас уже оформлен развод? Или это просто раздельное проживание? — спросила она.

Это, конечно, не имело значения. Ей просто было любопытно узнать, насколько серьезно он относится к тому, чтобы оставить Шерли. Было трудно вообразить, что он не состоит больше в браке. Ему тоже было трудно представить себе это.

— Официальный развод состоится через шесть недель, — сказал он, как ей показалось, печально.

Еще бы это не было печально после двадцати девяти лет совместной жизни! Он постепенно привыкал к этому, но все равно для него это было радикальным изменением в жизни.

— Может быть, мы с вами сходим как-нибудь в кино? — осторожно спросил он.

Она улыбнулась. Не смешно ли начинать с приглашения в кино после того, как они проводили вместе целые дни напролет, а ночами спали на полу? После того как он был рядом и держал ее за руку, когда бойцы из команды «СУОТ» возвращали ей Сэма?

— С удовольствием. Нам вас очень не хватало, — честно призналась она, сожалея, что он не позвонил раньше.

— После всего, что произошло, я боялся вызвать у всех вас тяжелые воспоминания.

Она покачала головой:

— Вы никогда не будете тяжелым воспоминанием, Тед. Вы — единственная светлая часть всего этого. Вы и возвращение Сэма. — Потом она снова улыбнулась, тронутая тем, что он о них подумал. Он всегда был очень добр к ее детям и к ней. — Сэм в восторге от своей звезды, — сказала она.

— Я рад. Я собирался отдать ее одному из моих сыновей, но потом решил, что она должна быть у Сэма. Он ее заслужил.

Она кивнула.

— Что правда, то правда, — сказала она и вспомнила минувший год и все, что они говорили друг другу, а также то, что оставалось невысказанным, хотя оба это чувствовали.

Между ними существовала некая связь, и единственное, что останавливало их от дальнейших шагов, была его преданность своему распадающемуся браку, за что она его уважала. А теперь они словно начинали отношения с чистого листа. Он посмотрел на нее, и они вдруг оба забыли минувший год, и он, не говоря ни слова, наклонился к ней и поцеловал.

— Мне тебя так не хватало, — прошептал он, и она кивнула, улыбаясь.

— Мне тоже. Мне было грустно оттого, что ты не звонил. Я подумала, что ты забыл нас.

Они говорили шепотом, чтобы никто не услышал. Дом был маленький, и дети находились совсем близко.

— Я думал, что мне не следует... это было глупо с моей стороны, — сказал он и снова поцеловал ее.

Теперь он не мог насытиться ею и жалел, что так долго ждал. Он несколько месяцев не звонил, полагая, что недостаточно хорош для нее и недостаточно богат. Только теперь он понял, что ошибался. Не это было для нее самым важным. Она была выше этого. И он знал уже тогда, когда произошло похищение, что любит ее. И она любила его. Между ними существовала та магическая связь, о которой она говорила Джеку, хотя тот так ничего и не понял. Это была поистине Божья милость, совсем иная, чем та, другая... она успокаивала боль всех старых ран и утрат, она прогоняла ужас, оставшийся после пережитой трагедии. Это было счастье, о котором они оба мечтали и которого долгое время были лишены.

Они сидели за обеденным столом и целовались, потом он помог ей убрать со стола, последовал за ней на кухню и снова поцеловал ее. Он стоял, держа ее в объятиях, когда в кухню влетел Сэм. Они оба вздрогнули от неожиданности.

— Вы арестованы! — завопил он, для пущей убедительности целясь в них из воображаемого пистолета.

— За что? — взмолился Тед, с улыбкой поворачиваясь к нему.

Неожиданное появление Сэма чуть не стоило ему сердечного приступа, и Фернанда тоже смущенно хихикала, как девчонка.

— За то, что целуешь мою маму! — улыбаясь от уха до уха, заявил Сэм и, заметив улыбку Теда, опустил воображаемый пистолет.

— Разве закон это запрещает? — спросил Тед, привлекая к себе Сэма и тоже заключая его в объятия вместе с Фернандой.

— Нет, можешь забирать ее, — сказал Сэм, будто все само собой разумеется, и вырвался из объятий, которые его смущали. — Мне кажется, что ты ей нравишься. Она говорила, что скучает по тебе. Я тоже скучал, — добавил он и исчез из кухни — очевидно, для того, чтобы сообщить сестре о том, что видел, как Тед целовал маму.

— Получено официальное разрешение, — сказал Тед, обнимая ее за плечи с довольным видом. — Он сказал, что я могу тебя забирать. Можно взять тебя прямо сейчас или заехать за тобой позднее?

— Побудь еще немного, — осторожно сказала она.

Ему эта мысль тоже пришлась по душе.

— Ты можешь устать от меня, — сказал он.

Шерли, например, устала. И это несколько поубавило его уверенность в себе. Обидно, когда близкий тебе человек больше не любит тебя. Но Фернанда была совсем другой, и Рик оказался прав, когда говорил, что он и Фернанда подходят друг другу гораздо больше, чем они когда-либо с Шерли.

— Я не собираюсь уставать от тебя, — тихо сказала она.

Она еще никогда и ни с кем не чувствовала себя такой защищенной, как с ним, несмотря на трагические обстоятельства тех ужасных недель. В чрезвычайных обстоятельствах бывает легче понять, что за человек рядом с тобой. Их чувство зародилось уже тогда, а потом ждало подходящего момента, чтобы проявиться. И дождалось.

Он стоял в коридоре и прощался, обещая позвонить ей завтра. Теперь все изменилось. Наконец-то у него начинается нормальная жизнь. Он может, если пожелает, уйти с работы вечером и отправиться домой. Не нужно теперь засиживаться на службе допоздна или работать в ночную смену. Только было он собрался еще раз поцеловать ее на прощание, как мимо неспешно прошла Эшли, окинув их понимающим взглядом. Однако неодобрения в ее взгляде он не заметил. Ее, кажется, ничуть не удивило, что они обнимают друг друга, и Тед был очень доволен. Эту женщину он ждал всю жизнь, вместе с ее семьей, которой ему не хватало с тех пор, как выросли дети, и с Сэмом, которого он спас и полюбил. С этой женщиной его связывала магия, о которой она мечтала, хотя думала, что больше никогда ее не ощутит.

Он поцеловал ее еще один, последний, раз и торопливо спустился по ступеням к своей машине, помахав на прощание рукой. Когда он отъезжал, она все еще стояла в дверях и улыбалась.

Он, тоже улыбаясь, доехал уже до половины моста, когда зазвонил сотовый телефон. Он надеялся, что звонит Фернанда, но это был Рик.

— Ну? Как все было? Я не мог оставаться в неведении.

— Не твое дело, — все еще улыбаясь, сказал Тед. Разговаривая с Риком, он чувствовал себя мальчишкой. С Фернандой он снова почувствовал себя мужчиной.

— Как так не мое дело? — возмутился Рик. — Я хочу, чтобы ты был счастлив.

— Я счастлив.

— Кроме шуток? — удивился Рик.

— Да. Кроме шуток. Ты был прав. Во всем.

— Силы небесные! Ну, ты даешь! Рад за тебя, дружище. Давно, черт возьми, пора! — радостно рокотал в трубку Рик.

— Да, давно пора, — просто сказал Тед и с этими словами отключил телефон.

Пока он одолевал вторую половину моста, с его лица не сходила счастливая улыбка.

Уважаемые читатели!
Даниэла Стил готова ответить
на Ваши вопросы.
Присылайте их по адресу:
129085, Москва, Звездный бульвар, 21
Издательство АСТ, отдел рекламы.

Литературно-художественное издание

Стил Даниэла
Выкуп

Редактор В.П. Соболь
Художественный редактор О.Н. Адаскина
Компьютерный дизайн: Ж.А. Якушева
Компьютерная верстка: Р.В. Рыдалин
Технический редактор О.В. Панкрашина
Младший редактор Е.А. Лазарева

Общероссийский классификатор продукции
ОК-005-93, том 2; 953000 — книги, брошюры

Санитарно-эпидемиологическое заключение
№ 77.99.02.953.Д.000577.02.04 от 03.02.2004 г

ООО «Издательство АСТ»
667000, Республика Тыва, г Кызыл, ул. Кочетова, д 93
Наши электронные адреса:
WWW.AST.RU E-mail: astpub@aha.ru

ООО Издательство «АСТ МОСКВА»
29085 г Москва, Звездный б-р, д. 21 стр 1

Отпечатано с готовых диапозитивов
в ОАО «Книжная фабрика №1»
144003 г Электросталь Московская область ул Тевосяна, д.25